www.editions-jclattes.fr

Garry Kasparov
avec Mig Greengard

LA VIE EST
UNE PARTIE D'ÉCHECS

Traduit de l'anglais par Judith Coppel

JC Lattès
17, rue Jacob 75006 Paris

Titre de l'édition originale
HOW LIFE IMITATES CHESS
publiée par William Heinemann, Londres.

Pour l'éditeur, le principe est d'utiliser des papiers composés de fibres naturelles, renouvelables, recyclables et fabriquées à partir de bois issus de forêts qui adoptent un système d'aménagement durable.

En outre, l'éditeur attend de ses fournisseurs de papier qu'ils s'inscrivent dans une démarche de certification environnementale reconnue.

ISBN : 978-2-7096-2771-9
© Garry Kasparov, 2007
© 2007, éditions Jean-Claude Lattès pour la traduction française.
Première édition : octobre 2007.

À ma mère, pour toute une vie de soutien et d'inspiration.

INTRODUCTION

Le secret de la réussite

Durant mon adolescence, j'étais une vedette au sein de la folie échiquéenne de l'Union soviétique et je pris vite l'habitude de répondre aux interviews et de m'exprimer en public. Hormis quelques questions occasionnelles sur les filles ou sur mes autres passe-temps, ces premières interviews portaient presque exclusivement sur ma carrière. Lorsqu'en 1985 je devins, à l'âge de vingt-deux ans, le plus jeune champion du monde de l'histoire des échecs, les questions changèrent brusquement de style. Au lieu de s'intéresser aux parties et aux tournois, les gens voulurent connaître les raisons de ces succès sans précédent. Comment avais-je pu travailler autant ? Combien de coups d'avance pouvais-je prévoir ? Que se passait-il dans mon esprit pendant une partie ? Avais-je une mémoire visuelle ? De quoi se composait mon alimentation ? Quelle était ma dernière occupation le soir avant de dormir ? En bref, quels étaient les secrets de ma réussite ?

Je ne mis pas longtemps à comprendre que mes réponses décevaient. À l'instigation de ma mère, j'avais beaucoup travaillé. Le nombre de coups que je voyais d'avance dépendait de la position. Pendant une partie, j'essayais de me rappeler les préparations et de calculer des variantes. Ma mémoire était bonne mais pas spécialement photographique. Avant de jouer, j'avais l'habitude de prendre un déjeuner copieux composé de saumon fumé, d'une grillade et d'un Schweppes. (Malheureusement, mon entraîneur physique décréta, lorsque j'approchai la quarantaine, que ce « régime » n'était plus de saison.) Le soir, avant d'aller me coucher, je me brossais les dents. Rien de particulièrement inspirant.

Chacun semblait attendre de moi une méthode précise, une recette miracle pour être sûr d'obtenir de brillants résultats. On demande aussi aux écrivains célèbres quel type de papier ou de stylo ils emploient, comme si ces instruments pouvaient leur donner du talent. Naturellement, de telles questions passent à côté du fait que nous sommes tous différents, le résultat de millions d'éléments et de modifications intervenues depuis la formation de notre ADN jusqu'à l'instant présent. Chacun d'entre nous construit une formule unique et personnelle pour chaque prise de décision. Notre objectif devrait se borner à tirer le meilleur parti de cette formule, à l'identifier, à en évaluer les potentialités et à trouver les moyens de l'améliorer.

Ce livre, écrit avec le bénéfice du recul, décrit l'élaboration de ma propre formule. Je serai amené à évoquer le grand nombre de gens qui, tout au long de mon parcours, ont contribué à mon développement, directement ou indirectement. Les parties d'Alexandre Alekhine, mon premier héros d'échecs, figurent en bonne place dans mon inspiration, de même que le caractère de Winston

Churchill, dont les mots et les écrits continuent de m'accompagner.

J'espère que cet exemple parmi d'autres vous permettra d'accroître votre pouvoir de décision en lui offrant les meilleures possibilités d'épanouissement. Vous aurez besoin d'une grande honnêteté dans l'évaluation de vos capacités et de la manière dont vous avez réalisé votre potentiel. Il n'y a pas de bonne combine et ce livre ne vous fournira aucun tuyau ni aucun « truc ». Vous y trouverez avant tout des indications pour développer votre conscience de soi et engager, avec vous-même et avec les autres, des défis visant à optimiser votre pouvoir de décision.

L'idée de ce livre m'est venue quand j'ai compris qu'au lieu d'essayer de trouver des réponses brillantes à l'éternel « que se passe-t-il dans votre tête ? », il serait peut-être plus intéressant pour moi de le découvrir réellement. Mais la vie d'un joueur d'échecs professionnel, avec son calendrier rigoureux de déplacements, de matchs et de préparations, est entièrement vouée à sa pratique et ne laisse guère de temps pour l'introspection philosophique. Lorsque j'abandonnai les échecs en mars 2005, j'eus enfin le temps et le recul suffisants pour revenir sur mes expériences et tenter d'en partager les enseignements.

Ce livre ne serait pas le même si je l'avais achevé avant mon changement radical de carrière, des échecs vers la politique. D'abord, j'avais besoin de temps pour assimiler les leçons tirées de ma vie échiquéenne. Ensuite, mes nouvelles expériences me forcent à m'examiner et à réévaluer mes capacités. Il ne suffit pas de se dévouer avec passion à la défense de la démocratie. Pour construire des coalitions et organiser des conférences, j'applique ma vision stratégique ainsi que d'autres talents échiquéens à un domaine entièrement nouveau. Après vingt-cinq ans dans mon élément, des défis d'un tout autre registre m'obligent aujourd'hui à revoir complètement mon mode d'action.

Une carte du mental

Le jour anniversaire de mes six ans, je trouvai à mon réveil le plus beau des cadeaux. Un énorme globe terrestre se dressait à côté de mon lit. Je dus me frotter les yeux pour m'assurer que je ne rêvais pas ! J'avais toujours été fasciné par les cartes et la géographie et mes histoires d'enfance préférées étaient celles où mon père me racontait les voyages de Marco Polo, de Colomb ou de Magellan. Cela avait commencé par la lecture qu'il me fit du livre de Stefan Zweig *Magellan*. À partir de là, notre jeu favori avait consisté à retracer les voyages de ces grands explorateurs.

Je ne mis pas longtemps à connaître les capitales du monde entier, leurs populations et tous les autres renseignements que je pouvais trouver. Ces récits d'aventures vécues me fascinaient beaucoup plus qu'une quelconque histoire de fées. Bien que nous ne portions pas une attention particulière aux terribles épreuves que représentait un voyage en mer à ces époques reculées, je n'ignorais pas le prodigieux courage qu'il fallait à un homme pour entreprendre un tel périple. Ces histoires éveillèrent en moi l'esprit d'aventure. Je voulais frayer de nouvelles voies, même si cela ne devait pas représenter beaucoup plus, à cette époque de ma vie, que de changer de chemin pour rentrer chez moi. Par la suite, au long de ma carrière échiquéenne, il en fut de même : je me donnais sans cesse de nouveaux défis en essayant des combinaisons qui n'avaient jamais été pratiquées.

Le temps des grandes conquêtes et des grandes explorations est révolu, mais il existe encore de nombreux territoires à découvrir. Nous pouvons dépasser nos propres limites et celles de nos vies. Nous pouvons aussi aider les autres à faire de même, par exemple en offrant à un enfant pour son anniversaire un globe terrestre ou son équivalent numérique.

Avoir son propre cheminement est primordial et ce livre ne peut qu'indiquer grossièrement les étapes de l'observation et de l'analyse qui permettent de l'élaborer. En exagérant à peine, on pourrait dire que ce qui est évident ou identique chez chacun d'entre nous ne peut être amélioré. Il nous faut viser plus haut et creuser plus en profondeur, opérer un déplacement par rapport au fondamental ou à l'universel. En théorie, tout un chacun peut apprendre à jouer aux échecs en une demi-heure et les règles sont les mêmes pour tous, que ce soit pour un homme, une femme ou un enfant. Cependant, dès que nous commençons à aller au-delà des règles, à dépasser ce premier niveau où il ne s'agit que de suivre les conventions, nous formons des combinaisons qui nous distinguent des autres joueurs.

Les modèles que nous avons acquis et la logique qui régit leur usage se combinent avec nos qualités intrinsèques pour former une unique capacité de décision. L'expérience et les connaissances sont difractées par le prisme du talent qui s'en trouve ainsi démultiplié. Cet ensemble constitue la source de l'intuition, un instrument propre à chacun d'entre nous. Nous commençons ici à voir l'influence de la psychologie personnelle et comment notre émotivité trouve son expression dans nos choix – ce que nous appelons, pour un joueur d'échecs, le style. Les échecs constituent un champ idéal pour l'étude de ces influences car, en vue d'améliorer notre jeu, il nous faut analyser la manière dont nous prenons les décisions ainsi que les décisions elles-mêmes. Voilà qui est sans doute plus intéressant que de connaître mes habitudes quotidiennes ; c'est ce qui s'appelle l'introspection.

Nous ne pouvons décider volontairement d'un style. Il ne s'agit pas d'un logiciel que nous pouvons télécharger et installer. Nous devons plutôt être attentifs à ce qui fonctionne le mieux pour nous-mêmes et nous attacher, à travers défis et tentatives, à développer une méthode personnelle. Quelles sont mes faiblesses ? Mes points forts ? Quel type de difficultés ai-je tendance à éviter et pour quelle raison ? Cette technique de réussite est intransmissible car elle se fonde sur l'analyse de nos choix. Les meilleures prises de décision ne s'enseignent pas, mais on peut se les enseigner à soi-même.

Il semble, au premier abord, qu'il y ait une contradiction dans cet énoncé. Nous devons prendre conscience de nos processus décisionnels qui, avec la pratique, feront progresser notre intuition – inconsciente. Cette démarche, qui n'est pas naturelle, est commandée par le fait qu'en tant qu'adultes, nous avons déjà constitué nos modèles de conduite, bons et mauvais.

Ce livre a pour but d'ouvrir les portes à cette prise de conscience au moyen d'anecdotes et d'analyses. Dans la première partie, nous examinerons les principaux ingrédients qui jouent un rôle dans la prise de décision. La stratégie, le calcul, la préparation, il nous faut comprendre ces fondamentaux et connaître nos capacités à les utiliser. La deuxième partie sera consacrée à l'évaluation et à l'analyse. Sur quels points devons-nous changer et pour-quoi ? C'est là que nous pourrons comprendre les méthodes et les bénéfices de l'introspection. La troisième partie enfin portera sur les subtils composés que nous élaborons à partir de tous ces éléments pour améliorer nos performances. La psychologie et l'intuition influent sur chaque aspect de nos décisions et de nos résultats. Nous devons développer notre capacité à acquérir une vue d'ensemble, puis apprendre à négocier et à tirer les ensei-gnements des moments de crise.

Ces moments sont en effet des points cruciaux car chaque voie que nous choisissons est décisive puisque nous ne pouvons revenir en arrière. C'est pour ces instants-là que nous vivons et, en retour, ils déterminent nos vies. Ils nous permettent de nous connaître et nous révèlent ce qui a vraiment de l'importance pour nous. Le secret est alors de faire face à ces défis plutôt que de les fuir. C'est la seule manière de découvrir et d'exploiter nos dons. En développant un projet personnel nous prendrons de meil-leures décisions, nous ferons davantage confiance à nos instincts et, quel que soit le résultat, nous aurons acquis davantage de force. Voilà ce qui constitue le fameux secret de la réussite.

1. La leçon

Leçons personnelles du champion du monde

Quand je participai pour la première fois au championnat du monde d'échecs en 1984, je jouai le rôle du jeune challenger contre un champion qui avait conservé le titre depuis presque dix ans. J'avais vingt et un ans et grimpé si rapidement au sommet de la hiérarchie échiquéenne que je n'imaginais pas que ce dernier obstacle puisse m'arrêter. Ce fut donc un véritable choc de me retrouver défait sur quatre parties d'affilée et à deux défaites seulement d'une débâcle humiliante.

S'il s'était jamais trouvé un moment pour changer de stratégie, c'était bien celui-ci. Au lieu de céder au désespoir, je m'obligeai à adopter l'état d'esprit d'une longue guerre d'usure. À chaque partie suivante, je me mis en posture de guérilla, diminuant la prise de risques et guettant ma chance. Mon adversaire, le camarade soviétique Anatoly Karpov, s'accorda à cette manœuvre pour ses propres raisons. Il voulait donner une leçon à l'arriviste en réalisant le score parfait de 6-0 et jouait donc prudemment plutôt que de pousser son avantage et de chercher le mat.

Karpov était inspiré par l'exemple de son prédécesseur, Bobby Fischer. En route pour le titre de champion du monde auquel il prétendait en 1972, l'Américain avait réalisé deux scores parfaits de 6-0 contre des adversaires de niveau international, les deux fois sans concéder la moindre partie nulle. Karpov avait cet exploit en tête et cherchait, dans une certaine mesure, à l'imiter lorsqu'il changea de stratégie contre moi. Mais faire appel au fantôme de Fischer pour me contrer s'avéra être une lourde erreur.

S'ensuivit une incroyable série de dix-sept parties sans résultat décisif. Ces parties nulles n'étaient pas sans intérêt et il apparut que ma nouvelle stratégie était efficace. Le match s'étirait en longueur, mois après mois, battant tous les records de durée des précédents championnats du monde. Mon équipe d'entraîneurs et moi-même passâmes tant de temps à réfléchir sur le jeu de Karpov et sur ses manières de jouer que j'en venais à m'identifier à lui.

Durant ces centaines d'heures de jeu et de préparation, j'acquis une excellente vision de mon jeu et de ma tournure d'esprit. Jusqu'ici, ma carrière s'était déroulée facilement et le fait de gagner m'était devenu naturel. Or il me fallait maintenant comprendre mon processus de prise de décision de façon à déterminer ce qui n'allait pas. Cela marchait, mais quand je perdis la 27ᵉ partie, ce qui me fit descendre à 0-5, il parut que ma faculté d'analyse n'était pas encore assez rapide pour sauver le match. Une défaite supplémentaire signifierait trois longues années avant de pouvoir espérer une nouvelle compétition pour le titre.

Le match entamait son troisième mois et je conservais ma posture défensive. Le changement de style avait durci ma résistance contre Karpov et j'avais l'impression d'être sur le point de résoudre le problème tandis que, dans le même temps, mon adversaire semblait plus frustré et plus las.

Finalement, le barrage céda. Après avoir survécu à la trente et unième partie, et Karpov ayant échoué à prendre l'avantage dans une position décisive, je gagnai la 32e partie et prit l'offensive. Il s'ensuivit une nouvelle série de parties nulles qui dura cinq semaines, mais j'arrivais cette fois à créer davantage de situations dominantes que mon adversaire. Pendant ce temps, tout le monde commençait à se demander si ce match allait finir un jour. Aucun championnat du monde n'avait jusque-là excédé trois mois et nous entrions à présent dans le cinquième mois. Karpov affichait des signes de fatigue et j'accentuais ma pression. Après avoir failli gagner la 46e partie, je remportai la 47e de façon écrasante. Un miracle pouvait-il se produire ? C'est le moment exact que choisirent les organisateurs pour décréter que les joueurs avaient besoin de repos et la partie suivante fut reportée de plusieurs jours. En dépit de cette décision sans précédent, je gagnai la 48e partie. Soudain, nous nous retrouvâmes à 3-5 et l'élan était de mon côté.

C'est alors qu'en un étrange revirement, le 15 février 1985, le président de la Fédération internationale d'échecs (FIDE), Florencio Campomanes, en réponse à la pression des autorités sportives soviétiques, donna une conférence de presse pour annoncer que le match était annulé. Après cinq mois, quarante-huit parties et des milliers d'heures de jeu et d'étude, le match s'arrêtait sans gagnant. Nous devions revenir six mois plus tard pour nous mesurer à nouveau dans un match limité à vingt-quatre parties. Pour Karpov, le danger était momentanément écarté et il pouvait conserver son titre encore un certain temps. La presse officielle annonça la nouvelle en disant que Karpov « acceptait » cette décision et que Kasparov s'y « soumettait ». Une distinction sémantique curieuse mais juste. (Si l'Hôtel Sport, où eut lieu l'infâme conférence de presse, a été démoli depuis, son esprit totalitaire perdure dans ma mémoire – et dans Moscou encore davantage.)

Parallèlement à cet amer aperçu des imbrications entre la politique soviétique et les échecs, j'avais énormément appris au cours de ce match. Le champion du monde avait été mon entraîneur personnel durant les cinq mois de cet affrontement sans relâche. Je ne m'étais pas seulement familiarisé avec son style de jeu, j'avais aussi compris ma propre manière de combattre. Je parvenais mieux à identifier mes erreurs et à analyser leurs causes, j'avais aussi appris à les éviter et à améliorer mon processus de prise de décision. Pour la première fois, j'étais dans l'analyse et non dans le seul jeu instinctif.

Au cours du second match, à Moscou, il ne fallut pas attendre des mois avant que j'obtienne ma première victoire ; je gagnai la toute première partie. Le match fut encore âprement disputé – la plupart des premières étapes furent difficiles pour moi – mais cette fois-ci, je n'étais plus le même jeune homme innocent de vingt et un ans. J'avais corrigé les défauts dont Karpov avait profité avec tant d'efficacité lors du début du premier match. J'étais maintenant un vétéran de vingt-deux ans et je remportai le titre de champion du monde que je devais conserver durant quinze ans. Lorsque j'abandonnai en 2005, j'étais encore le joueur le plus titré du monde, mais aux échecs, quarante et un ans est un grand âge pour se maintenir au sommet, surtout lorsque la plupart de vos opposants sont des adolescents.

Être conscient du processus

Je n'aurais jamais pu rester au sommet aussi long-temps sans l'enseignement dispensé par Karpov sur mon jeu et mes faiblesses. Et pas seulement mes faiblesses mais aussi l'importance de les appréhender. Je ne le compris pas tout à fait sur le moment, mais le légendaire « match mara-thon » m'avait donné la clé du succès. Il ne suffit pas d'avoir du talent. Il ne suffit pas de travailler d'arrache-pied et d'étudier jusque tard dans la nuit. Il faut aussi être au fait de ses propres méthodes qui conduisent à une prise de décision efficace.

La conscience de soi est essentielle dans la capacité à combiner les connaissances, l'expérience et le talent afin d'atteindre le maximum de nos possibilités. Peu de gens saisissent l'opportunité de se livrer à cette sorte d'analyse. Chaque décision relève d'un processus interne, que ce soit devant l'échiquier, à la Maison-Blanche, au parlement ou même encore devant la table de cuisine. Le sujet de ces décisions peut varier, mais le processus est presque toujours le même.

Les échecs ayant constitué le centre d'intérêt de ma vie depuis mon plus jeune âge, il est logique que je conçoive le monde en termes échiquéens. Je trouve qu'en général, les non-initiés considèrent l'univers des soixante-quatre cases soit avec trop de sérieux soit avec trop de légèreté. Ce n'est ni un jeu simple ni un exercice qui doit être abandonné aux génies ou aux superordinateurs. De façon à mieux appréhender les principaux thèmes de cet ouvrage, le prochain chapitre sera consacré à un survol des concepts et idées reçues concernant le « roi des jeux ».

Anatoly Yevgenyevich Karpov (1951), URSS / Russie

L'adversaire qui a déterminé mon destin

12ᵉ champion du monde d'échecs (1975-1985), né à Zlatoust, URSS, Karpov, après avoir rapidement gravi les échelons pour être en mesure de prétendre au titre, fut couronné champion du monde en 1975, quand l'Américain Bobby Fischer renonça à défendre son titre à la suite de négociations prolongées avec la Fédération internationale d'échecs. Karpov ressentit le besoin de faire ses preuves après avoir obtenu le titre dans de telles conditions et il se mit à gagner tournoi sur tournoi. Il détient toujours le record de tournois gagnés le plus impressionnant parmi tous les joueurs.

Il défendit son titre victorieusement en 1978 et 1981, les deux fois contre Viktor Kortchnoï. Karpov et moi disputâmes cinq matchs consécutifs de championnat du monde : 1984, 1985, 1986, 1987, 1990, un total de 144 parties. Notre score après ce marathon était remarquablement équilibré : 21 gains pour moi, 19 pour Karpov, et 104 nulles ! Ces matchs « K contre K » sont considérés comme l'un des affrontements les plus intenses de toute l'histoire des sports.

Karpov bénéficia d'un support politique colossal de la part de l'URSS car la nécessité de regagner le titre sur l'Américain Fischer s'était fait fortement ressentir. Il était en étroite relation avec l'appareil d'État soviétique et, de par sa nature, il avait d'ailleurs tendance à être toujours en accord avec le pouvoir. Nos styles contrastés de feu et de glace reflétaient aussi l'image « collaborateur contre rebelle » que nous donnions au monde.

Sa maîtrise dans le genre des manœuvres circonspectes conduisirent à l'introduction du terme « karpovien » dans le vocabulaire échiquéen. Il désigne un style de jeu consistant à étrangler l'adversaire à la manière du python, avec calme et méthode.

Sur Karpov : « Les intentions de Karpov ne sont décelables pour ses adversaires que lorsqu'il est trop tard pour faire quoi que ce soit. » Mikhaïl Tal

Karpov par lui-même : « Disons qu'une partie peut être menée de deux manières : l'une consiste en une magnifique élaboration tactique qui donne lieu à des variantes que les calculs précis n'épuisent pas ; l'autre opère une pression nette par la position qui conduit à une finale avec des chances de gain microscopiques. Je ne réfléchis pas à deux fois pour choisir la seconde. »

2. La vie imite les échecs

Les échecs à Hollywood

On imagine difficilement des séries d'images plus paradoxales que celles associées au jeu d'échecs d'une part et au joueur d'échecs d'autre part. Les échecs représentent un symbole universel de l'intellectualité et de la complexité, de la sophistication et de l'ingéniosité. Et en même temps, on a affaire à l'image récurrente du joueur d'échecs excentrique, voire psychotique.

Pour la plupart des pays occidentaux, le stéréotype du joueur d'échecs est souvent celui d'un être incomplet et mal nourri ou bien encore d'un obsédé, intelligent mais misanthrope. Ces visions persistent en dépit des images et associations positives véhiculées par le jeu proprement dit tant à Hollywood qu'à Madison Avenue.

Qui peut oublier les premières séquences de *Bons baisers de Russie*, le film de James Bond dans lequel le vilain Kronsteen passe directement d'une victoire dans un tournoi d'échecs à la conspiration d'une catastrophe à l'échelle internationale ? Le créateur de Bond, Ian Fleming, ainsi que le réalisateur ont accordé une grande attention à la partie disputée par Kronsteen et son adversaire MacAdams, se fondant sur une partie qui avait vraiment eu lieu entre deux grands joueurs soviétiques, Boris Spassky, dixième champion du monde, et David Bronstein, une fois finaliste en championnat du monde. Le scénario utilise clairement le jeu d'échecs comme métaphore, par exemple quand l'un des associés de Bond l'avertit : « Ces Russes sont des joueurs d'échecs redoutables. Quand ils montent une machination, ils le font avec brio. La partie est programmée minute par minute, les gambits de l'ennemi sont également prévus. »

Des dizaines d'autres films ont utilisé les échecs de la même façon pour montrer l'intelligence et le sens stratégique des protagonistes. En 1995, le film *Assassins* montre Silvester Stallone et Antonio Banderas, tueurs professionnels, essayant de s'éliminer l'un l'autre durant le jour tandis qu'ils s'affrontent aux échecs par courrier électronique pendant la nuit. Dans le film de Stanley Kubrick *2001 : l'odyssée de l'espace* réalisé en 1968, l'ordinateur HAL 9000 bat facilement le personnage Frank Poole aux échecs, laissant augurer que la machine pourrait bien finir par le tuer.

D'après le stéréotype du joueur d'échecs, nous sommes introvertis, presque obsessionnels et même autistes. Vladimir Nabokov était un joueur passionné mais il ne fit aucun cadeau à ce jeu dans son roman publié en 1930, *La Défense Loujine*, où le personnage principal est une grossière caricature de grand maître, pas vraiment fait pour la vie en société au-delà de sa capacité à jouer aux échecs. La version cinématographique réalisée en 2000, tirant l'histoire dans un sens plus sentimental, en offrait une vision moins rébarbative.

Un autre écrivain connu, l'Autrichien Stefan Zweig, peupla lui aussi son monde des échecs de personnages excentriques et déjantés. Le récit *Le Joueur d'échecs*, publié à titre posthume, était un commentaire psychologique et politique sur le nazisme centré sur deux parties entre un champion du monde d'échecs sachant à peine lire et écrire et un médecin emprisonné par la Gestapo, devenu fou à force de jouer aux échecs contre lui-même. Dans le livre, Zweig nous offre cette éblouissante description du jeu proprement dit :

« Mais n'est-ce pas déjà le limiter injurieusement que de l'appeler un jeu ? N'est-ce pas aussi une science, un art, ou quelque chose qui est suspendu entre l'un et l'autre, comme le cercueil de Mahomet entre ciel et terre ? L'origine du jeu d'échecs se perd dans la nuit des temps, et cependant il est toujours nouveau ; sa marche est mécanique, mais elle n'a de résultat que grâce à l'imagination du joueur ; il est étroitement limité dans un espace géométrique fixe, et pourtant ses combinaisons sont illimitées ; [...] il a prouvé néanmoins qu'il était plus durable à sa manière que les livres ou que tout autre monument, ce jeu unique qui appartient à tous les peuples et à tous les temps, et dont personne ne sait quel dieu en fit don à la terre pour tuer l'ennui, pour aiguiser l'esprit et stimuler l'âme. [...] Un enfant peut en apprendre les règles, un ignorant s'y essayer et y acquérir une maîtrise d'un genre unique, s'il a reçu ce don spécial. La patience et la technique s'y joignent à une vue pénétrante des choses, pour faire des trouvailles comme on en fait en mathématiques, en poésie, en musique [1]. »

Authentiques caractères échiquéens

Il est vrai que dans l'histoire des échecs, un certain nombre de joueurs remarquables ont eu des problèmes psychiatriques soit pendant, soit après leur carrière. Le maître allemand Curt von Bardeleben s'est suicidé en 1924 de la même manière que Loujine dans le livre de Nabokov, en se jetant par la fenêtre. Wilhelm Steinitz, le premier champion du monde officiel, dut faire face à des troubles mentaux récurrents à la fin de sa vie. L'un des joueurs les plus réputés du premier quart du XXᵉ siècle, Akiba Rubinstein, tomba progressivement dans une timidité maladive. Après avoir joué un coup, il se cachait dans un coin de la salle de jeu en attendant la réplique de son adversaire.

Les deux plus grands joueurs d'échecs produits par les États-Unis abandonnèrent le jeu en pleine gloire car ils souffrirent de troubles mentaux. Paul Morphy écrasa les meilleurs joueurs du monde durant sa tournée européenne de 1858-59, abandonnant le jeu quelques années plus tard pour se consacrer aux batailles juridiques. Il ne rejoua jamais sérieusement aux échecs et, à la fin de sa vie, ce héros échiquéen de l'Amérique souffrit de moments d'hallucination que certains journalistes attribuèrent à ses exploits mentaux hors du commun.

En 1972, Robert « Bobby » Fischer arracha le titre de champion du monde à Boris Spassky et à l'Union

---

1. Éd. Stock, p. 29. *(N.d.T.)*

soviétique, en un match légendaire qui se déroula à Reyk-javik en Islande. À la suite de quoi il abandonna le jeu pendant vingt ans, refusant de défendre son titre en 1975 et disparaissant littéralement pendant plus de dix ans. Quand, en 1992, Fischer se laissa convaincre de disputer ce qui fut considéré comme un championnat de revanche contre Spassky en Yougoslavie – à cette époque sous sanction de l'ONU –, son jeu, rouillé comme on pouvait le prévoir, était agrémenté d'une paranoïa antisémite vociférante.

Mais ces cas exceptionnels, dans la fiction ou dans la réalité, feraient vite oublier la grande majorité des joueurs d'échecs qui, ne serait leur talent échiquéen, ne se distin-guent pas du commun des mortels.

Le pedigree du roi des jeux

Si vous ne connaissez des échecs que le diagramme de votre journal quotidien, cela vous surprendra d'apprendre qu'il existe sur ce jeu une littérature qui remonte à des centaines d'années, peut-être même à des milliers si on inclut les variantes mythiques, et qui trouve son origine, à ce qu'on raconte, en Inde. L'un des premiers livres édités par Caxton's press et datant du XVe siècle était *Game and Playe of the Chesse*. Cinq cents ans plus tard, les premières communications sur ce qui deviendra ensuite Internet contenaient les coups d'une partie d'échecs entre scientifiques à titre de tests de laboratoire.

Le code de notation des parties confère aux échecs un historique précis, permettant à des millions de joueurs à travers les âges de profiter des parties effectuées par les joueurs légendaires du passé.

En considérant toute l'histoire des échecs comme une pièce d'un seul tenant, on peut voir le développement régulier de ce jeu. Je ne parle pas ici des règles, qui ont été largement standardisées vers la fin du XVIIIe siècle. Si les règles n'ont pas changé, le style et les idées principales sur le jeu ont considérablement évolué au cours des cent cinquante dernières années.

Après avoir écrit dans les journaux une série de courts articles sur les champions du monde qui m'avaient précédé, j'eus l'idée d'analyser en profondeur, par tranches de dix ans, la manière dont le jeu avait évolué et comment les plus grands praticiens avaient participé à son développement. J'avais en tête une histoire du jeu d'échecs à travers une analyse soigneuse des parties les plus importantes et les plus décisives. Ce projet, qui occupa le plus clair de mon temps ces trois dernières années, vit le jour sous la forme d'une série d'ouvrages intitulés *My Great Predecessors*.

Comme j'en suis actuellement à la sixième partie de ce travail, j'ai déjà appris une quantité de choses sur les grands joueurs du passé. Chaque champion du monde a énormément contribué à l'évolution du jeu. En étudiant les douze champions du monde qui m'ont précédé et leurs plus grands rivaux, je me suis demandé ce qui avait permis à cette « grande douzaine » de réussir ? Que possédaient donc ces champions qui manquait à leurs adversaires ?

Il semble naturel aux joueurs d'échecs de suggérer que leur aptitude relève d'une grande intelligence pour ne pas dire du génie. Malheureusement, cette théorie ne trouve pas beaucoup d'arguments. Il n'y a pas davantage de vérité à croire, comme c'est si souvent le cas, que les meilleurs joueurs sont des ordinateurs humains, capables de mémoriser des mégabits de données et de calculer des douzaines de coups d'avance.

En réalité, il est loin d'être évident que les maîtres d'échecs possèdent d'autres talents que celui de bien jouer. Ceci a conduit des générations de chercheurs à tenter de déterminer pourquoi certains étaient doués pour les échecs et d'autres non. Il n'existe pas de gène spécifique des échecs, ni de configuration enfantine répertoriée, et cependant, comme en musique ou en mathématiques, il existe de vrais prodiges aux échecs. Des enfants qui n'avaient pas plus de quatre ans sont devenus des stars, battant des adultes alors qu'ils ne connaissaient les règles que depuis quelques mois, simplement parce qu'ils avaient observé leurs aînés en train de jouer.

Nous savons donc qu'il existe un talent échiquéen, mais cela ne nous aide pas. Même si vous avez un don, il peut ne jamais se réaliser sans la conjonction d'un certain nombre de facteurs, et il est plus profitable de se concentrer sur ces facteurs car ce sont eux que nous pouvons observer et sur lesquels nous pouvons éventuellement avoir une influence.

Sport, art ou science ? Sport, art ET science

Si vous demandez à un grand maître, un artiste et un informaticien ce qui fait un bon joueur d'échecs, vous comprendrez pourquoi ce jeu est le laboratoire idéal de la prise de décision. Le joueur professionnel sera vraisemblablement d'accord avec le deuxième champion du monde, un Allemand, Emmanuel Lasker, qui déclara : « Les échecs sont avant tout un combat. » Selon cette remarque, quelle que soit la manière dont vous les définissez, l'important est de gagner.

L'artiste Marcel Duchamp était un joueur d'échecs passionné et de bon niveau. À un moment donné, il abandonna même l'art au profit des échecs, disant que le jeu « avait toute la beauté de l'art – et même davantage ». Duchamp poussa d'ailleurs cette idée plus loin en affirmant : « J'en suis arrivé à cette conclusion personnelle que si tous les artistes ne sont pas des joueurs d'échecs, tous les joueurs d'échecs sont des artistes. » Et il est vrai que nous ne pouvons ignorer l'aspect créatif, même s'il nous faut le rationaliser par rapport à l'objectif premier qui est de gagner.

Nous en venons ensuite à l'aspect scientifique, celui que la plupart des non-joueurs tendent à exagérer. La mémorisation, le calcul précis, et la logique sont essentiels. Lorsque les premiers ordinateurs firent leur entrée en scène dans les années 50, la plupart des scientifiques étaient persuadés que ces calculatrices herculéennes ne tarderaient pas à écraser n'importe quel humain. Et pourtant, quelque cinquante ans plus tard, la bataille pour la suprématie entre l'homme et la machine continue de se poursuivre.

Le sixième champion du monde, Mikhaïl Botvinnik, qui fut mon grand professeur, consacra ses trente dernières années à créer un ordinateur d'échecs. C'est-à-dire, pas seulement un ordinateur qui puisse jouer aux échecs, ce qui était relativement simple à réaliser et déjà assez courant à l'époque, mais un programme qui inventerait des coups à la manière d'un être humain, un vrai joueur artificiel.

Botvinnik était un ingénieur et il discuta de ses idées avec nombre de scientifiques, y compris le légendaire mathématicien américain Claude Shannon, qui avait lui-même conçu le projet d'un ordinateur d'échecs à ses moments perdus. La plupart des programmes d'échecs ne font que calculer bêtement, bien qu'ils le fassent très vite. Ils utilisent leur puissance brute pour examiner chaque coup possible dans le temps imparti. Ils évaluent chacun d'entre eux par un score et choisissent ensuite le coup qui obtient le meilleur score. Botvinnik voulait aller plus loin et concevoir un projet qui utiliserait la logique pour sélectionner des coups plutôt que la puissance aveugle du calcul.

En bref, son projet échoua. Les diagrammes positionnels et les modèles théoriques qu'il fit pendant des années ne réussirent jamais à réaliser un programme capable de battre un débutant. (Déjà dans les années 70, les programmes de simple calcul pouvaient jouer à un niveau de compétence assez élevé.) Comment un ordinateur pourrait-il rivaliser avec l'intuition et la créativité humaines ? Même aujourd'hui, trente ans plus tard, alors que les ordinateurs jouent au niveau des champions internationaux, ils puisent l'essentiel de leur force dans le calcul aveugle.

Cependant, les programmeurs d'échecs commencent à atteindre les limites de telles méthodes. Pour améliorer leurs créations, ils sont obligés d'examiner certains des concepts de Botvinnik. Son projet, bien qu'il ait échoué, comportait des idées sous-jacentes tout à fait valables et en avance sur leur temps. Nous avons compris aujourd'hui que la seule force de calcul ne pouvait épuiser ce jeu très ancien et nous commençons donc à revenir à la vision de Botvinnik concernant la création de programmes plus proches du fonctionnement humain.

Plus qu'une métaphore

Nous savons que les ordinateurs calculent mieux que nous, alors, d'où vient notre supériorité ? La réponse est dans l'esprit de synthèse, la capacité à combiner la créativité et le calcul, l'art et la science, dans un ensemble qui est bien davantage que la somme de chacun d'eux. Les échecs créent dans l'esprit humain une connexion cognitive unique, où l'art et la science s'unissent pour se raffiner et s'améliorer au cours de l'expérience.

C'est d'ailleurs la manière dont nous nous améliorons dans tous les domaines de la vie où intervient la pensée, autrement dit, dans tout. Un P-DG doit combiner l'analyse et la recherche avec la pensée créative pour diriger son équipe avec efficacité. Un général d'armée doit appliquer sa connaissance de la nature humaine pour anticiper et prendre en compte les stratégies de l'ennemi.

Cela nous aide aussi d'avoir un vocabulaire commun pour travailler. Si vous surprenez une discussion qui se réfère à la « phase d'ouverture », au « secteur de vulnérabilité », au « plan stratégique » et à la « mise en œuvre tactique » vous pourriez supposer qu'une corporation s'apprête à faire un coup d'État. Mais cela peut tout aussi bien se référer à un week-end de tournoi d'échecs.

Naturellement, les champs d'action militaires ou ceux des affaires sont illimités comparés aux soixante-quatre cases de l'échiquier. Mais c'est précisément en raison de cet espace restreint que les échecs offrent un modèle si diversifié de prise de décision. Aux échecs, les critères de gain ou de perte sont stricts. Si vos décisions sont mauvaises, votre position se détériore et le balancier penche vers la défaite ; si elles sont bonnes, il penche vers la victoire. Chaque coup reflète un choix et, en prenant le temps, on peut analyser jusqu'à la perfection scientifique pour juger si cette décision était ou non la plus efficace.

Cette objectivité peut permettre une évaluation approfondie de nos processus décisionnels. Le marché boursier et le champ de bataille sont loin d'être aussi ordonnés, mais le succès dépend également de la qualité de nos prises de décisions dans ces domaines qui sont sujets à des méthodes d'analyse comparables.

Qu'est-ce qui fait que quelqu'un est un meilleur directeur, un meilleur écrivain ou un meilleur joueur d'échecs ? Car il est évident que chacun ne réussit pas au même niveau et ne possède pas les mêmes dons. Il est déterminant de découvrir notre propre voie pour arriver au meilleur de nous-mêmes, développer nos talents, améliorer autant que possible nos dons en cherchant à relever les défis qui peuvent nous permettre de donner toute la mesure de nos capacités. Et pour ce faire, il faut commencer par avoir un plan.

Mikhaïl Moiseyevich Botvinnik (1911-1995), URSS / Russie

Le patriarche sans compromis

Sixième champion du monde – 1948-57, 1958-60, 1961-63. Né à Kuokkala, Russie. Quand Alexandre Alekhine mourut en 1946, encore détenteur du titre de champion du monde, on organisa un tournoi mondial entre les meilleurs joueurs afin de lui trouver un successeur. Cet événement qui eut lieu en 1948 fut dominé par Botvinnik, qui devint ainsi le premier d'une longue lignée de champions du monde soviétiques. C'était aussi un ingénieur en exercice bien que les échecs fussent sa grande priorité.

Outre son titre de Patriarche des échecs soviétiques, Botvinnik pouvait être considéré comme le roi de la revanche. Il fut battu deux fois en championnat du monde pour écraser chaque fois son vainqueur l'année suivante. Sa capacité à analyser en profondeur les caractéristiques personnelles de son opposant pour se préparer à l'affronter de nouveau instaura un palier supplémentaire de rigueur et de professionnalisme dans les échecs. La capacité de revenir et de gagner ces revanches demandait davantage que de la ténacité. Botvinnik était capable d'analyser en toute objectivité son propre jeu et de pallier les faiblesses que ses adversaires avaient exploitées la première fois.

Sa nature sans compromis demeura inchangée durant toute sa vie. En 1994, nous lui demandâmes d'honorer de sa présence un tournoi de parties rapides à Moscou. Botvinnik, alors âgé de quatre-vingt-trois ans, déclina en disant que les « échecs rapides n'étaient pas sérieux ! » Nous lui répondîmes qu'ils étaient la nouvelle mode et que tout le monde participait à cet événement, même son vieux rival Vassily Smyslov. Il rétorqua : « J'ai l'habitude de penser par moi-même. Même si une centaine de gens pensent autrement, cela m'est égal ! »

Botvinnik abandonna les échecs professionnels en 1970 pour se consacrer à l'enseignement et étudier le nouveau champ des ordinateurs d'échecs. Deux ou trois fois par an, l'école de Botvinnik invitait les meilleurs talents échiquéens juniors de tout le pays et elle parvintà produire plusieurs générations de champions. Dans la première promotion, au début des années 60, se trouvait le jeune Anatoly Karpov. En 1973, l'un de ses élèves était Garry Kasparov, alors âgé de dix ans. Avant que n'arrive le jeune Vladimir Kramnik, en 1987, elle était devenu l'école conjointe Botvinnik-Kasparov – un duo de champions passablement impressionnant.

Sur Botvinnik : « Quand les dangers menacent de tous côtés et que la moindre baisse d'attention peut être fatale ; dans une position qui demande des nerfs d'acier et une extrême concentration, Botvinnik est dans son élément. » Max Euwe, cinquième champion du monde

Botvinnik par lui-même : « La différence entre l'homme et l'animal est que l'homme est capable d'établir des priorités ! »

3. Stratégie

« *Celui qui sait le comment aura toujours un emploi. Celui qui connaît le pourquoi sera toujours son propre maître.* »

Ralph Waldo Emerson

Réussir à changer de vitesse

Le football, et dans une moindre mesure le hockey, étaient les sports auxquels on assistait en URSS durant ma jeunesse. Le « beau jeu », comme on dit généralement du football, est aussi l'un des jeux les plus simples quand on en vient aux règles. Il est facile de les comprendre en observant quelques matchs. Certains de mes amis ont tenté de m'expliquer le baseball et le football américain, à la suite de quoi je me suis demandé si la simplicité du vrai football n'est pas ce qui l'a rendu si impopulaire aux États-Unis. (Comme on le dit souvent, c'est plus vraisemblablement parce que le football offre peu de prise aux impératifs commerciaux.)

Le football est aussi simple que les stratégies des échecs sont complexes et subtiles. L'objectif est de marquer des buts tout en empêchant l'équipe adverse d'en faire autant. Cependant, la meilleure manière d'y parvenir est un sujet dont on peut débattre à l'infini. Par exemple, la stratégie traditionnelle de l'équipe nationale italienne est défensive. Si l'adversaire ne marque aucun but, en bonne logique, vous ne pouvez être perdant. D'autres, tels que les Brésiliens, utilisent des méthodes contrastées pour parvenir à la même fin d'empêcher leurs adversaires de marquer des points.

Imaginez que vous appreniez à jouer aux échecs avec un manuel d'initiation auquel il manque quelques pages. Il vous expliquera la mise en place, la marche des pièces et les règles de prise, mais rien sur le mat ni sur les finales. Quelqu'un qui apprendrait de cette façon pourrait devenir capable de calculer et de manœuvrer, mais manquerait d'objectif supérieur, et sans objectif, son jeu n'aurait pas de sens.

La vieille maxime des échecs qui dit qu'« un mauvais plan vaut mieux que pas de plan du tout », est plus astucieuse que vraie. Chaque pas, chaque réaction, chaque décision doit être accompli au moment requis dans un plan clairement conçu. Faute de quoi, vous ne pourrez prendre que les décisions évidentes sans être assuré qu'elles soient vraiment à votre avantage. Ceci est encore plus déterminant dans le monde d'aujourd'hui où tout va beaucoup plus vite.

Durant mes trente dernières années de joueur d'échecs professionnel, nous sommes passés d'une époque de laborieuses investigations dans des livres et des journaux moisis pour connaître le jeu d'un adversaire à une époque où la moindre partie de cet adversaire était accessible en quelques secondes avec un PC. Cela prenait des mois avant que les parties des tournois soient publiées dans des magazines spécialisés. Aujourd'hui, chacun peut suivre les parties sur Internet en temps réel.

Les implications de la révolution informatique dépassent de loin les questions de commodité. Les données étant plus nombreuses et accessibles plus rapidement, nous devons être très réactifs. Une partie se jouant à Moscou peut être instantanément analysée dans le monde entier. Une idée qui mettait des semaines à se développer peut être imitée par d'autres dès le lendemain, de telle sorte que chacun doit en prendre connaissance immédiatement et s'y préparer.

Cette accélération a également affecté le jeu lui-même. En 1987, je disputai un match de six parties d'échecs rapides sur la scène du London Hippodrome contre l'Anglais Nigel Short qui devait me défier en championnat du monde six ans plus tard. C'était le premier match sérieux de cette sorte, avec un rythme de jeu grandement accéléré. Dans ces parties rapides, loin d'une partie traditionnelle qui peut durer jusqu'à sept heures, nous disposions chacun d'un temps ne dépassant pas vingt-cinq minutes.

Je m'entraînai énormément à jouer dans cette nouvelle limite de temps et je découvris qu'on pouvait élaborer des concepts sophistiqués en dépit de l'impossibilité de se livrer à de longs calculs sur chaque coup. Au lieu d'étudier une position de manière approfondie, il faut s'appuyer sur son instinct. Dans les échecs rapides, les plans précautionneux et les objectifs stratégiques deviennent secondaires, ou sont même ignorés, en faveur du calcul rapide et de l'intuition. Et j'ajouterai même que c'est ce que font la plupart des joueurs. Si vous n'aimez pas élaborer un plan durant sept heures, vous y renoncerez vraisemblablement en partie rapide. Cependant, les meilleurs joueurs – à n'importe quelle vitesse – basent leurs calculs sur les solides fondations d'un plan stratégique. L'analyse devient plus efficace, et aussi plus rapide, lorsqu'elle suit une stratégie.

Si vous jouez sans objectif à long terme, vos décisions seront purement réactives et vous jouerez le jeu de votre adversaire plutôt que le vôtre. Sautant d'une chose à une autre, vous serez dévié de votre route, parant sans arrêt au plus pressé sans rien poursuivre.

Prenez la campagne présidentielle américaine de Bill Clinton. Durant les primaires du Parti Démocrate, on aurait dit que chaque journée apportait un nouveau scandale susceptible de nuire à sa candidature. Son équipe de supporters réagissait instantanément à chaque nouveau désastre, mais ils ne faisaient pas que réagir. Ils veillaient aussi à ce que le message de leur candidat soit martelé par la presse dans chaque foyer.

L'élection générale suivit un parcours similaire. L'équipe de Clinton, opposée à Bush, ripostait à chaque attaque en recentrant le débat sur leur propre message – le désormais célèbre « C'est l'économie, bougre d'idiot » –, renforçant ainsi toujours davantage leur propre stratégie. À l'inverse, quatre ans auparavant, le candidat démocrate Michael Dukakis s'était laissé complètement dérouter par les tactiques agressives de son opposant. Il offrait le spectacle de quelqu'un qui se défendait et qui n'était pas en mesure de faire passer son propre message. L'équipe de Clinton de 1992 savait qu'il ne suffisait pas de répondre vite, mais que leurs réponses devaient aussi s'insérer dans une stratégie d'ensemble. Néanmoins, avant que de suivre une stratégie, il faut déjà en développer une.

Le développement futur de vos décisions présentes

Le stratège commence par se donner un objectif à long terme et se concentre ensuite sur le présent. Si un grand maître joue les meilleurs coups, c'est parce qu'il s'appuie sur la vision qu'il a de l'échiquier dix ou vingt coups plus loin. Cela ne demande pas le calcul d'innombrables variantes sur vingt coups d'avance. Il évalue où se trouvent ses chances dans une position donnée et détermine des objectifs. Puis il avance pas à pas pour les réaliser.

Ces objectifs intermédiaires sont essentiels. Ils sont les ingrédients indispensables qui créent les conditions favorables de notre stratégie. Les négliger reviendrait à tenter de construire une maison en commençant par le toit. Trop souvent, nous nous fixons un but et nous avançons droit devant sans considérer les étapes qui y conduisent. Quelles conditions sont-elles requises pour que notre stratégie l'emporte ? Quels sont les sacrifices nécessaires ? Qu'est-ce qui doit changer et quelle doit être notre action pour favoriser ou réaliser ces changements ?

Mon instinct ou mon analyse me dit que dans une position donnée, il y a un potentiel en ma faveur pour attaquer le roi adverse. Mais ensuite, au lieu de jeter mes forces contre ce roi, je cherche à mettre en place des objectifs afin de m'assurer la victoire. Par exemple, en affaiblissant la protection du roi par l'échange d'une pièce clé de défense. Je dois d'abord comprendre quelles étapes stratégiques favoriseraient mon attaque et seulement alors, je peux commencer à planifier et étudier les coups spécifiques qui conduiront à une mise en œuvre réussie. Faute de quoi, mes plans seraient simplistes, ne viseraient qu'un seul but et auraient donc peu de chances de réussir.

Dans le second tour du tournoi Corus 2001 aux Pays-Bas, j'eus comme adversaire l'un des perdants du tournoi, Alexei Fedorov, de Biélorussie. C'était le tournoi de niveau le plus élevé auquel il avait jamais participé, et la première fois que nous nous rencontrions devant un échiquier. Il manifesta très vite son intention de ne pas se laisser impressionner ni par l'environnement prestigieux ni par son adversaire.

Fedorov abandonna sans tarder les ouvertures classiques. Si ce qu'il fit contre moi portait un nom, on aurait pu l'appeler l'attaque de l'Évier. Ignorant le reste de l'échiquier, il lança toutes ses pièces contre mon roi dès le début de la partie. Je savais qu'un assaut aussi sauvage et irréfléchi ne pouvait réussir que si je commettais une erreur. Tout en gardant un œil sur mon roi, je ripostai par un autre côté, une autre aile, ainsi qu'au centre de l'échiquier, une zone critique où il avait complètement négligé son développement. Il devint vite évident que son attaque était parfaitement superficielle et il abandonna la partie au bout de vingt-cinq coups seulement.

Je dois admettre que je n'eus rien de spécial à faire pour obtenir cette victoire facile. Mon adversaire avait joué sans l'ombre d'une stratégie solide pour se retrouver finalement dans un cul-de-sac. Fedorov ne s'était pas demandé quelles conditions auraient pu rendre son opération victorieuse. Il avait décidé de traverser la rivière et avancé directement dans l'eau plutôt que d'essayer de repérer s'il n'y avait pas un pont. J'ajoute que compter sur une grosse faute n'est pas une stratégie valable pour la compétition.

La persévérance peut s'allier à la souplesse

Avoir un but et des objectifs est le premier pas ; naturellement, il faut ensuite les suivre et s'y tenir. L'histoire militaire est remplie de généraux qui se sont laissé dérouter par l'action sur le champ de bataille, perdant de vue leur stratégie. La déroute de l'armée française face aux Anglais à Azincourt en 1415, où la cavalerie française a été défaite par des volées de flèches tirées à longue distance, en plus d'avoir inspiré une pièce à William Shakespeare, est restée gravée dans la mémoire collective. Quand votre adversaire complique les choses, la tentation est forte de relever le défi et de chercher à contre-attaquer. Naturellement, c'est exactement ce qu'il souhaite, et c'est pourquoi il faut, au contraire, résister à de telles sollicitations. Si vous avez d'ores et déjà mis au point une bonne stratégie, pourquoi l'abandonner au profit de votre opposant ? Maintenir ses objectifs initiaux demande une grande maîtrise de soi, car la pression est à la fois externe et interne. Votre ego vous incite à vouloir prouver que vous pouvez le battre sur son propre terrain et vous désirez aussi faire taire les critiques – présentes ou à venir.

Avant le début de mon championnat du monde de 1993 contre l'Anglais Nigel Short, mon équipe et moi décidâmes que la meilleure stratégie contre l'impétueux Anglais consistait à manœuvrer par des positions. C'était un dangereux attaquant, bien préparé à toutes sortes de lignes de combat, et bien que ce fût aussi mon point fort, nous pensions que mon avantage serait considérable dans des parties plus lentes. Notre analyse révéla en effet à quel point Short était mal à l'aise dans un jeu sans action.

Ce sont les blancs qui commencent aux échecs et cela leur confère un léger avantage, comparable, bien que moins marqué, à celui de servir au tennis. Avec le premier coup, vous avez un meilleur contrôle du rythme et de la direction du jeu. Lors de ma préparation au match avec Short, nous avions planifié les parties où j'aurais les blancs de façon à éviter les variantes avec double attaque sur les côtés qui étaient sa spécialité. À cette fin, j'avais choisi les lignes de développement plus lentes de la vénérable ouverture Ruy Lopez, bien connue pour ses qualités positionnelles. Elle tire son nom d'un prêtre espagnol joueur d'échecs du XVIe siècle et son pouvoir de corrosion lui a valu le surnom de Torture espagnole.

Je démarrai avec trois gains dans les quatre premières parties, prenant la tête d'un match fixé à vingt-quatre parties. J'avais gagné, avec ce style de manœuvres lentes, les deux parties où j'avais les blancs et beaucoup se demandaient si j'allais maintenant tenter des coups plus agressifs afin d'anéantir mon adversaire tant qu'il était dans les cordes. Short était chancelant, peut-être était-ce le bon moment pour passer à la vitesse supérieure et le contraindre à sortir de ses gonds ?

J'introduisis effectivement une variante, mais pas dans ma stratégie. Je profitai de ma position avantageuse pour tester ses défenses, cherchant ses points faibles. J'obtins assez vite deux gains supplémentaires.

Il peut sembler évident de conserver la même stratégie lorsqu'elle est gagnante, mais il est en fait très facile de se laisser submerger par une assurance excessive. Le succès à long terme est impossible si vous laissez vos réactions l'emporter sur votre plan.

Jouez votre propre jeu

Deux bons joueurs d'échecs peuvent avoir des stratégies très différentes dans la même position et celles-ci peuvent avoir la même efficacité – si on laisse de côté toutefois ces positions où il n'existe qu'une seule voie possible pour gagner. Chaque joueur a son propre style, sa propre façon de résoudre les problèmes et de prendre des décisions. La clé pour développer des stratégies gagnantes est de bien connaître ses propres lignes de forces et de faiblesses, de savoir aussi en quoi l'on excelle.

Deux chefs de file d'écoles tout à fait opposées quant à leur réflexion sur les échecs sont devenus champions du monde. Mikhaïl Botvinnik ne jurait que par l'autodiscipline, le travail acharné et la rigueur scientifique. Son rival Mikhaïl Tal cultivait la fantaisie et une inventivité débridée, ne se souciant guère ni de sa santé ni d'une quelconque préparation méthodique. Tout le monde connaît la fameuse déclaration de Thomas Edison selon laquelle « le succès c'est un pour cent d'inspiration et quatre-vingt-dix-neuf pour cent de transpiration ». Cette formule marchait sans doute pour Edison et Botvinnik mais n'aurait jamais pu marcher pour Tal – ou pour Alexandre Pouchkine, le fondateur de la littérature russe moderne. Le penchant de Pouchkine pour la vie dissolue, les jeux et les aventures amoureuses était partie prenante de sa capacité à créer quelques-unes des plus belles œuvres de la langue russe.

Tigran Petrossian, autre ancien champion du monde, perfectionna l'art de ce que nous appelons « prophylaxie » dans les échecs. La prophylaxie est l'art de prévoir, de renforcer sa position et de parer suffisamment tôt à toute éventualité de menace. Petrossian avait une défense si efficace que toute attaque de son adversaire était éliminée par avance, peut-être même avant que ce dernier y ait pensé lui-même. Plutôt que d'attaquer, Petrossian élaborait des systèmes défensifs imparables, laissant ses adversaires frustrés et enclins à commettre des erreurs. À l'affût de la moindre opportunité, il exploitait ces erreurs avec une précision redoutable.

Il est une référence pour moi en tant que vrai « héros passif » des échecs. Il a su développer un processus d'« inaction vigilante » montrant qu'on peut gagner sans jamais attaquer directement. Pour résumer, la stratégie de Petrossian consistait à examiner d'abord les opportunités qui s'offraient à son adversaire et à les éliminer. Ce n'est qu'ensuite, après s'être assuré une position inexpugnable, qu'il commençait à étudier ses propres possibilités d'attaque. Cette stratégie immobiliste s'avéra très efficace, mais peu de joueurs purent imiter son style patient et défensif.

Quand je jouai contre Petrossian aux Pays-Bas en 1981, j'avais dix-huit ans et Petrossian cinquante-deux. J'étais impatient de prendre ma revanche car il m'avait battu à Moscou, plus tôt la même année, alors que j'avais développé une impressionnante position d'attaque qui m'avait explosé à la figure. Sur le moment, j'avais considéré que c'était un accident mais voilà que cela se reproduisait. Chaque fois, il semblait que mon offensive s'effondrait face à un simple ajustement de sa part opéré dans le plus grand calme. Toutes mes pièces s'agglutinaient autour de son roi et j'étais certain que ce n'était plus qu'une question de temps avant que je lui assène le coup de grâce. Mais où étions-nous ? Je commençais à me sentir comme le taureau poursuivant son toréador autour de l'arène. Épuisé et frustré, je fis une faute, puis une autre, jusqu'à finalement perdre la partie. En football, il se passa une chose similaire un an plus tard en Espagne lors de la Coupe du monde. Le style défensif *catenaccio* des Italiens triompha de l'attaque *jogo bonito* des Brésiliens.

Les deux années qui suivirent, j'égalisai en battant Petrossian deux fois par un style positionnel tranquille proche du sien. J'attribuai ce changement d'approche couronné de succès aux conseils prodigués par Boris Spassky qui avait pris le titre de champion du monde à Petrossian en 1969. Avant de rejouer contre Petrossian, moins d'un an après la défaite décrite plus haut, je parlai avec Spassky qui participait au même tournoi en Yougoslavie. Il m'assura que la clé consistait à lui mettre la pression, mais seulement un peu, avec constance. « Prends-le par les couilles, me dit Spassky dans un style inoubliable, mais seulement une, pas les deux ! »

Les expériences de Spassky contre Petrossian avaient suivi à peu près le même parcours que les miennes. Il avait d'abord disputé le titre de champion du monde contre lui en 1966 et avait été défait dans un combat sans merci. Il avait abordé le match en pensant – à tort – que Petrossian n'avait pas un jeu offensif car il n'en avait pas les capacités. Spassky compliquait son jeu par tous les moyens pour trouver chaque fois ses attaques brillamment repoussées par le rusé champion du monde.

Trois ans plus tard, Spassky prouva qu'il avait compris la leçon en manifestant davantage de considération pour les capacités de Petrossian. Au cours du match qui les opposa en 1969, il joua d'une manière plus sensée et triompha. Mes deux premières défaites m'avaient induit à davantage de respect à la fois pour les talents de Petrossian et pour l'art de la défense aux échecs. Mais je compris également que ce style n'était pas pour moi. J'avais une propension à attaquer et mes stratégies de jeu la reflétaient. Il faut connaître ses limites et ses principales qualités.

Mon style agressif, dynamique, est en accord avec mes talents et ma personnalité. Même lorsque je suis contraint à la défense, je cherche constamment une ouverture pour renverser les rôles et contre-attaquer. Et lorsque je suis offensif, je ne me contente pas de gains modestes. Je préfère un jeu tendu, énergique, avec les pièces opérant de grands mouvements et où le premier à faire une faute perd la partie. D'autres joueurs, tel celui que j'ai battu en championnat du monde, Anatoly Karpov, se spécialisent dans l'accumulation des petits avantages. Ils ne prennent que peu de risques et se satisfont d'améliorer leur position petit à petit jusqu'à faire craquer leur adversaire. Mais toutes ces stratégies – de défense, d'attaque, de manœuvres – peuvent être hautement efficaces dans les mains de celui qui les maîtrise bien.

En affaires non plus, il n'y a pas une stratégie qui soit meilleure que toutes les autres. Les chefs d'entreprise téméraires coexistent avec les plus circonspects à la tête des cinq cents compagnies les plus cotées. À peu près cinquante pour cent des décisions d'un P-DG seraient prises de façon identique par n'importe quel homme d'affaires compétent, de même que beaucoup de coups aux échecs sont indiscutables pour un bon joueur, quel que soit son style. Ce sont les autres cinquante pour cent, ou même les plus complexes dix pour cent qui font la différence. Les meilleurs chefs d'entreprise apprécient les déséquilibres particuliers et les facteurs clés de chaque situation et peuvent concevoir une stratégie déterminée par cette analyse.

La compagnie finlandaise Nokia se retrouva leader de la téléphonie mobile grâce à son P-DG, Jorma Ollila qui, dans un style tout à fait inédit et même assez chaotique, agissait en toute circonstance à l'inverse des usages. Les cadres supérieurs devaient échanger leur place, les services de développement et de recherche étaient mis directement en contact avec la clientèle, et le chef de projet du téléphone de la compagnie compara une fois leur mode d'activité à la façon dont les musiciens de jazz improvisent lorsqu'ils jouent ensemble.

Un style aussi relâché et dynamique pourrait ne pas marcher du tout dans une autre industrie, ou un autre pays, ou avec un autre P-DG. Pendant des dizaines d'années, IBM avait construit son entreprise sur une image conservatrice pour ne pas dire pesante. Dans l'univers de la bureautique, cela signifiait fiabilité, et cela comptait bien davantage que le style pour la clientèle d'IBM. De nouveaux modèles de téléphones portables sortaient chaque mois, alors qu'IBM renouvelait ses machines tous les cinq ou même tous les dix ans. Aux yeux de sa clientèle, un tel conservatisme était une vertu.

On ne choisit pas toujours son terrain de bataille

On ne devient pas champion du monde si l'on n'est pas capable de jouer dans des styles différents selon les nécessités. Vous êtes parfois forcé de vous battre sur un terrain étranger ; vous ne pouvez vous enfuir quand les conditions ne sont pas à votre goût. La capacité à s'adapter est décisive pour la réussite.

À l'occasion, vous pouvez changer de style dans le dessein de déstabiliser votre adversaire, bien que cela comporte toujours le risque d'être pris à son propre piège. Je fut récompensé d'avoir utilisé cette technique lors de mon match de championnat du monde en 1995 contre la star indienne Viswanathan (Vishy) Anand à New York. Au milieu du match, avec le score ex-aequo d'un gain chacun, j'abandonnai mes lignes de prédilection pour une défense au nom redoutable, le Dragon sicilien, que je n'avais encore jamais expérimentée en partie sérieuse.

Ce n'était pas pour le plaisir de changer ; d'autres facteurs m'avaient poussé à choisir le Dragon. Cette option exige un jeu sans compromis, où les blancs doivent poursuivre de la façon la plus agressive s'ils veulent avoir une chance de prendre l'avantage. Anand fut surpris par cette stratégie et il se douta que je l'avais soigneusement préparée. En plus, notre enquête montrait qu'Anand n'avait que peu d'expérience du Dragon et qu'il n'était pas à l'aise avec cette ligne d'ouverture acérée. En optant pour les principales variantes à risques, il pouvait être certain qu'un sale coup l'attendait au tournant. Incapable de s'adapter, son jeu fut plat et il perdit deux fois de suite.

La faculté d'adaptation fut largement bénéfique à Napoléon Bonaparte durant sa carrière légendaire. Il était connu pour savoir jouer de la surprise sur le champ de bataille, et particulièrement pour sa façon de poursuivre une attaque qui présentait toutes les apparences de l'échec. Mais il n'était pas prêt à risquer sa réputation lors d'un assaut en bonne et due forme.

Napoléon prépara la bataille d'Austerlitz de 1805 en retirant ses troupes d'un excellent avant-poste, dans le but de permettre à l'armée du tsar de l'investir et de voir les minces lignes françaises faire retraite. Le jeune tsar Alexandre décida que c'était son jour de gloire et se prépara à une attaque totale, exactement comme l'avait voulu Napoléon. Celui-ci avait fait venir des renforts dans la plus grande discrétion jusqu'à cet endroit où il avait fait croire aux Russes qu'il était en position de faiblesse et les forces tsaristes furent mises en déroute en un seul jour.

Il ne s'agit pas ici uniquement d'un cas de ruse ayant marché à la perfection. Tout d'abord, Napoléon avait compris que son infériorité en nombre rendait les méthodes directes impraticables. Il n'ignorait pas que son adversaire était jeune, impulsif et avide de gloire. Il savait aussi que personne ne pourrait croire que le grand Napoléon abandonnait une position dominante de son plein gré. La stratégie de Napoléon avait combiné tous ces facteurs pour parvenir à une brillante victoire. Le général russe Mikhaïl Koutouzov fut l'unique voix de la prudence, mais le tsar ne tint pas compte de ses avertissements. Néanmoins, même un tsar peut tirer les leçons de ses erreurs. Sept ans plus tard, la Grande Armée napoléonienne marchait sur Moscou dans ce que nous, les Russes, appelons la Guerre Patriotique de 1812. Cette fois-ci, Alexandre avait écouté Koutouzov et suivait sa stratégie de harcèlement des troupes françaises et de jeu d'attente. Moscou fut entièrement brûlée mais Napoléon fut finalement obligé – dans une grande débâcle – de sonner la retraite.

Je dus m'adapter lors de mon ascension vers le titre de champion du monde en 1983. J'étais un parvenu de vingt ans défiant Victor Kortchnoï âgé de cinquante-deux ans, arrivé deux fois finaliste en championnat du monde et qui joue encore aujourd'hui à très haut niveau, à l'âge de soixante-quinze ans. Comme on pouvait s'y attendre, le vétéran contrôlait le tempo dans les premières étapes de notre match de qualification qui comprenait douze parties. Il gagna la première et je compris clairement qu'il me fallait sortir des positions d'attaque ouverte que j'affectionnais.

Plutôt que de persister dans la frustration avec mes vaines tentatives pour modifier le caractère des parties, je décidai que ma meilleure chance consistait à suivre le mouvement. Au lieu des coups d'attaque qui étaient plus dans mon style, je jouais les meilleurs coups possibles dans le sens de la solidité, même s'ils conduisaient à des positions statiques. Cela me délivra de la difficulté psychologique d'essayer à tout prix d'ouvrir une brèche dans chaque partie et je me contentai de jouer aux échecs. Kortchnoï m'avait obligé à venir sur son terrain, mais une fois que j'en fus conscient, je trouvai la capacité de m'adapter, de lutter et de gagner.

J'étais en tête après avoir gagné les parties 6 et 7 quand Kortchnoï tenta de renverser la situation. Dans la neuvième partie, il adopta un style tactique, essayant de me surprendre par un jeu agressif. Mais ayant perdu la bataille sur son propre terrain, il fut incapable d'opérer une transition gagnante sur le mien et il subit une sévère défaite. Avoir dû m'adapter en pleine bataille constitua une précieuse expérience lorsqu'il me fallut, l'année suivante, la réitérer dans des conditions moins favorables contre Karpov, en match de championnat du monde.

Tout lecteur de Darwin le sait, l'incapacité à s'adapter entraîne presque toujours des conséquences désastreuses. Un exemple classique nous vient de l'histoire de l'Amérique, en 1755, quand George Washington était *aide de camp* volontaire dans l'armée anglaise contre les forces françaises et indiennes. Les Anglais ne faisaient presque aucun effort pour s'adapter à la guerre de frontière pratiquée par leurs ennemis. Leur général, Edward Braddock, était un cas tragiquement typique. Il alignait ses rangs de soldats à découvert pour tirer des salves bien régulières en direction de la forêt, d'où des tireurs isolés français et indiens les abattaient commodément. Ce n'est que lorsque Braddock lui-même fut finalement tué dans une bataille catastrophique que les quelques survivants purent se retirer, conduits par nul autre que Washington.

Moins calamiteuse est l'histoire de l'Encyclopédie Britannica lorsqu'elle eut affaire à l'ère de l'informatique. La marque, sans doute la plus connue pour les ouvrages de référence, fit l'erreur d'attendre très longtemps avant de produire des CD-ROM. Car après tout, qui serait prêt à échanger tous ces beaux livres contre une version informatisée ? Tout le monde, d'après ce qu'on constate aujourd'hui. Ceci permit à Microsoft Encarta et à d'autres de s'octroyer une énorme part du marché tandis que les ventes d'encyclopédies imprimées chutèrent considérablement.

Puis arriva Internet et sa promesse de clientèle pratiquement illimitée dans le monde entier. Britannica fit payer l'accès à un moment où les autres fournissaient des informations gratuitement et de fait, les recettes furent maigres. Quelques années plus tard, le Net faisait un boum – ce dont je ne me rappelle que trop bien avec l'expérience de mon propre portail échiquéen. Le marché de la publicité en ligne périclita juste au moment où Britannica se décida à livrer son contenu gratuitement. Quoi qu'ils aient tenté de faire, ils étaient toujours à contretemps.

Quelle est la raison de cette série de débâcles de Britannica ? De toute évidence, ils n'avaient pas su prendre le virage lorsqu'on passa de l'imprimerie à l'ère digitale. La faillite de leur stratégie sur Internet fut plus complexe. Être trop en avance sur son temps peut être aussi dommageable que d'être à la traîne. Plutôt que de s'appuyer sur l'immense prestige de leur marque, ils essayèrent d'anticiper un marché nouveau et imprévisible pour se retrouver, en fin de compte, sur un terrain où ils étaient encore perdants.

Une stratégie trop changeante équivaut à ne pas avoir de stratégie

Il peut être essentiel de varier son jeu, mais on ne doit le faire qu'après examen attentif et pour une bonne raison. La défaite peut vous inciter à faire des changements injustifiés et la victoire peut vous persuader que tout va bien alors même que vous êtes au bord du gouffre. Si vous accusez la stratégie à tout bout de champ et que vous la changez sans arrêt, c'est qu'en réalité vous n'en avez aucune. Seule une modification radicale de l'environnement devrait vous inciter à changer les fondements de votre jeu.

Il faut toujours se tenir sur le fil du rasoir entre la souplesse et la constance. Un stratège doit croire en sa stratégie, avoir le courage de s'y tenir et, en même temps, garder l'esprit suffisamment ouvert pour saisir l'instant où un changement s'avère nécessaire. Les changements doivent être considérés avec circonspection, mais quand ils s'imposent, il faut les poursuivre avec détermination. Le succès est rarement analysé avec autant de précision que la défaite et nous sommes plus enclins à attribuer nos victoires à notre supériorité qu'aux circonstances. C'est au contraire quand tout va bien qu'il faudrait se poser des questions. Une trop grande confiance en soi peut être mauvaise conseillère, nous dissuadant de faire des efforts.

L'un des jeux les plus tendus de ma vie fut celui où mon adversaire perdit pour avoir cru trop fort en son plan. En 1985, j'étais engagé à nouveau dans une lutte contre mon adversaire de longue date, Anatoly Karpov. C'était la dernière partie de notre second match de coupe du monde et je menais d'un point seulement. Il avait l'avantage des blancs et s'il gagnait cette partie, cela faisait match nul et il conservait son titre pour trois années supplémentaires.

D'entrée de jeu, il avait fait preuve d'agressivité et avait construit contre mon roi une position d'attaque impressionnante. Puis il parvint à la décision critique : réaliser son attaque en poussant son pion en avant du côté de mon roi ou se livrer à des préparatifs plus circonspects. Nous savions tous deux, je pense, qu'il s'agissait du moment crucial de la partie.

Karpov renonça à avancer et laissa passer l'occasion. Après avoir préparé un assaut direct durant les vingt premiers coups, il hésita et perdit sa chance. Soudain, je me retrouvai dans mon élément, contre-attaquant plutôt que défendant. La partie bascula sur mon terrain de jeu et j'obtins la victoire qui fit de moi le nouveau champion du monde.

Quand vint le moment de jouer pour le gain, Karpov joua un coup en accord avec son style prudent et non pas avec la situation qui appelait une victoire à tout prix. Son style personnel étant entré en conflit avec la stratégie requise par le match, il dévia de son cap.

La conclusion de cette partie décisive qui lui avait coûté son titre de champion du monde fut que Karpov, depuis lors, cessa presque complètement les ouvertures avec le pion roi. Il avait reconnu que, dans les moments clés, son style ne cadrait pas avec les positions périlleuses créées par cette ouverture. Il avait appris et s'était adapté, et resta de ce fait proche du sommet pendant de très longues années car il savait désormais quand le changement s'imposait.

Il faut connaître les bonnes questions et se les poser souvent. Les conditions nécessitent-elles un changement de stratégie ou un simple ajustement suffira-t-il ? Les cibles principales ont-elles changé et pour quelle raison ? Évitez le changement pour le changement.

Nous devons aussi garder le cap sur la voie stratégique que nous nous sommes fixée et ne pas nous laisser distraire par les aléas de la compétition. Si vous utilisez une stratégie puissante et efficace, que ce soit pour l'occupation de l'espace sur l'échiquier ou vis-à-vis des parts de marché international, la concurrence essaiera de vous détourner de votre ligne de conduite pour vous faire trébucher. Si votre sens tactique est bon et que vos plans sont solides, elle ne pourra pas y parvenir à moins que vous ne l'y aidiez.

Face à une solide stratégie, les manœuvres de diversion seront sans effet ou de peu de conséquences. Si elles apparaissent sans effet, vous pouvez et devez les ignorer, et poursuivre dans votre voie. Et même si elles semblent suffisamment troublantes pour vous détourner de votre voie, elles ont vraisemblablement des points faibles, du moins si vous n'avez pas commis d'erreur. La plupart du temps, un opposant sera tellement impatient de vous détourner de votre route qu'il affaiblira fatalement sa position du même coup.

Un aspect intéressant de mes années de succès fut que certains de mes adversaires choisirent d'utiliser des variantes insolites afin d'entraîner nos parties dans des voies inédites. Ainsi, pensaient-ils, ma longue expérience serait inutile et ils seraient mieux préparés pour ces positions inusitées. Le problème, comme beaucoup d'entre eux s'en aperçurent, était que ces concepts avaient de bonnes raisons d'être inusités. La vertu de l'innovation ne compense que rarement le vice de l'inadéquation.

N'accordez pas plus d'attention au déroulement de la compétition qu'à votre propre jeu

Nous pouvons nous laisser distraire même quand le déroulement de la compétition ne nous concerne qu'indirectement. Quand je joue en face à face dans un événement tel qu'un championnat du monde, je n'ai qu'une personne à observer et il se trouve en face de moi, exactement de l'autre côté de l'échiquier. C'est une situation équilibrée : je gagne, il perd, ou vice versa. Mais dans un tournoi ou vous avez une douzaine de joueurs, ce qui se passe dans les autres parties peut avoir un impact sur mon propre succès. C'est comme dans n'importe quelle affaire où l'on a de multiples partenaires et concurrents ; si les Américains et les Anglais entament des négociations, cela ne doit pas laisser les Européens indifférents.

En 2000, je participais à un tournoi de très haut niveau à Sarajevo. Parvenu en ronde finale, je menais avec la plus petite marge possible, un demi-point. (Les gains valent un point, les nullités un demi-point et les défaites aucun point.) Deux des meilleurs joueurs mondiaux étaient juste derrière moi, Alexei Shirov et Michael Adams. J'aurais aimé me retrouver en face de l'un d'eux dans la ronde finale, mais nous avions tous des adversaires différents. Si je faisais une partie nulle et qu'Adams ou Shirov gagnait, nous serions premiers ex aequo. Si je perdais, je pouvais me retrouver carrément troisième.

Aussi devais-je décider avant la partie si j'optais pour un jeu précautionneux ou pour une prise de risque pouvant me donner la victoire. Il eût été héroïque d'aborder chaque bataille avec comme devise « la victoire ou la mort » mais peu de situations, aux échecs ou dans la vie, sont aussi extrêmes que celles d'Alamo où fut inscrit ce mot d'ordre.

Tout d'abord, j'eus le désavantage des noirs. Ensuite, il y avait mon adversaire, un outsider de ce tournoi d'élite. Sergei Movsesian, représentant la République tchèque, n'avait pas joué brillamment dans le tournoi mais avait réussi à battre deux des plus forts participants dans les deux rondes précédentes. Je dois aussi mentionner un petit élément personnel dans l'affrontement qui nous opposait. En 1999, j'avais qualifié Movsesian ainsi que quelques autres joueurs de « touristes » et il était monté sur ses grands chevaux dans la presse à ce propos. Ce jour-là, j'étais sûr que ce touriste allait vouloir me faire la peau en retour.

Et puis, il me fallait aussi considérer les autres matchs de finale du jour. L'adversaire de Shirov, le Français Bacrot, avait déjà perdu cinq parties et était au bas du classement. Je ne pouvais espérer qu'il obtienne un nul alors que son adversaire avait tout pour lui.

Incluant cette donnée dans ma stratégie, je démarrai sur une attaque contre Movsesian. Le jeu tournait en ma faveur quand je me levai pour voir ce que faisaient mes concurrents. Je savais que si je gagnais ma partie ce qu'ils faisaient n'avait plus d'importance, mais il était difficile de ne pas regarder. Si tous deux annulaient ou perdaient, ce serait folie de ma part que de prendre des risques indus dans la partie que je disputais. Car dans ce cas, je pouvais gagner le tournoi en me contentant d'annuler. Il faut admettre que ce genre de préoccupation a tendance à vous détourner de votre propre jeu.

Ainsi, ce fut presque un soulagement de voir que Shirov et Adams étaient tous deux sur le chemin de la victoire. Je pouvais les ignorer pour me concentrer sur ma propre partie et chercher le gain à tout prix. Les stratégies prudentes étaient jetées aux orties dès l'instant où je regagnai ma chaise. Finalement, nous gagnâmes tous trois et avec mon petit avantage, je me retrouvai en première place. Il ne faut pas investir trop d'attention sur le jeu d'un autre au risque de perdre de vue ses propres cibles et sa propre performance.

Le « pourquoi » fait d'un tacticien un stratège

Dans son livre sur le marché japonais, Kenichi Ohmae résumait le rôle du stratège par ces mots : « La méthode du stratège consiste à défier les postulats par cette simple question : Pourquoi ? »

« Pourquoi ? » est la question qui sépare les fonctionnaires des visionnaires et les simples tacticiens des grands stratèges. Vous devez vous poser constamment cette question si vous voulez comprendre, développer et suivre votre stratégie. Quand je regarde des novices jouer aux échecs, je vois parfois un coup incroyable et je demande alors à l'élève pourquoi il a joué ce coup. La plupart du temps, il ne sait pas du tout quoi répondre. De toute évidence, quelque chose l'a obscurément poussé à considérer que c'était le meilleur choix possible, mais il va sans dire que cela ne faisait pas partie dans son esprit d'un plan d'ensemble avec des cibles définies. On aurait tout à gagner à marquer un temps d'arrêt avant chaque coup, chaque décision, et à se demander : « Pourquoi ce coup ? Quel est mon but et ce coup m'aide-t-il à le réaliser ? »

Les échecs nous démontrent avec évidence le pouvoir du pourquoi. Chaque coup a une conséquence ; chaque coup colle à votre stratégie ou pas. Si vous ne vous posez pas constamment cette question, vous perdrez face à un joueur qui suit un plan cohérent.

Imaginez que vous fassiez la même chose dans votre vie professionnelle, ou même dans vos activités privées. Nous avons tous des centaines d'objectifs personnels et professionnels, mais ce sont généralement des vœux informes et vagues plutôt que des cibles pouvant former la base d'une stratégie. « Je voudrais gagner plus d'argent » est comme de dire : « Je voudrais trouver le grand amour » ou « Je voudrais gagner cette partie ». Un vœu n'est pas un objectif.

Pour prendre un exemple pratique, presque tout le monde a éprouvé, à un moment ou à un autre de sa vie, le désir de trouver un meilleur emploi. Mais ce n'est que lorsque vous avez une compréhension approfondie de ce qui motive votre désir de changement qu'il faut agir. Peut-être n'est-ce pas seulement les conditions de votre travail, peut-être vous faudrait-il changer complètement de métier. Ou peut-être suffirait-il simplement de quelques aménagements à vos conditions actuelles. Vous ne pourrez savoir vraiment ce que vous voulez qu'en examinant les conditions précises qui vous satisfont.

Quand vous vous mettrez à chercher, vous serez guidé par cette liste d'objectifs intermédiaires qui préciseront votre désir. Par exemple, si l'argent n'est pas le problème principal dans votre situation actuelle, ne vous laissez pas tenter par une offre où vous allez gagner davantage mais qui ne change rien à tout ce qui vous insupporte dans le poste que vous voulez quitter.

Une fois la stratégie arrêtée, l'utiliser est une affaire de motivation

Finalement, nous en arrivons à la partie la plus difficile consistant à développer et à suivre la pensée stratégique : la confiance en soi qu'il faut pour s'en servir et s'y tenir avec constance. Une fois que vous avez arrêté votre stratégie sur le papier, le plus dur reste à faire. Comment rester sur les rails, et comment repérer à quel moment vous vous écartez de votre pensée stratégique ?

Il faut avoir foi en ses propres analyses et le courage de ses convictions. Il faut suivre de près les conditions qui favorisent ou desservent notre stratégie. Pour suivre notre voie, nous devons questionner avec rigueur nos résultats, les bons comme les mauvais, et nos décisions en cours. Pendant la partie, je me pose des questions sur chaque coup et après la partie, je me pose des questions sur la justesse de mes évaluations dans le feu de l'action. Ai-je pris les bonnes décisions ? Ma stratégie était-elle valable ? Si j'ai gagné, est-ce dû à la chance ou à l'habileté ? Quand ce système échoue, ou est trop lent à se mettre en œuvre, le désastre peut frapper.

En 2000, je rencontrai l'un de mes anciens élèves, Vladimir Kramnik, au long d'un match en seize parties où je devais défendre mon titre de champion du monde pour la sixième fois. J'avais gagné le titre en 1985 et en arrivant au match je jouais mieux que je ne l'avais jamais fait auparavant. En d'autres termes, j'étais mûr pour la défaite.

Des années de succès faisaient que j'avais du mal à envisager une défaite. En rentrant dans ce match, j'avais à mon actif sept victoires consécutives aux tournois de grand chelem et je n'avais aucune conscience de mes propres faiblesses. Je me sentais en grande forme et me croyais imbattable. Après tout, n'avais-je pas battu tous les autres ? Chaque nouveau succès diminue la capacité à se remettre en question. Mon entraîneur et ami de longue date, le grand maître Yuri Dokhoian, comparait judicieusement cet état avec le fait d'être plongé dans le bronze. Chaque nouvelle victoire en rajoutait une couche.

Quand Kramnik se retrouva avec les noirs, il choisit avec perspicacité une défense – la variante berlinoise de Ruy Lopez – dans laquelle les puissantes dames furent rapidement éliminées de l'échiquier. La partie devint un champ de manœuvres prolongées plutôt qu'un corps à corps dynamique. Kramnik avait évalué mon style et en avait tiré rapidement la certitude que je trouverais ce genre de jeu tranquille très ennuyeux et qu'involontairement, j'abaisserais ma garde. Je m'étais préparé avec intensité et j'étais prêt à me battre sur peut-être quatre-vingt-dix pour cent des terrains de bataille, mais il m'obligea à jouer sur les dix pour cent qu'il connaissait mieux et où il savait que j'étais le moins à l'aise. C'était une excellente stratégie qui fonctionna à la perfection.

Plutôt que d'essayer de ramener les parties dans des positions qui me convenaient mieux, je relevai le défi et tentai de le battre sur son propre terrain. Ceci joua complètement en la faveur de Kramnik. Je ne pus m'adapter, fus incapable d'opérer assez rapidement les changements stratégiques nécessaires et perdis le match et mon titre. C'est parfois l'élève qui enseigne au maître.

Dans ce long parcours, je compris qu'il me fallait être plus souple sur les genres de positions d'échecs que j'affectionnais. Mais cette douloureuse leçon aurait pu être évitée avec davantage de vigilance, par un travail plus sérieux visant à déceler et à réparer mes faiblesses avant que Kramnik ait pu les exploiter.

Celui qui excelle dans n'importe quel domaine, n'importe quelle entreprise couronnée de succès, qu'elle soit individuelle ou collective, est parvenu à cette maîtrise par un travail acharné et par une concentration supérieure à celle des autres. Les gagneurs croient en eux-mêmes et en leurs plans et ils travaillent sans relâche pour maintenir ces plans à la hauteur de leur foi. Cela crée un cycle positif, le travail renforçant le désir qui aiguillonne à son tour le travail. Se remettre en question doit devenir une habitude, et une habitude suffisamment forte pour surmonter les obstacles d'une trop grande assurance ou du découragement. Ce muscle ne se développe qu'avec une pratique continue.

Dans le monde des affaires, on a coutume de dire : « Planifier sans agir est futile, agir sans planifier est fatal. » Proverbe faisant écho à ce qu'écrivit Sun Tzu il y a des siècles : « La stratégie sans la tactique est le chemin le plus long vers la victoire. La tactique sans la stratégie est le grondement annonciateur de la défaite. »

**Plan stratégique de bataille – match de championnat du monde de 1985 –
Moscou, URSS**

Mes difficultés, lors de mon premier match de championnat du monde contre Anatoly Karpov, ne se trouvèrent pas seulement sur l'échiquier. En avançant dans ce match, il s'avéra que je manquais aussi d'expérience dans la préparation d'un plan d'ensemble concernant l'événement. J'avais pensé qu'une sérieuse préparation des ouvertures ainsi qu'une grande réserve d'énergie seraient suffisantes. En fait, nous n'avions pas d'autre plan qu'un maximum de concentration et de combativité dans chacune des parties et il devint vite évident que cela ne suffisait pas. J'abordai le second match avec une meilleure préparation et me sentais donc plus à l'aise en dépit des revers que j'avais essuyés dans le premier.

Voici quel était le plan de bataille de mon équipe pour le second match.

Objectif : Pour être le vainqueur, je devais gagner 12,5 points à partir du vingt-quatrième jeu et garder à l'esprit qu'il n'était pas nécessaire d'écraser Karpov, malgré le désir que j'en avais. Une seule partie d'avance au-delà des vingt-quatre parties était suffisante. (Un match nul l'aurait laissé avec le titre.) Cela n'aurait servi à rien de gagner chaque partie ou de gagner d'une façon spectaculaire. Quand je me sentis devancé après la cinquième partie, je ne cédai pas à la panique mais persistai dans ma stratégie et continuai de suivre mon plan de bataille. Cette persévérance, assortie de quelques ajustements en cours de route, me permit de prendre l'initiative et de pousser Karpov dans ses retranchements.

Avantages et désavantages : le style et l'expérience de Karpov lui donnaient l'avantage dans les positions techniques où les déséquilibres dynamiques n'étaient pas trop importants. L'un de mes objectifs intermédiaires consistait alors à tenter de créer des positions complexes qui correspondaient à mes talents de calcul précis et d'évaluation de l'initiative. Nous pensions aussi que ces jeux complexes et pointus exigeaient un niveau élevé de concentration sur des temps prolongés et qu'à cet égard, l'énergie de ma jeunesse représentait un atout. Dans des positions plus simples, la technique implacable de Karpov aurait pu me pulvériser.

Préparation spécifique : Après avoir disputé tant de parties contre Karpov dans le premier match, nous avions une bonne idée des positions qu'il n'aimait pas. Nous avions donc prévu un répertoire d'ouvertures qui, en plus de leur efficacité objective, tendaient à aboutir à ce genre de positions. Nous pouvions, par exemple, renoncer à une position de valeur équivalente mais qui cadrait trop bien avec le style de Karpov.

Nous développâmes avec les noirs une variante de gambit très risquée. Nous savions que c'était objectivement assez incertain, mais c'était exactement le genre de position dynamique que j'affectionnais et que Karpov détestait. Je l'utilisai pour la première fois dans la partie 12 et Karpov accepta rapidement la nullité, principalement en raison de l'effet de surprise de cette nouvelle idée. J'étais supposé ne pas risquer à nouveau le gambit puisque l'équipe de Karpov y était maintenant préparée. Mais dans le jeu 16, je le rejouais et remportai l'une de mes plus éclatantes victoires. (Une parade à ce gambit fut trouvée ultérieurement par Karpov contre un autre adversaire.)

Résultat : Une victoire 13-11. Karpov ne put que rarement parvenir aux positions qu'il affectionnait et dans la onzième partie, il commit l'une des pires bourdes de toute sa carrière. À son crédit, Karpov assimila les mêmes leçons que nous sur ses forces et ses faiblesses. Après ce match, il changea complètement son répertoire d'ouvertures avec les blancs afin d'être plus en accord avec son style naturel.

4. Stratégie et tactiques

« *La tactique, c'est savoir quoi faire quand il y a quelque chose à faire ; la stratégie, c'est savoir quoi faire quand il n'y a rien à faire.* »

Xavier Grigoryevich Tartacover

Pour jouer de bons coups, il faut savoir ce qu'on cherche, ce qu'on poursuit. Aucune analyse ne peut nous donner la réponse à cette question. Comme nous l'avons vu, l'objectif des échecs est relativement simple : il s'agit de gagner la partie. Pour ce faire, nous établissons des stratégies de jeu et, si nous avons une bonne ligne de conduite, nous les suivons jusqu'au bout. Les mots « stratégie » et « tactique » sont habituellement utilisés de manière interchangeable, au mépris d'une importante différence.

Alors que la stratégie est abstraite et fondée sur des objectifs à long terme, les tactiques sont concrètes et fondées sur la recherche du meilleur coup possible dans l'instant présent. Les tactiques sont circonstanciées et opportunistes, relatives à la menace et à la défense. Si vous n'exploitez pas immédiatement une opportunité tactique, la partie tournera presque certainement à votre désavantage. Nous pouvons ici introduire le concept de « coup forcé » qui signifie que tout autre coup serait perdant. Nous avons même un symbole spécial dans la littérature échiquéenne pour figurer ce coup dont on ne peut se dispenser. Ni bon ni mauvais, ni facile ni difficile, mais simplement requis pour éviter le désastre.

Quand votre adversaire a fait une faute, une tactique gagnante peut survenir et servir à la fois de fin et de moyen. Imaginez une partie de football préparée depuis des mois par les entraîneurs ayant enseigné aux joueurs des stratégies complexes. Mais le gardien de but de l'équipe adverse glisse sur l'herbe et vous abandonnez votre stratégie sur l'aile pour tirer droit dans le but sans hésitation, une simple réaction tactique.

Un tacticien est dans son élément quand il réagit aux menaces et qu'il saisit les opportunités qui se présentent sur le terrain. Son problème sera de savoir quoi faire quand il n'y a pas de coup évident, quand il faut inventer une action et non pas réagir. Le grand maître d'échecs polonais et homme d'esprit Xavier Tartacover, plaisantant à demi, appelait cela la phase « rien à faire » de la partie. En réalité, c'est là que se révèle le joueur d'envergure.

Aux échecs, on est obligé de jouer ; vous n'avez pas le droit de passer votre tour même si vous ne voyez rien à faire. Cette obligation peut représenter une difficulté pour un joueur qui n'a pas de vision stratégique. Incapable de former un plan en dehors d'une crise immédiate, il aura tendance à provoquer une détérioration de sa propre position. Nous avons appris de Tigran Petrossian que l'inaction vigilante était une stratégie viable aux échecs, mais l'art de l'attente judicieuse exige un talent consommé. Que faire exactement quand il n'y a rien à faire ?

Nous appelons ces phases « jeu positionnel » car notre objectif est de consolider notre position. Nous devons éviter de créer des points faibles, trouver des biais pour réaliser des objectifs modestes, et penser petit mais le faire sans relâche. On a tendance à se laisser aller à la paresse dans les positions tranquilles, raison pour laquelle les maîtres positionnels tels que Karpov et Petrossian étaient si dangereux. Ils savaient rester alertes et étaient à leur aise dans les longues périodes sans action marquante du moment que cela leur permettait de gagner un minuscule avantage, puis encore un autre. Finalement, leurs adversaires se retrouvaient comme pris dans des sables mouvants, complètement enlisés.

Dans la vie, nous n'avons pas cette obligation de bouger. Si l'on n'a pas de bon plan d'action, on peut se contenter de regarder la télévision ou se consacrer à son travail comme d'habitude. Les êtres humains ne manquent pas de ressources pour trouver des passe-temps improductifs. C'est dans ces moments-là qu'un vrai stratège se distingue en trouvant des moyens de progresser, de consolider sa position et de se préparer à l'inévitable conflit. Car le conflit, ne l'oublions pas, EST inévitable.

À l'aube du XXᵉ siècle, la paix semblait bien établie en Europe et les mouvements pacifistes opéraient des incursions politiques dans les parlements européens. Pendant ce temps, l'Allemagne se préparait à faire la guerre, son réarmement naval égalant, et parfois même défiant, celui des Anglais. Un seul homme prit la responsabilité de cette préparation, l'amiral John (Jackie) Fisher.

La Grande-Bretagne avait exercé sa domination navale pendant plus d'un siècle et en 1900, les politiciens et chefs militaires britanniques considéraient cette supériorité comme entièrement acquise. Mais l'amiral Fisher insista pour moderniser la Royal Navy, pour construire les premiers cuirassés géants et pour encourager le développement des sous-marins que d'autres, dans l'amirauté, jugeaient d'une sournoiserie indigne des Anglais.

Fisher, dont la personnalité belliqueuse était mal accordée aux affaires d'État, dut lutter avec acharnement pour mener à bien son programme de modernisation en période de paix. En 1910, il prit sa retraite, plus fatigué par les batailles politiques que par les batailles navales. Il fut rappelé par Winston Churchill au début de la Première Guerre mondiale en 1914 et, bien que leur désaccord au sujet des Dardanelles ait poussé Fisher à renoncer moins d'un an après, ses années passées à rénover la Royal Navy n'avaient pas tardé à démontrer leur utilité.

Jackie Fisher est maintenant reconnu par les historiens comme un des plus grands amiraux anglais et beaucoup de ses principales contributions s'imposèrent sans qu'on ait besoin de tirer un coup de feu. Voilà l'exemple d'un stratège qui savait que ne rien avoir à faire ne signifiait pas pour autant qu'il fallait rester inactif.

Les tactiques doivent être guidées par la stratégie

À chaque coup, il faut imaginer la réponse de l'adversaire, le coup que nous ferons à notre tour, et ainsi de suite. Une tactique amorce une chaîne de réactions explosives, une séquence de coups forcés qui emporte les joueurs dans une course échevelée. Vous analysez la position à fond, évaluant des douzaines de variantes, des centaines de positions. À la moindre bévue, vous êtes balayé.

Cette situation est comparable à celle du boursicoteur qui doit décider : « Acheter ou vendre ? » une douzaine de fois par jour. Il regarde les chiffres, analyse autant qu'il peut, et prend la meilleure décision possible par rapport au temps dont il dispose. Plus il prendra le temps de réfléchir, meilleure sera sa décision, mais pendant qu'il réfléchit, l'opportunité de prendre cette décision est aussi en train de passer.

Les tactiques induisent des calculs très difficiles pour le cerveau humain, mais en laissant décanter, elles sont la partie la plus simple des échecs et presque insignifiantes comparées à la stratégie. Ce sont des réactions attendues, inévitables, fondées sur des séries logiques du type « alors si... » faisant le bonheur d'un programmeur de logiciels. « S'il prend mon pion, je jouerai le cavalier en e5. Alors s'il attaque mon cavalier, je sacrifierai mon fou. Alors s'il... » Naturellement, quand vous arrivez au cinquième ou sixième « si », vos calculs sont devenus incroyablement compliqués pour la raison évidente du nombre de coups possibles. Plus vous anticipez, plus vous risquez de commettre une erreur.

Nous prenons tous nos décisions sur la base d'une combinaison entre analyse et expérience. L'objectif est d'être conscient de ce processus afin d'être en mesure de l'améliorer. Nous devons être capables d'élargir notre vision de manière à évaluer les conséquences profondes de nos décisions tactiques. Autrement dit, nous avons besoin de la stratégie pour maintenir nos tactiques sur la bonne trajectoire.

Un exemple de plus en plus d'actualité

Peu après le centenaire, en mars 2004, du célèbre baptême de l'air des frères Wright à Kitty Hawk, Caroline du Nord, je donnai à Interlaken, une station de montagne en Suisse, une conférence intitulée « Réaliser son potentiel » à des cadres d'entreprise. Pour expliquer le danger d'une mauvaise vision stratégique, je choisis l'exemple des frères Wright et de leur fameuse invention. Des centaines d'ingénieurs sont morts en essayant d'inventer une machine volante tandis qu'Orville et Wilbur sont restés à jamais dans l'histoire pour avoir réussi à monter dans les airs – et à en redescendre.

Et pourtant, ils n'auraient jamais imaginé que l'aéroplane puisse dépasser le stade de l'innovation ou du sport. Cette idée était partagée par toute la communauté scientifique américaine, une opinion qui laisserait bientôt les États-Unis à la traîne en matière d'aéronautique. Les frères Wright n'envisagèrent pas tout le potentiel de leur invention et il fut donné à d'autres d'exploiter la puissance du transport aérien à des fins commerciales et militaires. J'ajoutai, en guise de conclusion à ce récit édifiant, que nous ne volons pas aujourd'hui dans des aéroplanes Wright. L'Amérique avait besoin de quelqu'un qui soit capable de combiner l'esprit d'entreprise avec la prouesse technique et cet homme fut William Boeing. Ce nom familier reçut un rire d'approbation de la part de l'auditoire, mais je découvris ultérieurement que son exemple était plus éclairant encore que je ne l'avais imaginé. Car Boeing ne s'était pas contenté d'être un stratège, c'était aussi un ingénieux tacticien.

En 1910, le magazine *Scientific America* prétendait qu'attendre de l'aviation une révolution mondiale revenait à « se rendre coupable de l'exagération la plus échevelée ». William Boeing ignorait tout de l'aéronautique, vivant à Seattle, Washington, loin de la côte Est où avaient lieu les recherches en ce domaine. Boeing, qui avait réussi à aller à Yale alors qu'il venait des classes laborieuses, n'avait pas les connaissances techniques des frères Wright.

Boeing perçut avant les autres le potentiel du transport aérien et il comprit que l'excellence technologique était le fondement indispensable d'une entreprise dans ce nouveau domaine. Afin de réaliser avec succès son concept de compagnie commerciale d'aviation, il lui fallait vaincre plusieurs obstacles d'ordre technique. Boeing misa toutes ses économies sur le fait que la technologie rattraperait sa vision avant qu'il soit en faillite. Il ne se contenta pas d'attendre. Stratégie : améliorer la technologie. Tactique : faire construire une soufflerie dans son université afin de pouvoir former les ingénieurs dont il avait besoin.

En 1917, l'armée américaine s'apprêtait à entrer dans la Première Guerre mondiale. Elle avait besoin d'avions et Boeing possédait un nouveau projet qu'il pensait pouvoir lui être utile. Le problème était que l'US Navy procédait à des essais à cinq mille kilomètres de là, en Floride, trop loin pour y envoyer de petits avions. Boeing savait qu'il s'agissait d'une opportunité cruciale et fit démonter les avions qui furent mis en boîte comme des pizzas et les expedia à travers le pays, une manœuvre tactique géniale.

Ce modeste succès permit à Boeing de continuer encore pendant quelques années, durant lesquelles son usine aéronautique, toujours sur le fil, produisait également des bateaux et, croyez-le ou non, des meubles. Il continuait à embaucher les ingénieurs les plus talentueux et à investir dans la recherche. Quand le transport du courrier et des passagers, s'ajoutant au vol sensationnel de Charles Lindbergh entre Paris et Londres, suscita un véritable boum, Boeing et sa technologie de pointe étaient prêts à s'emparer du marché.

La même année, je fis deux interventions au Brésil lors de conférences dans le monde des affaires et pus ajouter un nouveau chapitre à cette histoire. Le Brésil a son propre père de l'aviation, l'inventeur Alberto Santos-Dumont qui faisait voler en public, avant les frères Wright, des appareils plus lourds que l'air. Ses exploits audacieux et sa flamboyante personnalité en ont fait l'une des figures les plus marquantes du monde des années 1900, bien qu'il soit presque oublié aujourd'hui. Pour les auditoires brésiliens, la célébrité déclinante de leur héros était un élément de comparaison idéal avec la renommée de Boeing. Au-delà d'un rêve utopique de paix universelle apporté par ce transport mondial, Santos-Dumont n'avait que peu d'intérêt pour les implications de ses inventions. Il fut horrifié par l'utilisation de l'aviation au moment de la guerre, et cela aurait été l'une des raisons de son suicide en 1932.

Si la stratégie représente la fin, les tactiques sont les moyens. Boeing utilisa d'innombrables tactiques et manœuvres fort intelligentes au service de son plan à long terme. Une fois que nous avons défini clairement des étapes et des objectifs intermédiaires, nous avons une pierre de touche pour évaluer nos tactiques et nos éventuelles combinaisons. Et plus nous le faisons, plus cela nous semble facile ; nos buts stratégiques sont incorporés à notre réflexion tactique. Nos réactions seront plus rapides, plus précises, et la rapidité est toujours fondamentale.

Le cercle vicieux du zeitnot

Le pire ennemi du stratège est la pendule. Le zeitnot, comme nous disons aux échecs, nous réduit tous à un jeu purement tactique, de simple réflexe ou de réaction. L'émotion et l'instinct obscurcissent notre vision stratégique quand nous n'avons plus le temps de faire une estimation correcte. Même l'intuition la plus fine ne peut entièrement se passer de calculs exacts. Un jeu d'échecs peut alors soudain se mettre à ressembler terriblement à un jeu de hasard.

C'était le 4 mars 2004, et ma pendule approchait dangereusement de l'instant fatidique lors d'une partie décisive au tournoi de Linares en Espagne. Le tournoi le plus important de l'année se terminait et je stagnais en deuxième place. En gagnant cette partie, je pouvais finir ex aequo en première position. Il ne restait plus que dix minutes sur ma pendule et une tempête se préparait sur l'échiquier. Opposé à la star bulgare Veselin Topalov, champion du monde en cours de la FIDE[1][2], j'avais une position à double tranchant. J'avais amassé une armée impressionnante contre son roi et, confiant dans ma supériorité sur ce secteur de l'échiquier, je lançai une attaque.

Je voyais un avenir prometteur mais ne pouvais rien concrétiser par le calcul ; il y avait trop de possibilités dans les deux camps. Huit minutes. Ma position semblait

---

1. Voir glossaire.
2. Fédération internationale des échecs. *(N.d.T.)*

avantageuse et mon intuition me le confirmait. Je montai à l'assaut. À présent, c'était au tour de Topalov de transpirer, mais il se révéla coriace. Il défendait bien, me posant de nouveaux problèmes qu'il me fallait résoudre dans mon intervalle de temps très limité. Nous jouions vite tous deux, d'instinct, avec nos mains autant qu'avec nos cerveaux. Quatre minutes.

Son dernier coup était-il une faute ? En accord avec sa nature combative, Topalov avait attaqué au lieu de défendre. Pour poursuivre mon attaque, je sacrifiai une pièce, me créant un sérieux désavantage matériel. Si mon assaut échouait, je perdais la partie. Je ne pouvais donc plus reculer. J'avais le cœur battant et des montées d'adrénaline. Je sentais que la victoire était à portée de main. Par un bond de mon cavalier, je pouvais découvrir une attaque de la tour sur son roi. Cela semblait dévastateur. Où bouger le cavalier ? En e4 ou en e6 ? En avant ou en arrière ? Deux minutes.

À toute allure, je passais mentalement en revue les différentes alternatives, essayant de déterminer les meilleurs coups des deux camps à travers d'hallucinantes variantes. Je visualisai la façon dont je pouvais contrer ses éventuelles défenses, s'il jouait ici, je jouais là, s'il jouait ceci, je jouais cela. Quatre coups d'avance, cinq coups, six coups... Je n'avais plus le temps d'analyser suffisamment pour m'assurer de tous les côtés. Une minute.

On dirait que jouer en arrière est une option perdante ! Perturbé, je poussai mon cavalier en avant, tout en sentant que j'avais laissé passer ma chance. Topalov réagit immédiatement, son roi courant se mettre à l'abri. Durant les secondes qui me restaient, je ne pouvais plus que forcer son roi vers l'avant ou vers l'arrière ; plus moyen d'administrer le *coup de grâce*. La partie se termina avec une nullité par répétition de coups, ni gain ni perte. J'étais effondré sur ma chaise ; avais-je manqué le gain ? Après cette chasse palpitante, le gibier m'avait échappé. Je terminai le tournoi dans un amer ex aequo en seconde position, très troublé de la façon dont mon intuition m'avait trahi dans un moment critique.

Il s'avéra en effet que je n'avais pas choisi la bonne case pour mon cavalier. L'analyse montra qu'en reculant en e4, en direction opposée du roi ennemi, j'aurais eu une attaque plus efficace. J'avais examiné cette possibilité dans mes calculs mais j'avais vu que sa dame pouvait mettre mon roi en échec tout en reculant pour assurer une défense. Quand la partie fut terminée, Topalov suggéra l'alternative du bond du cavalier en e4 comme coup gagnant et je répliquai : « Oui, mais qu'en est-il de l'échec de la dame en c1 ? » Il resta interdit et, rien qu'en voyant sa tête, je compris soudain que ce coup était impossible, la dame ne pouvait en aucune manière arriver en c1. Une complète hallucination. Ironiquement, cruellement, le coup gagnant aurait écarté une pièce clé de la défense, exactement le genre d'objectif stratégique que j'aurais poursuivi naturellement si j'avais eu assez de temps pour calculer.

Le plus perturbant dans cette faute due au manque de temps était que l'une de mes principales forces dans cette partie avait été le calcul rapide et poussé des tactiques. J'avais toujours été certain de posséder une capacité d'analyse plus approfondie que celle de mes adversaires. Au moment du coup final, il était bien rare que mon adversaire m'échappe.

Je quittai Linares ébranlé. Bien sûr, personne ne peut réussir à cent pour cent chaque fois, mais c'était quand même troublant. À quarante ans, j'étais beaucoup plus vieux que la plupart de mes concurrents, qui avaient habituellement dans les vingt ans, et étaient même parfois des adolescents. Si l'âge commençait à m'atteindre et que mes tactiques devenaient chancelantes, combien de temps encore allais-je me maintenir au sommet ? Il me faudrait surveiller mon jeu de près, spécialement mes capacités tactiques, avant de remonter sur scène.

Avec le recul, le vrai problème n'était pas mon erreur due au zeitnot. Comme des résultats positifs ultérieurs l'ont montré, mes facultés n'étaient pas en baisse. La faute avait été de me laisser déstabiliser par le manque de temps. N'ayant pas beaucoup joué, je m'étais rouillé au point de perdre mon pouvoir de décision et de manquer de confiance en mes propres calculs. J'avais perdu de précieuses minutes dans des doubles vérifications alors que j'aurais dû jouer plus vite. Les meilleurs plans et les tactiques les plus détournées peuvent échouer par manque de confiance en soi.

Une bonne stratégie peut échouer à cause de mauvaises tactiques

Les livres de Winston Churchill sont parmi mes préférés. Sa ténacité – certains l'appellent entêtement – baigne chaque aspect de son caractère. Son plan de campagne militaire aux Dardanelles pendant la Première Guerre mondiale – celui-là même qui aboutit à la démission de l'amiral Fisher – devint l'un des pires désastres militaires de toute l'histoire de l'Angleterre. Et pourtant, vingt-cinq ans plus tard, il eut la perspicacité de se rendre compte que son idée principale avait été valable et le courage d'essayer de mettre de nouveau son plan à exécution.

En 1915, Churchill, alors Premier Lord de l'Amirauté, convainquit le parlement et les Alliés d'attaquer Gallipoli, au cœur de l'Empire ottoman, afin de créer une voie supplémentaire en direction de la Russie et de forcer les Allemands à ouvrir un nouveau front. Des navires et des troupes furent transférés depuis la Méditerranée – ce qui rendit Fisher furieux – jusqu'au détroit des Dardanelles, point de division stratégique entre la partie européenne et la partie asiatique de la Turquie.

Les premières attaques navales se passèrent bien, mais ce furent aussi les dernières bonnes nouvelles pour les Anglais. À leur arrivée, les troupes étaient sous le commandement de Sir Ian Hamilton qui connaissait mal la situation sur le terrain et qui était accompagné de deux autres commandants. Personne ne dirigeait l'ensemble de l'opération. Une erreur tactique en suivit une autre tandis que les troupes britanniques essuyaient des pertes sévères contre la défense inspirée des Turcs, dont la victoire finale devait porter au pouvoir le colonel Mustafa Kemal – connu plus tard sous le nom d'Ataturk – qui allait fonder la République turque.

Les Anglais battirent en retraite après avoir perdu deux cent mille hommes et trois navires de guerre. Ce désastre humiliant coûta à Churchill son poste à l'amirauté, bien qu'il fût rappelé dès le début de la Seconde Guerre mondiale. En 1941, quand l'Allemagne nazie attaqua l'Union soviétique, Churchill s'aperçut que les Alliés se trouvaient confrontés au même problème qu'en 1915. Les Soviétiques étaient très lents à rassembler les fournitures, comme l'avait été la Russie au début de la Première Guerre mondiale. L'une des premières actions anglo-soviétiques, en juillet 1941, fut d'occuper l'Iran pour s'assurer des lignes de communication par voie de terre avec les Soviétiques. (Les lignes maritimes par le nord pouvaient être dangereuses et insuffisantes en cas de guerre prolongée.)

En octobre, les Alliés commencèrent à donner des provisions aux Soviétiques, la plupart du temps de la façon déjà imaginée par Churchill en 1915. En 1943, ce fut vital à l'effort de guerre de l'URSS, avec plus de trois cent mille tonnes de nourriture, de munitions et d'autres fournitures essentielles arrivant chaque mois. Churchill réalisa que la débâcle de la campagne de Gallipoli ne signifiait pas que le raisonnement en lui-même avait été faux.

Aux échecs, on voit souvent de bonnes stratégies échouer à cause de mauvaises tactiques ou vice versa. Une seule petite erreur tactique peut annuler les idées stratégiques les plus brillantes. Plus dangereux sur le long terme sont les cas de mauvaise stratégie réussissant grâce à de bonnes tactiques ou par simple chance. C'est pourquoi il importe d'examiner avec autant d'attention les raisons de la victoire que celles de la défaite.

Pablo Picasso l'a pointé sous une forme typiquement elliptique quand il a dit que les « ordinateurs sont inutiles. Ils ne savent que donner des réponses ». Ce sont les questions qui importent. Les questions, et surtout celles qu'il est opportun de se poser, sont les clés de la réussite. Nos tactiques, nos décisions au jour le jour, sont-elles fondées sur nos objectifs à long terme ? Les vagues d'informations menacent de brouiller la stratégie, de la noyer dans les détails et les chiffres, les calculs et les analyses, les réactions et les tactiques. Pour avoir des tactiques solides, il faut d'une part, avoir une stratégie solide et d'autre part, faire des calculs exacts. Les deux nécessitent une vision du futur.

Paul Morphy (1837-1884), États-Unis
Wilhelm Steinitz (1836-1900), Empire d'Autriche

Les pères fondateurs

L'édifice des échecs modernes s'érige sur deux piliers, Morphy et Steinitz. Le premier fraya un chemin avec un génie sans précédent, le second théorisa ces innovations et codifia la méthode en un système pouvant être transmis. Le jeu de Morphy et les parties et les écrits de Steinitz firent basculer les échecs de la période romantique turbulente aux principes logiques de l'ère moderne.

Il peut sembler ridicule de prétendre qu'un seul joueur puisse avoir un tel impact sur un jeu aussi ancien et dans un temps aussi court qu'une année. Et pourtant, en 1857-58, l'Amérique, sous l'instigation de Paul Morphy, changea pour toujours le paysage échiquéen. Ce riche jeune homme de La Nouvelle-Orléans entra dans le monde des échecs pour la seule raison qu'il était encore trop jeune, au terme de ses études, pour exercer en tant que juriste. Il se révéla bientôt être une classe au-dessus des meilleurs joueurs aux États-Unis, mais la vraie compétition eut lieu de l'autre côté de l'Atlantique.

Le voyage de Morphy en Europe ressemble aux grandes histoires de conquêtes. Inversant le chemin des conquistadors, le jeune homme de vingt et un ans écrasa l'un après l'autre les plus grands joueurs de l'époque. Même le très célèbre Allemand Adolf Anderssen fut battu à plate couture. Les prouesses d'Anderssen en tant qu'attaquant étaient telles que deux de ses parties les plus brillantes acquirent des dénominations spécifiques. Les joueurs d'aujourd'hui sont toujours admiratifs devant la beauté de l'Immortelle et de la Toujours jeune lorsqu'ils tombent dessus pour la première fois. Et pourtant, il était incapable de faire quoi que ce soit contre la puissance de jeu de Morphy. (Le grand joueur anglais vieillissant Howard Staunton évita prudemment d'affronter Morphy sur l'échiquier.)

De retour aux États-Unis, Morphy fut considéré comme un héros. Ce qui s'explique facilement par le fait qu'il était le premier Américain à s'imposer au niveau mondial. Alors que le titre officiel de champion du monde ne devait voir le jour que trente ans plus tard, il ne fait pas de doute que Paul Morphy était le roi des échecs.

Tragiquement, son règne fut très court. Morphy avait toujours considéré que les échecs ne constituaient pas une profession honorable pour un gentleman du Sud et après son retour d'Europe, il cessa de jouer sérieusement. Á la fois perturbé par ce jeu et déçu par le droit, il ne fit jamais vraiment carrière dans aucune des deux disciplines. Ces anxiétés furent exacerbées par son ambivalence durant la guerre civile et Morphy souffrit d'un déclin mental dans ses dernières années. Non sans raison, le grand Morphy est appelé « la fierté et la désolation des échecs ».

Comment fit-il ? Comment ce jeune homme put-il humilier si facilement les meilleurs joueurs du monde alors qu'il n'existait aucune compétition adéquate sur sa terre natale ? Le secret de Morphy, qu'il ignorait vraisemblablement lui-même, était son sens du jeu positionnel. Au lieu de foncer directement à l'attaque, ainsi qu'on le faisait à cette époque, Morphy s'assurait d'abord que tout était en ordre de marche. Il avait compris qu'une attaque gagnante ne pouvait être lancée que d'une position solide, laquelle ne pouvait être submergée.

Malheureusement, il ne laissa pas de guide pour expliquer sa méthode, à peine quelques écrits. Morphy était à ce point en avance sur son temps qu'une fois qu'il eut quitté la scène, les Romantiques occupèrent de nouveau le haut du pavé, comme s'ils n'avaient rien appris. Il fallut un autre quart de siècle avant que ces principes fondamentaux de développement et d'attaque soient redécouverts et formulés.

Cette redécouverte fut le fait de Wilhelm Steinitz. Commencée à Prague, qui faisait alors partie de l'Empire autrichien, la carrière échiquéenne précoce de Steinitz était de celles qui suivent une progression soutenue. Son jeu était dans le style de l'époque, c'est-à-dire qu'il jouait de façon spéculative et en faisant des sacrifices, sans grande considération pour la défense et la solidité positionnelle. Il vint occuper le devant de la scène en raison de ses attaques audacieuses, s'attirant le surnom de Morphy autrichien.

Ce n'est qu'après avoir émigré en Angleterre, où il passa une vingtaine d'années avant de devenir citoyen américain, que sa conception du jeu et que son jeu lui-même changèrent peu à peu. Les longues interruptions entre les tournois lui permirent d'observer et d'étudier tout en rédigeant sa célèbre rubrique d'échecs et en faisant des matchs exhibitions. Vers 1870, Steinitz avait commencé à développer ses théories sur la défense, les points faibles et le jeu stratégique. Théories qui ont opéré une division dans l'histoire des échecs entre les périodes « pré-Steinitz » et « post-Steinitz ».

Bien que ces contributions théoriques eussent suffi à assurer à Steinitz l'immortalité, il démontra une égale virtuosité dans leur mise en œuvre. En 1886, il battit Johann Zukertort, un attaquant romantique de la vieille école, dans ce qui est officiellement considéré aujourd'hui comme le premier championnat du monde officiel. Bien qu'il ait commencé par perdre quatre des cinq premières parties, Steinitz et ses principes finirent par triompher. Il prit la mesure de son adversaire, s'ajusta, et remporta ensuite neuf gains contre une seule défaite. Zukertort ne comprenait pas comment Steinitz pouvait le dominer sans faire de brillantes attaques. Après tout, n'était-ce pas ainsi qu'on était supposé gagner ?

Une nouvelle génération de joueurs avait parfaitement assimilé les enseignements de Steinitz quand, en 1894, celui-ci passa sa couronne à Emmanuel Lasker. Tous les champions ont reconnu notre dette envers ses théories et ses principes. Le jeu a continué à évoluer mais c'est Steinitz, inspiré par Morphy, qui, le premier, extirpa le jeu d'un océan de conjectures hasardeuses pour le déposer sur la terre ferme du raisonnement.

Sur Morphy : « À ce jour, Morphy est un maître jamais surpassé du jeu ouvert. La portée de cette innovation est évidente si l'on constate que, depuis Morphy, rien de substantiellement nouveau ne fut créé dans ce domaine. Chaque joueur – du débutant au maître – devrait, dans sa pratique, revenir encore et toujours sur les parties du génie américain. » Mikhaïl Botvinnik

Morphy par lui-même : « À la différence d'autres jeux qui ont l'argent pour conclusion et pour but, [les échecs] favorisent une élévation car ses batailles simultanées ne sont livrées que pour l'honneur. De toute évidence, c'est le jeu même du philosophe. Laissez l'échiquier supplanter la table de jeux, et vous observerez un grand progrès moral dans la société. »

Sur Steinitz : « L'importance de l'enseignement de Steinitz est d'avoir montré qu'en principe, les échecs étaient par nature logiques et définis. » Tigran Petrossian

Steinitz par lui-même : « Les échecs sont difficiles ; ils demandent du travail, une réflexion sérieuse et une étude zélée. Seul un esprit critique impartial et sans concessions peut mener au but. »

5. Calcul

« Je ne vois qu'un coup d'avance, mais c'est toujours le bon. »

Jose Raul Capablanca,
troisième champion du monde

La question qu'on m'a le plus souvent posée au cours des années est : « Combien de coups d'avance prévoyez-vous ? » C'est une question à la fois pertinente et naïve ; elle pointe le cœur du jeu d'échecs et cependant, on ne peut y répondre. C'est un peu comme si vous demandiez à un peintre combien il donne de coups de pinceau dans un tableau, comme si cela avait un rapport avec la qualité de son travail.

Comme à la plupart de ces questions, la réponse sincère serait : « Cela dépend », mais cela n'a jamais empêché les gens de la poser, ni des générations de joueurs d'y chercher de piètres réponses. « Autant qu'il est nécessaire », est l'une, ou bien « Un coup en plus que mon adversaire ». Il n'y a pas de chiffre précis, ni maximum ni minimum. Le calcul aux échecs n'est pas un plus un, mais plutôt la représentation d'une voie sur une carte qui n'arrête pas de changer sous vos yeux.

La première raison qui fait qu'on ne peut réduire les échecs à de l'arithmétique tient au gigantisme de ses nombres. Chaque coup implique quatre ou cinq réponses possibles, puis encore quatre réponses à chacun de ces coups, et ainsi de suite. Les embranchements de l'arbre de la décision se multiplient géométriquement. Après cinq coups seulement depuis la position de départ, on a déjà des millions de positions possibles. Le nombre total de positions dans une partie d'échecs est supérieur au nombre des atomes de l'univers. Bien sûr, la majorité de celles-ci ne sont pas des positions réalistes, mais l'immense éventail des échecs devrait pouvoir ménager une occupation pour les humains pour les cinq cents ans à venir.

À l'instar des prévisions météorologiques, plus vos prévisions seront lointaines et moins vos calculs seront précis. Le hasard et l'incertitude interfèrent davantage à mesure que le nombre des possibilités s'agrandit. La loi des rendements décroissants entre en vigueur à mesure que le temps de réflexion nécessaire augmente tout en produisant des résultats de moins en moins précis.

On a tendance à croire que la plupart des fautes résultent d'une erreur de calcul. En fait, cette dernière n'est qu'une erreur spécifique caractérisée par une conclusion incorrecte en dépit du fait qu'on avait tous les facteurs en main. Aux échecs, chaque joueur dispose de toutes les données et cela est bien sûr impossible en politique. Il est impressionnant de constater le nombre de bourdes, en politique, dérivant de données pourtant « objectives ».

Usant de la guerre ainsi que d'une diplomatie avisée, Otto von Bismarck créa un empire germanique dans la seconde moitié du XIXᵉ siècle. Après avoir unifié l'Allemagne, il s'arrangea pour isoler la France et mettre la Russie hors jeu tandis qu'il s'alliait avec l'Autriche et l'Italie. Il avait acquis la certitude que la France et la Russie ne s'allieraient jamais, car un monarque absolu tel que le tsar de Russie ne pouvait se résoudre « à se découvrir et à écouter la Marseillaise », le refrain qui avait accompagné tant de membres de la famille royale vers la guillotine.

En 1894, quatre ans après que l'empereur Wilhelm II eut attribué à Bismarck le poste de chancelier, les Français signèrent une alliance militaire avec la Russie. Et quand une flotte de navires français rendit visite à la Russie, le tsar ne se contenta pas seulement d'écouter la Marseillaise mais en plus il se découvrit. Bismarck avait eu toutes les informations nécessaires mais il était parvenu à une conclusion erronée et avait sous-estimé le besoin économique grandissant qu'avait la Russie du crédit français. Et surtout, il avait supposé que la fierté royale allait l'emporter sur les nécessités financières ; son erreur de calcul eut des répercussions qui se prolongèrent jusqu'à la Première Guerre mondiale. Bismarck était un grand tacticien et un grand stratège mais cette fois-ci, il fit l'erreur de ne pas créditer les autres des mêmes qualités. Il commit la faute de penser que ses opposants feraient une bêtise que lui-même n'aurait jamais faite.

Le calcul doit être dirigé et discipliné

Il était possible d'imaginer qu'un jeu limité à un échiquier de soixante-quatre cases serait facilement dominé par la puissance de calcul des ordinateurs d'aujourd'hui. Réfuter cette hypothèse est la seconde clé pour une bonne prise de décision : il faut savoir évaluer à la fois les facteurs statiques (permanents) et les facteurs fluides. La puissance de calcul n'est pas ce qui distingue les champions. Le psychologue hollandais Adriaan de Groot, dont nous reparlerons, réalisa des études montrant que les joueurs d'élite ne prévoient pas beaucoup plus de coups, en réalité, que la plupart des joueurs plus faibles lorsqu'ils résolvent des problèmes d'échecs. Ils peuvent le faire, occasionnellement, mais ni cette capacité en elle-même ni sa mise en pratique ne suffisent à expliquer leur supériorité aux échecs. Un ordinateur, qui dispose de millions de coups par seconde, a quand même besoin de pouvoir évaluer pourquoi un seul coup est meilleur qu'un autre et cette capacité d'évaluation, qui est la faiblesse des ordinateurs, est ce en quoi, précisément, l'être humain excelle. Il ne sert à rien de voir loin si vous ne savez dans quelle direction il faut aller.

Quand j'examine mon coup, je ne démarre pas en me ruant sur les embranchements de l'arbre de la décision. Je commence par considérer tous les éléments de la position, de façon à établir une stratégie et à développer des objectifs intermédiaires. Je dois garder en tête tous ces facteurs quand je commence à calculer des variantes, de façon à pouvoir évaluer si les résultats sont favorables. L'expérience et l'intuition peuvent guider ce processus, mais il y faut aussi une rigoureuse base de calculs.

Que vous ayez ou non une grande pratique, et quel que soit votre degré de confiance en votre instinct, l'analyse reste indispensable. Comme le disait Ronald Reagan dans un tout autre contexte : « Faites confiance, mais vérifiez. » Les règles ont toujours des exceptions et des scénarios contraires à l'intuition abondent dans toutes les disciplines. Même des problèmes d'arithmétique relativement simples peuvent surprendre. Je me trouvai récemment dans un dîner d'environ vingt-cinq personnes. Pendant la conversation, on s'aperçut que deux paires d'invités, émerveillés de cette coïncidence, avaient le même jour d'anniversaire. Mais quelles étaient les chances qu'une telle chose se produise ? Ainsi que le fit remarquer un autre invité, et comme beaucoup de gens le savent, il y a 50 pour cent de chances que deux personnes sur un groupe de vingt-trois partagent le même anniversaire et d'en avoir ainsi deux paires dans notre groupe représentait à peu près une chance sur quatre. Il continua en nous déclarant que le pourcentage de chances d'avoir deux personnes partageant le même anniversaire montait à 99 pour cent dans une assemblée de seulement cinquante-cinq personnes. Le calcul mathématique qui fonde cette assertion n'est pas très compliqué mais les résultats sont incontestablement contraires à l'intuition. Quelle que soit la certitude que vous éprouvez dans vos conclusions, il faut les vérifier par l'analyse.

Pour être efficace, ce processus d'analyse doit suivre un ordre défini. Quiconque a fait une liste de courses sait que les tâches peuvent être effectuées avec plus de facilité si l'on a établi des priorités. Mon expérience m'indique deux ou trois coups possibles à examiner. En général, l'un s'avère rapidement plus faible et peut être écarté au profit d'un autre qui mérite davantage de considération. C'est alors seulement que je commence à suivre l'arbre, un coup après l'autre, examinant les réponses probables.

Dans un jeu compliqué, cet arbre d'analyse ne dépasse pas quatre ou cinq coups – c'est-à-dire, quatre ou cinq coups pour chaque joueur, ou huit à dix coups au total. (Chaque coup joué par l'un des camps, blanc ou noir, correspond à ce que les programmeurs d'ordinateurs d'échecs appellent un « ply ».) À moins qu'il n'y ait des circonstances spéciales, telles qu'une position particulièrement dangereuse ou ce que vous évaluez comme un moment clé de la partie, ce calcul reste sûr et praticable.

Pour être efficace, l'arbre de décision doit être constamment élagué. Il faut une discipline mentale pour aller d'une variante à une autre, en écartant les coups les moins prometteurs et en suivant les meilleurs. Si vous vous dispersez, vous perdrez un temps précieux en courant le risque de vous trouver dans la confusion. Il faut aussi savoir s'arrêter. Cela s'impose soit quand vous êtes parvenu à une conclusion satisfaisante – un cheminement s'étant avéré clairement le meilleur, ou essentiel – ou encore quand une analyse plus poussée n'apporte pas un avantage suffisant par rapport au temps qu'on y passerait.

Imagination, calcul et ma plus belle partie

Invoquer ici l'imagination ne contredit nullement la nécessité d'une discipline. L'ordre et la créativité doivent régner de concert pour guider le calcul. Les circonstances et l'instinct nous signalent le moment où il faut casser la routine. Le meilleur coup peut être parfois si évident qu'il ne vaut pas la peine d'en peaufiner les détails, surtout si le temps entre en ligne de compte. Ce cas est néanmoins relativement rare et le plus souvent, c'est quand nous présumons une chose évidente et que nous réagissons précipitamment que nous commettons une faute. En général, il faudrait, afin de casser la routine, augmenter le travail d'analyse, plutôt que de le diminuer. Dans ces moments-là, votre instinct vous dit que quelque chose est tapi sous les apparences, ou qu'on se trouve à un point critique et qu'il importe d'examiner plus en profondeur.

Pour détecter ces moments clés, vous devez être attentifs aux orientations et aux modèles de votre analyse. Si l'un des embranchements de votre analyse commence à montrer des résultats surprenants, bons ou mauvais, cela vaut la peine d'investir du temps pour voir ce qui se passe. Parfois, il est difficile d'expliquer exactement ce qui déclenche dans votre esprit le signal vous indiquant qu'il y a quelque chose à creuser. L'important est d'être à son écoute. L'une de mes plus belles parties fut à mettre au compte de ce sixième sens. Elle eut lieu au cours du traditionnel « grand tournoi » de Wijk aan Zee en Hollande et mon partenaire était encore le combatif Bulgare Veselin Topalov.

Topalov mérite également la tête d'affiche car il faut être deux pour réaliser une partie d'échecs d'une beauté exceptionnelle. Si votre adversaire ne vous oppose pas une résistance acharnée et une bonne défense, vous n'avez pas beaucoup de chances de pouvoir déployer vos talents. La résistance farouche de Topalov m'avait poussé aux limites de mes possibilités de calcul dans cette partie et j'ai joué les combinaisons les plus complexes de toute ma carrière. La branche maîtresse de l'analyse atteignait quinze coups, un nombre presque ridicule. Il n'y avait pas moyen d'approcher par le calcul toutes ces nombreuses possibilités, mais miraculeusement, je visualisai soudain le coup gagnant qui mit fin à la partie.

Un fascicule dédié à cette seule partie mémorable fut publié ultérieurement en Grèce, et je dois admettre que 90 pour cent de son analyse ne m'a pas effleuré l'esprit durant la partie. Une fois que j'eus enregistré, à travers tout l'échiquier, quelques-unes des excitantes possibilités de poursuivre le roi noir, je me concentrai exclusivement sur ses probables tentatives de défense. Parvenu à un certain point de mes calculs, je pris conscience que je m'avançais sur une corde raide et que le moindre faux pas pouvait être fatal. J'avais déjà sacrifié la moitié de mes pièces pour balayer son roi en terrain découvert. Je continuai à creuser la position dans mon imagerie mentale, certain qu'il y avait quelque chose, jusqu'à finalement visualiser la combinaison gagnante, quinze coups à l'avance.

C'était une prouesse de calcul, mais l'esprit ne peut aller aussi loin sans l'aide de l'imagination. Cette combinaison ne me serait jamais apparue au moyen d'une simple approche déductive de la position. Ce n'était pas le produit d'une analyse logique parvenant à une parfaite conclusion mathématique. À titre de preuve, je peux montrer que sur un point au moins, j'avais laissé passer une possibilité de coup meilleur, trouvé par d'autres grands maîtres dans des analyses ultérieures.

Accessoirement, bien que cela ait tourné en ma faveur, le fait que j'aie manqué le meilleur coup illustre l'un des périls de rester fixé sur un objectif à long terme. J'étais si enchanté par ma vision de l'or dans cet arc-en-ciel que je cessai de regarder alentour en l'approchant. Je m'arrangeai pour me convaincre moi-même qu'une finale aussi superbe se devait d'être également scientifiquement correcte – une dangereuse désillusion potentielle.

Avec l'aide de la machine
l'homme est plus fort que jamais

Nous ne sommes pas des ordinateurs et nos calculs ne seront jamais parfaits. Mais si elles sont liées à nos objectifs et guidées par notre expérience et nos instincts, nos analyses seront généralement correctes. Dans les affaires, nous avons aussi l'avantage de travailler avec les ordinateurs et non pas contre eux. La stratégie humaine et ses talents d'évaluation associés aux outils de calcul que sont les ordinateurs ont réinventé de multiples professions, depuis la comptabilité et l'investissement jusqu'à la gestion d'inventaires. Avec de tels progrès dans presque toutes les activités de la vie, je commençais à me demander pourquoi il n'était pas possible d'avoir également des bêtes de silicone à mes côtés en compétition d'échecs.

Les logiciels d'échecs excellent en calcul, domaine si laborieux pour les humains. Votre calculatrice de poche n'a aucune difficulté pour calculer 89×97 et les programmes d'échecs comme Fritz et Junior sont tout aussi rapides pour donner les solutions de positions tactiques complexes. Ils ratissent toutes les possibilités à la recherche de celle qui est la plus avantageuse sur le plan matériel. C'est un système de force brute qui n'est pas particulièrement élégant mais qui est indéniablement efficace dans les positions compliquées. C'est dans les plans à long terme et dans les phases de manœuvres où le cheminement n'est pas clair qu'ils commencent à se troubler. En

1998, j'ai eu une idée. Et si, au lieu d'opposer un humain à la machine, nous jouions en tant que coéquipiers ?

Mon invention personnelle vit le jour dans un match à Léon, en Espagne, et nous l'avions appelée « Échecs avancés ». Pendant la partie, chaque joueur avait un PC sous la main fonctionnant sur le logiciel d'échecs de son choix. Exactement comme un P-DG inspectant un tableau, les humains s'attelaient à la stratégie et laissaient les ordinateurs traiter les chiffres à toute vitesse. L'idée était de créer le niveau d'échecs le plus élevé ayant jamais existé, une synthèse du meilleur de l'homme et de la machine.

Cette première expérience – j'étais de nouveau contre Topalov – semblait prometteuse en dépit de quelques problèmes dus au fait que les joueurs ne disposaient pas d'un temps suffisant pour accéder aux ordinateurs. C'était une drôle de sensation d'être harnaché à cette machine pendant le combat, un peu comme porter une armure. Je pouvais me concentrer sur un plan et les faiblesses de mon adversaire plutôt que de me soucier des erreurs de calcul.

D'autres événements d'échecs avancés eurent lieu et les parties furent souvent d'une qualité stupéfiante. Il y eut même des tournois où se combattaient des équipes de joueurs utilisant de multiples ordinateurs et durant lesquels tous les coups étaient permis. Naturellement, je continue à croire aux échecs humains, mais même un jeu aussi ancien peut tirer bénéfice de temps à autre d'une approche nouvelle.

Les ordinateurs peuvent se rapprocher du niveau des championnats du monde d'échecs, mais dans la majorité des autres domaines, les êtres humains ne sont pas près d'être remplacés par des machines. Les transactions d'affaires, toutes nos interactions personnelles, sont fondées sur les réactions et les sentiments humains. Un directeur ne dirige pas des ordinateurs, il dirige des gens. Seul un humain peut comprendre la faiblesse et les penchants propres à l'homme, ce qui explique que les ordinateurs ne soient pas très performants pour des jeux tels que le poker où le facteur humain reste essentiel.

Une machine peut jouer des coups improbables à la perfection car elle mémorise sans aucun effort les cartes qui sont tombées. Mais comment enseigner à un ordinateur à bluffer ? Ce qui signifie tenter quelque chose avec très peu de chances, monter les enchères malgré un petit jeu. Si nous négocions avec un P-DG appartenant aux cinq cents plus grandes fortunes [1] ou avec un enfant de dix ans, l'expérience et l'intuition vont avoir autant d'importance que notre capacité à analyser les faits.

Comme tous les talents, celui du calcul guidé par l'imagination exige, pour progresser, un entraînement régulier qui le pousse jusqu'à ses limites. Beaucoup de joueurs d'échecs répugnent aux positions complexes car ils doutent de leurs capacités de calcul. Cela devient un cercle vicieux. Si nous évitons les analyses concrètes, nous fiant à nos seuls instincts, ces instincts ne seront pas éduqués correctement. Il est bon de suivre nos intuitions tant que nous sommes certains de ne pas éviter la tâche complémentaire qu'il s'agit d'accomplir pour vérifier la justesse de notre sentiment.

---

1. Selon le magazine *Fortune*. *(N.d.T.)*

Siegbert Tarrasch (1862-1934), Allemagne
Emmanuel Lasker (1868-1941), Allemagne

La rivalité de deux grands esprits très différents.

Le début du XXᵉ siècle connut l'une des grandes rivalités du jeu d'échecs, entre Emmanuel Lasker et Siegbert Tarrasch. D'ailleurs, cette rivalité dépassait l'échiquier. Les deux plus grands joueurs allemands avaient des idées fondamentalement opposées sur la nature des échecs et sur la vie en général. Une anecdote classique, probablement apocryphe, raconte une rencontre organisée pour tenter de les réconcilier avant le début de leur match de championnat du monde à Düsseldorf en 1908. Tarrasch entra dans la pièce, s'avança vers Lasker et déclara : « M. Lasker, je n'ai que trois mots à vous dire : échec et mat ! » Malheureusement pour Tarrasch et ses supporters, il n'eut que peu d'occasions de le dire après que le match eut commencé. Lasker gagna haut la main, par huit à trois.

Emmanuel Lasker garda le titre de champion du monde plus longtemps que quiconque, de 1894 à 1921. Pourtant, lorsqu'il battit William Steinitz en match de championnat, le monde des échecs ne fut pas très convaincu par le jeu du jeune Allemand car Steinitz approchait de la soixantaine et n'était plus à son apogée. Mais pendant les cinq années qui suivirent, Lasker, remportant dans un style implacable chacun des tournois auxquels il participa, devait effacer tous les doutes au sujet de sa force.

Lasker avait un don pour les mathématiques et fit plusieurs contributions durables dans ce domaine. Il s'intéressait aussi vivement à la philosophie et à la sociologie. Une aimable préface à sa biographie (posthume) fut écrite par Albert Einstein qui connaissait bien Lasker. « Peu d'hommes ont réussi à avoir un intérêt chaleureux pour les grands problèmes humains tout en conservant une personnalité originale et indépendante. » Et, chose remarquable, elle incluait aussi une réfutation à un essai que Lasker avait écrit sur la théorie de la relativité.

Pour Lasker, les échecs étaient avant tout un combat psychologique entre deux volontés. Comme on dit souvent, il jouait plus contre l'adversaire que sur l'échiquier. Il avait compris que les fautes étaient inévitables et que la victoire irait à celui qui serait capable de mettre le plus de pression et qui y résisterait le mieux. Il fut accusé par ses opposants de choisir volontairement des coups faibles afin de les déstabiliser. C'est une exagération, mais ses parties montrent qu'il changeait volontiers de style afin de perturber son adversaire.

Cette profonde compréhension psychologique ajoutée à ses nombreux talents échiquéens permit à Lasker de jouer à un niveau encore très élevé au-delà de la soixantaine. Bien qu'il eût perdu son titre au profit du génie cubain Jose Raul Capablanca en 1921, Lasker sortit victorieux d'un des plus grands tournois de tous les temps à New York en 1924, devant le champion Capablanca et le futur champion Alexandre Alekhine.

Siegbert Tarrasch est plus connu pour ses livres classiques et ses drôles de déclarations, mais le bon docteur était aussi l'égal des deux premiers champions du monde, Steinitz et Lasker, et un sérieux rival les talonnant de près. Il faut dire aussi qu'il était en rivalité avec eux sur le sens de l'évolution du jeu et sur sa pédagogie. Ses livres et articles formèrent toute une génération de joueurs, et son style d'enseignement dogmatique fut davantage apprécié à l'époque qu'il ne le serait aujourd'hui.

Dans la lignée de Steiniz dont il interpréta les enseignements, Tarrasch essaya d'apporter un ordre dans le chaos de l'échiquier. Dans ses écrits, il établit prudemment un ensemble de règles destinées à guider la manière de jouer, et quiconque osait les transgresser était immédiatement stigmatisé par ses propos cinglants. En commentaire de l'une de ses parties, il écrivit : « Il est plus excusable de faire une gaffe avec une pièce que de ne pas comprendre l'esprit du jeu. » Cette condamnation du grand maître anglais J. H. Blackburne est infligée dès le huitième coup ! Quelques coups plus loin, pour justifier sa propre maladresse qui allait suivre, Tarrasch commentait : « La faiblesse des coups suivants s'explique par ma consternation devant l'indigence du jeu de Blackburne. »

Il est paradoxal qu'un esprit aussi dogmatique ait pu habiter l'âme d'un novateur. Son jeu pouvait parfois être brillant et tout en poursuivant son métier de médecin généraliste, il réussit à se maintenir pendant presque une vingtaine d'années parmi les trois ou quatre meilleurs joueurs du monde. Réussir à garder aussi longtemps une telle position est impossible sans faculté d'adaptation.

Sur Lasker : « Aucun grand joueur ne fut aussi difficile à comprendre pour la majorité des amateurs et même pour les maîtres qu'Emmanuel Lasker. » Jose Raul Capablanca

Lasker par lui-même : « Sur l'échiquier, les mensonges et les hypocrisies ne survivent pas longtemps. La combinaison créative révèle toute l'audace du mensonge ; le fait impitoyable, culminant dans le mat, neutralise l'hypocrite. »

Sur Tarrasch : « Tranchant comme un rasoir, il suivait toujours ses propres règles. En dépit de sa dévotion à sa méthode supposément scientifique, son jeu était souvent brillant et inspiré. » Bobby Fischer

Tarrasch par lui-même : « Les échecs, comme l'amour, comme la musique, ont le pouvoir de rendre les hommes heureux. »

« Tarrasch enseigne la connaissance, Lasker enseigne la sagesse. » Fred Reinfeld

6. Talent

« À l'âge de onze ans, j'atteignis un très bon niveau. »

Bobby Fischer,
onzième champion du monde

La désignation de grand maître n'était réservée, à l'origine, qu'aux meilleurs parmi les joueurs de niveau international. Le tsar de Russie Nicolas II inventa ce titre pour les cinq finalistes du grand tournoi de 1914 qu'il finançait à Saint-Pétersbourg. Succédant aux cinq légendaires, le titre fut adopté par la FIDE qui établit des règles de qualification. Inévitablement, il y eut prolifération de titres, pour atteindre aujourd'hui le total approximatif d'un millier de grands maîtres. Il y a tant de « GM » à présent que des titres officieux tels que « super grand maître » sont utilisés pour distinguer les meilleurs d'entre eux.

On me demande souvent ce qui sépare un joueur d'élite, parmi les dix meilleurs mondiaux, des nombreux joueurs de très bon niveau qui n'ont jamais réussi à se classer parmi les vingt meilleurs mondiaux, ou les cent meilleurs mondiaux. Malheureusement, il y a autant de raisons de faillite que de succès ; on ne peut établir aucune généralité. Chaque joueur ou joueuse a ses propres raisons d'échouer ou de réussir. La plus indécidable d'entre elles est cette ombre insaisissable qu'est le talent.

Il existe tant de définitions et d'aspects du talent qu'il n'est pas étonnant que nous ayons du mal à décider qui en est doté ou qui en est dépourvu. Certes, les prodiges nous facilitent la tâche, mais il y a mieux à faire que de s'émer-veiller devant Mozart, qui composa des symphonies à l'âge de cinq ans, ou devant Pascal, qui inventa des théorèmes de géométrie sur les murs de sa maison d'enfance à l'âge de douze ans.

Les échecs, comme la musique ou les mathématiques, sont l'une des rares activités où les capacités supérieures et l'originalité peuvent se manifester à un âge très précoce. En 1918, Samuel (Sammy) Reshevsky, né en Pologne, fut exhibé à travers l'Europe à l'âge de sept ans dans son costume de marin, dominant des salles remplies de joueurs adultes. Jose Raul Capablanca est réputé pour avoir appris le jeu à l'âge de quatre ans rien qu'en regardant son père jouer et pour l'avoir ensuite prouvé dans un match contre des joueurs accomplis. Reshevsky était scruté par tous les genres de psychologues avides de percer le secret de ses dons. Comment de simples enfants peuvent-ils se rendre maîtres d'un jeu d'une telle complexité ?

Nous connaissons tous des histoires sur ce genre de précocité et, en général, nous sommes enclins à penser que ces individus sont nés avec des dons exceptionnels. Cependant, ces dons ont besoin d'une occasion pour se déve-lopper. Le débat sur l'inné et l'acquis ne peut être tranché aussi facilement. Si son père avait été peintre plutôt que professeur de musique, connaîtrions-nous Mozart aujourd'hui ?

Je dois certainement mon développement précoce à des facteurs extérieurs. Mon aptitude naturelle pour les échecs fut découverte très tôt par ma famille. Mon père, Kim, luttant à l'époque contre la leucémie, prit la décision de m'envoyer dans une école d'échecs à l'âge de sept ans et ma mère appuya cette décision avec enthousiasme. Aujourd'hui, elle aime à me rappeler que le but de ses efforts était davantage de contrôler ma passion que de la promouvoir. Elle raconte qu'elle reçut un coup de téléphone de mon professeur de deuxième année, qui m'avait puni pour l'avoir défié en classe. Lorsqu'on me dit de ne pas recommencer à me prendre pour le plus intelligent, je répliquai : « Et alors, est-ce que ce n'est pas vrai ? » Je n'envie pas mes premiers professeurs.

Dans les faits, chaque jeune vedette, quel que soit le domaine considéré, peut citer un proche qui a encouragé son talent. Quant aux facteurs internes, il est évident que je n'aurais pu remporter d'aussi brillants succès dans d'autres domaines que les échecs. Ce jeu vint à moi naturellement, ses exigences s'accordant comme un gant à mes dispositions.

Cette chance ne s'offre pas à tout le monde mais elle peut aussi être suscitée au moment où il faut faire coïncider nos capacités avec notre profession. Cela peut très bien se produire à l'âge adulte, le seul problème étant qu'en vieillissant, nous explorons trop rarement de nouvelles voies. Or sans pousser les limites de ses facultés dans différents domaines, il est impossible de découvrir ses propres dons.

Reconnaître les modèles qui nous gouvernent

L'expérience est importante, car elle nous montre que la plupart des activités mettent en jeu différentes sortes de talents. Un pianiste de concert a besoin d'avoir une dextérité physique ainsi qu'une bonne oreille et un sens du rythme. Presque tous nos actes peuvent être décomposés en de telles associations. Pensez aux qualités requises pour faire un bon directeur, un bon général ou un bon parent. Les échecs ne font pas exception et exceller dans cette discipline nécessite une synthèse entre le développement d'un talent et l'acquisition de connaissances. Comme aptitudes naturelles primordiales, je citerais la mémoire et l'imagination.

La mémoire est souvent considérée comme une qualité innée, de même que la taille ou les yeux bleus. Nombre de gens tentent de la catégoriser et disent, par exemple, qu'ils ont une bonne mémoire des visages ou une mauvaise mémoire des noms. Nous avons des stéréotypes tels que le professeur distrait qui connaît par cœur les œuvres complètes de Chaucer mais ne se souvient jamais de l'endroit où il a garé sa voiture.

Nous savons que la mémoire à long terme et la mémoire à court terme se situent dans des emplacements différents du cerveau. Certains ont des mémoires photographiques et peuvent réciter sans effort des bottins entiers de téléphone. Beaucoup de gens pensent que les meilleurs joueurs d'échecs possèdent de telles facultés, mais c'est loin d'être le cas.

Il est vrai qu'un grand joueur d'échecs doit avoir une bonne mémoire, mais il est beaucoup plus difficile d'expliquer de quoi, exactement, nous devons nous rappeler. Les modèles ? Les nombres ? Des images mentales des pièces et de l'échiquier ? La réponse, qui à la fois intrigue et ennuie les psychologues, semble être « tout ce qui vient d'être dit ».

La pratique des « échecs à l'aveugle » a fasciné le monde pendant des siècles. En 1783, le grand joueur français François André Danican Philidor fit deux parties simultanées sans voir les échiquiers et fut acclamé comme un génie sans égal. Un compte rendu journalistique le décrivait comme « un phénomène dans l'histoire de l'humanité, devant être conservé comme un des meilleurs échantillons de la mémoire humaine, jusqu'au jour où la mémoire cessera d'exister ».

Presque deux cents ans plus tard, le grand maître polonais Miguel Najdorf émigra en Argentine au début de la Seconde Guerre mondiale. Quand la guerre prit fin, Najdorf eut l'idée de tenter de faire savoir à sa famille, en Pologne, qu'il avait survécu, en participant à la plus grande démonstration d'échecs à l'aveugle jamais tentée, quarante-cinq échiquiers en simultané. Cela signifiait 1 440 pièces à suivre et l'événement dura si longtemps que certains de ses adversaires épuisés durent trouver des remplaçants pendant la partie. Après presque vingt-quatre heures de jeu, Najdorf totalisait trente-neuf gains, quatre nullités, et seulement deux défaites contre ses opposants qui, bien sûr, avaient une claire vision de l'échiquier.

Cela ne veut pas dire pour autant que Najdorf avait une mémoire parfaite ou photographique ; ce n'était d'ailleurs pas le cas. Il avait surtout une remarquable mémoire des échecs, la faculté de retenir les combinaisons et les mouvements des pièces sur un échiquier de soixante-quatre cases, qui est aussi importante pour un joueur s'il peut voir l'échiquier que s'il ne le peut pas. Cette capacité à se souvenir et à visualiser rend nos calculs rapides et précis et signifie que nous n'avons pas besoin de calculer chaque position en partant de zéro. Si vous êtes familier d'une position et arrivez à vous rappeler ce qui a marché et ce qui n'a pas marché auparavant, vous avez un grand avantage sur quelqu'un qui la voit pour la première fois.

Un grand maître retiendra des dizaines de milliers de séquences et de combinaisons, données constamment enrichies par une pratique assidue. Ma capacité à mémoriser tant de parties et de positions ne signifie pas que je me rappelle plus facilement les noms, les dates ou quoi que ce soit d'autre. Adrian De Groot l'illustra avec élégance dans son étude des joueurs d'échecs datant de 1946. Il mit à l'épreuve des joueurs de tous niveaux, des champions du monde aux débutants, pour essayer de découvrir les secrets de la maîtrise des échecs.

De Groot donna à mémoriser aux joueurs une série de positions et nota ensuite combien ils pouvaient en reproduire. De façon prévisible, les meilleurs résultats furent obtenus par les joueurs les plus forts. Les joueurs d'élite firent 93 pour cent, les experts 72 pour cent, le joueur moyen 51 pour cent seulement. Trente ans plus tard, une étude similaire plus approfondie devait apporter un nouvel éclairage sur ces différences.

En 1973, les chercheurs W. G. Chase et H. A. Simon firent la même expérience mais en ajoutant une deuxième série clé de positions. Pour cette deuxième série, ils placèrent les pièces au hasard, sans suivre les règles du jeu ni aucun autre modèle. Comme dans l'étude de De Groot, les joueurs les plus forts firent les meilleurs scores pour les positions issues de vraies parties. Mais concernant les positions aléatoires, les joueurs, tous niveaux confondus, firent approximativement les mêmes scores. Sans l'aide de modèles ou de ce que les psychologues appellent des schèmes signifiants, les maîtres ne déployaient pas des prouesses de mémoire supérieures.

Les mêmes processus sont à l'œuvre dans toute activité humaine. La mémoire machinale est infiniment moins importante que la capacité à reconnaître des modèles signifiants. Quand nous nous attaquons à un problème, nous ne partons jamais de zéro ; instinctivement, nous nous référons à un événement identique dans le passé. À partir de ces mises en parallèles, nous essayons d'élaborer une recette similaire avec des ingrédients légèrement différents.

Habituellement, ce processus se déroule inconsciemment, mais à l'occasion, il peut être utilisé volontairement et de façon spectaculaire. Une partie éblouissante disputée à Saint-Pétersbourg en 1914 entre deux des meilleurs joueurs du moment, Aaron Nimzowitsch et Siegbert Tarrasch, ne reçut que le deuxième prix d'excellence, car la prodigieuse attaque avec sacrifice conduite par Tarrasch était clairement la réplique d'une attaque similaire réalisée vingt-cinq ans plus tôt par Emmanuel Lasker.

Les traders discernent des tendances en regardant les cours de la Bourse, les parents remarquent des modèles de conduite chez leurs enfants, un avocat rompu aux cours de justice peut sentir intuitivement la façon la plus efficace de s'adresser à un témoin. Tout découle d'une combinaison d'expérience et de mémoire consciente. Et bien que la seule pratique puisse vous donner des compétences, l'excellence exige un travail actif de mémorisation.

Combien de fois opérons-nous un bilan de notre activité de la journée ? Qu'avons-nous vu, qu'avons-nous

ces anciennes vertus avaient été jetées aux orties et que soudain, tout un chacun devait se montrer frondeur pour ne pas être considéré comme un dinosaure. Internet s'édifia sur cette illusion, sur la croyance que le raisonnement inductif et la créativité pourraient remplacer – plutôt que compléter – les principes fondamentaux et la logique.

Anatole France écrivait que « pour accomplir de grandes choses, il faut savoir rêver autant qu'agir ». Aux échecs, nous avons un terme pour désigner la sorte d'imagination requise pour casser les schémas habituels et faire bondir nos adversaires ; nous l'appelons le génie inventif. C'est l'esprit qui s'évade loin des calculs de variantes pour imaginer des possibilités cachées dans la position. Car une conjonction tout à fait unique de facteurs se produisant à un instant donné peut offrir la grâce d'une idée paradoxale, allant presque à l'encontre des principes généralement admis.

Ironiquement, les ordinateurs d'échecs sont excellents pour pousser les humains à développer leur imagination tactique. Les ordinateurs ne s'appuient pas sur des modèles et n'ont aucun préjugé contre les coups inesthétiques, ni contre ceux qui paraissent illogiques ou absurdes. Ils se contentent de petits calculs et jouent le meilleur coup qu'ils trouvent. Il est beaucoup plus difficile pour un être humain, pétri d'habitudes, de se montrer si brutalement objectif.

Après la publication du premier tome de *My Great Predecessors*, je compris à quel point j'étais dépendant des conventions. J'étais en train d'examiner l'analyse d'une partie importante qui s'était déroulée en match de championnat du monde en 1910 entre Emmanuel Lasker et Carl Schlechter. Beaucoup d'excellents joueurs, y compris les participants eux-mêmes, avaient écrit des commentaires sur cette partie car ce fut la seule défaite de Lasker durant ce match. Lasker et plus tard son successeur au titre de champion du monde, Jose Raul Capablanca, publièrent des analyses montrant que Lasker aurait pu se défendre en sacrifiant sa dame.

Je tombai d'accord avec eux. Le sacrifice de la dame était une défense ingénieuse qui aurait pu sauver la partie et je l'écrivis dans mon livre. À peine celui-ci était-il en rayon dans les librairies que je commençai à recevoir du courrier. De nos jours, chaque aficionado possède un puissant logiciel d'échecs sur son PC et, en un rien de temps, tous ces fans, aidés de leur machine, sabordèrent mon analyse. (En l'occurrence, il s'agissait de voir que les blancs n'étaient pas obligés de prendre la dame.) L'ordinateur ne se soucie pas de savoir que la dame est la pièce la plus puissante, seule compte pour lui l'évaluation du score. Cinq générations d'humains, moi inclus, avaient pris la dame et n'avaient commencé à analyser qu'après. L'ordinateur, ignorant la dame, avait montré qu'il y avait une manière facile de gagner.

Je me plais à penser que si j'avais dû jouer cette partie, j'aurais trouvé la combinaison gagnante. Comme nous le verrons par la suite, la concentration intuitive est souvent plus précise à chaud qu'une analyse approfondie faite après coup.

Le génie inventif peut dissiper le brouillard

Garder l'esprit ouvert est très difficile dans un jeu aussi dépendant des modèles et de la logique. Pour l'inspiration, nous pouvons regarder du côté de ces grands joueurs qui trouvaient constamment des façons originales de surprendre leurs adversaires, et aucun n'y réussit à l'égal du 8ᵉ champion du monde Mikhaïl Tal. En 1960, le « Magicien de Riga », déjà connu pour son style agressif et versatile, s'éleva jusqu'à devenir champion à l'âge de vingt-trois ans. Il sacrifiait des pions et des pièces à contre-courant du modernisme scientifique établi dans le jeu par Botvinnik. Tal réintroduisit le romantisme dans les échecs, dans la continuité du style en vogue au milieu du XIXᵉ siècle, à l'époque où la défense était regardée comme une couardise.

Comment réussit-il à faire cela ? Comment faisait-il pour que ses cavaliers paraissent plus agiles, ses fous plus rapides que ceux des autres grands maîtres ? C'était un extraordinaire calculateur mais ce n'était qu'une petite part de ses talents. Il avait la capacité de sentir quand le calcul seul ne pouvait résoudre le problème, comme il le raconte dans une interview connue. Il passe en revue ses réflexions durant une partie compliquée contre le GM soviétique Vasiukov, alors qu'il examinait la valeur d'un sacrifice du cavalier.

« Les idées s'accumulaient. Je m'efforçais de trans-poser contre mon adversaire une riposte subtile qui avait fait ses preuves dans un cas bien déterminé alors qu'elle se montrait naturellement inefficace dans le cas de figure présent. En conséquence, ma tête devint un amoncelle-ment de toutes sortes de coups complètement chaotiques, et le fameux "arbre des variantes", que les entraîneurs vous recommandent d'élaguer, se mit à proliférer à toute vitesse.

« C'est alors que, pour une raison quelconque, me revint en mémoire le couplet de Korney Chukovsky [célèbre poète soviétique pour enfants] :
Oh, comme c'était difficile
De tirer l'hippopotame hors du marais.

« Je ne sais par quelles associations l'hippopotame avait surgi de l'échiquier, mais tandis que les spectateurs étaient tous convaincus que je continuais d'étudier la position, j'étais en train de penser : "comment tirer un hippopotame hors du marais ?" Je me souviens que je voyais des crics, des leviers aussi, des hélicoptères et même une échelle de corde. À la suite de cette réflexion prolongée, je m'avouai vaincu en tant qu'ingénieur et pensai méchamment : "Bon, laissons-le se noyer !" Et soudain, l'hippopotame disparut. Parti de l'échiquier comme il était venu. De lui-même. Immédiatement, la position ne me sembla plus si compliquée. Il m'apparaissait maintenant que, d'une façon ou d'une autre, il n'était pas possible de calculer toutes les variantes et que le sacrifice du cavalier était, par nature, purement intuitif. Et dès lors qu'il promettait une partie intéressante, je ne pus m'empêcher de le jouer.

« Le jour suivant, je lus avec jubilation dans les journaux que Mikhaïl Tal, après avoir prudemment réfléchi sur la position pendant quarante minutes, fit le sacrifice, calculé avec la plus grande précision, d'une pièce... »

Nous avons ici un exemple typique de l'esprit de Tal ainsi que de la disposition mentale dans laquelle il se mettait lorsqu'il devait résoudre un problème. Il avait compris que ce n'était pas la peine de s'acharner avec un tournevis quand il fallait prendre un marteau. Même son esprit imaginatif avait parfois besoin d'une impulsion pour changer de vitesse.

Développer l'habitude de l'imagination

Le génie inventif ne se déclenche pas en appuyant sur un bouton. La clé consiste à le laisser s'exprimer aussi souvent que possible, à permettre à votre fantaisie de s'épanouir de manière à ce que cela devienne une habitude. Chacun développe ses propres trucs pour éveiller la muse. Le but à atteindre est de rendre cette pratique continue et inconsciente, de sorte que votre imagination soit toujours en action. Il ne s'agit pas d'être un inventeur, avec un flash occasionnel de créativité, mais d'innover en permanence dans vos processus de prise de décision.

Quand on commença à s'adresser à moi pour des interventions dans les colloques d'entreprises, j'eus à cœur de m'exprimer le plus possible dans leur langage. Faisant partie du collectif d'éditeurs du *Wall Street Journal* et étant un passionné des chaînes d'information, je me considérais comme raisonnablement informé sur le monde, y compris sur les titres concernant le marché. Le problème est que les nouvelles ne replacent que rarement les choses dans un contexte significatif. Assurément, nous avons beaucoup à apprendre sur la façon dont les grands deviennent grands, ou sur la raison qui fait que certaines entreprises réussissent alors que d'autres échouent.

Ceci me conduisit à rechercher comment certains de nos contemporains avaient réussi à se faire un nom. L'histoire de William Boeing fut l'une de mes trouvailles. D'autres histoires m'inspiraient moins ou étaient moins utilisables pour mes interventions, mais une bonne part d'entre elles était injustement ignorée.

Alors que le nom de Joseph Wilson ne vous dit sans doute rien, l'entreprise qu'il dirigeait, Xerox, vous parle certainement davantage. Wilson était un inventeur, mais l'esprit créatif qu'il apporta dans l'entreprise, appelée à l'origine Haloid Company, fut plus important que tout ce qu'il avait pu inventer dans son laboratoire. Il disait à ses nouveaux employés : « Nous ne voulons pas faire les choses comme par le passé. Par conséquent, j'espère qu'en arrivant ici vous adopterez une attitude qui fera du changement votre mode de vie. Vous ne ferez pas les choses demain comme vous les faites aujourd'hui. »

J'avoue être attaché à mes habitudes et suivre un tel conseil représente donc pour moi un effort considérable. Sur l'échiquier, j'ai toujours essayé de laisser mon esprit vagabonder en ignorant parfois les variantes et en choisissant un seul angle d'attaque. En situation de compétition, de tels coups – qui s'éloignent des sentiers battus sans sortir de l'échiquier – ont l'avantage de provoquer le plus souvent un effet de surprise sur l'adversaire. Le temps qu'il passe à réfléchir sur votre coup est en grande partie perdu pour lui et la configuration de la partie en est bouleversée. Même s'il révèle des faiblesses à l'analyse objective, le coup imaginatif reste très efficace car il déstabilise l'opposant et le pousse à faire des fautes.

Se demander : « Et si... ? »

En 1997, je participai à un tournoi à Tilburg en Hollande et, à la cinquième ronde, je me retrouvai avec les noirs contre l'un des virtuoses mondiaux du « jeu inventif », le joueur d'origine lettone Aleixei Shirov qui joue actuellement pour l'Espagne. L'imaginatif Shirov avait d'ailleurs été entraîné dans sa jeunesse par Tal lui-même, une pointure inégalée concernant le jeu d'attaque exotique.

Cette fois pourtant, je fus en mesure d'utiliser ses propres armes. Dans une situation complexe avec des chances des deux côtés, Shirov avança sa tour sur l'échiquier, préparant une attaque sur ma dame au coup suivant. Il était évident qu'il me fallait sortir ma dame de cette voie et je commençai à examiner les différentes retraites possibles. Toutes les options laissaient la position en équilibre dynamique, mais j'étais déçu de ne pas pouvoir faire mieux.

Juste avant de me résigner à l'inévitable déplacement de ma dame, je pris une grande respiration et embrassai l'ensemble de l'échiquier. Comme pour tant de coups inventifs, celui-ci commença par un « ce serait vraiment bien si... ». Or si vous vous abandonnez un peu à une rêverie éveillée qui vous donne une représentation de ce que vous souhaitez, vous trouverez parfois les moyens de le réaliser. Et si j'ignorais sa menace sur ma dame ? Il aurait un avantage matériel, certes, mais mes pièces, bien que qualitativement surpassées par sa dame, seraient très actives et il serait alors mis sous pression.

Aussi, au lieu de bouger ma dame, ma main se saisit du roi et le fit avancer d'une case vers le centre de l'échiquier. Le paradoxe était parfait car ignorant l'action et les menaces, je jouai avec la pièce la moins forte de l'échiquier, un coup offrant toutes les apparences de l'innocuité. Bien sûr, j'étais également certain que c'était un coup puissant quant à ses mérites objectifs. L'inventivité doit en effet être confirmée par le calcul et une évaluation pondérée, sous peine de faire de belles gaffes.

Shirov ne sut pas s'adapter à la nouvelle situation. Attaquant-né, il se retrouva soudain sur la défensive. La position était objectivement à peu près égale, mais il ne tarda pas à faire une grosse faute, après quoi la partie fut rapidement conclue. J'eus même le privilège de faire encore davantage de sacrifices en fin de partie pour terminer en beauté. Tout ceci ne me demanda pas une réflexion intense, mais en y repensant, j'attribue cette inspiration au désir de sortir des sentiers battus et de la routine.

Souvent, nous éliminons trop rapidement les idées et les solutions excentriques, surtout dans les domaines où des méthodes éprouvées sont en place depuis longtemps. Le défaut de la pensée créative est tout autant imputable à nous-mêmes qu'aux paramètres de nos occupations ou de nos vies. « Et si ? » conduit souvent à « Pourquoi pas ? » et à ce stade, il nous faut rassembler notre courage et partir à la découverte.

Soyez conscient de votre propre routine et sachez en sortir

Il existe autant de voies pour utiliser votre inventivité qu'il existe de décisions à prendre pendant une journée. Vous ne trouverez pas de nouvelles manières de résoudre les problèmes si vous ne les cherchez pas et si vous n'avez pas le cran de les mettre à l'épreuve. Bien entendu, elles ne marcheront pas toutes comme prévu. Mais plus vous expérimenterez, plus vos expériences seront couronnées de succès. Cassez vos habitudes, même celles dont vous êtes satisfaits, pour voir si vous pouvez trouver des méthodes nouvelles et meilleures.

Si nous voulons tirer le meilleur parti des dons que nous avons reçus à la naissance, nous devons nous préparer à exercer notre esprit critique pour atténuer nos défauts. La facilité consiste à rester centré uniquement sur ses propres talents et à se reposer sur eux. Sans doute chercherez-vous naturellement à exploiter vos points forts, mais un trop grand déséquilibre pourrait s'ensuivre qui limiterait vos progrès au bout du compte. La voie la plus rapide pour optimiser l'ensemble est donc de travailler sur vos points faibles.

Il est important d'oublier les stéréotypes qu'on a sur soi-même en s'embarquant dans un tel projet, car ils sont souvent très approximatifs. Les gens qui répètent constamment qu'ils sont étourdis ou indécis créent un cercle vicieux qui devient difficile à rompre. Qu'est-ce qui vous dit que votre mémoire est plus mauvaise que la mienne, ou que celle de votre conjoint ? Il vaut beaucoup mieux avoir un peu trop de confiance en soi que l'inverse. Comme le disait Churchill : « L'attitude est une petite chose qui fait une grande différence. » Si nous croyons en nos capacités, elles nous le rendront.

Jose Raul Capablanca (1888-1942), Cuba
Alexandre Alexandrovitch Alekhine (1892-1946), Russie / France

Deux icônes de styles opposés

Les champions du monde vont souvent par paires. Il est difficile d'évoquer le grand champion cubain Jose Capablanca sans penser à Alexandre Alekhine. Capablanca devint le troisième champion du monde en 1921, en battant de façon convaincante un Emmanuel Lasker vieillissant au cours d'un match à La Havane. « Capa » semblait invincible, n'ayant perdu qu'une seule partie depuis dix ans.

Et pourtant, il ne devait pas garder le titre plus de six ans, le perdant contre Alekhine en 1927 à Buenos Aires. L'icône inamovible avait été renversée par l'élan irrésistible de la virtuosité déconcertante alliée à la volonté de fer du Russe. Capablanca passa la décade suivante dans la vaine attente d'une revanche contre Alekhine qui n'était pas pressé, quant à lui, de se mesurer de nouveau au Cubain. Entre-temps, Alekhine l'emporta deux fois contre un challenger de moindre importance, Efim Bogoljubow (un émigré russe comme Alekhine), avant de subir, contre le Hollandais Max Euwe, un « accident » qui lui fit perdre le titre pour deux ans. En 1946, alors que sa période de suprématie mondiale était déjà bien passée, il devint l'unique champion à emporter le titre dans sa tombe.

Ces deux joueurs incarnent aujourd'hui deux styles de jeu. On dit toujours d'un joueur positionnel tranquille qu'il joue comme Capablanca, tandis qu'un fougueux attaquant est inévitablement un nouvel Alekhine.

À juste titre, Capablanca est resté pour la postérité le plus grand génie naturel des échecs qui ait jamais existé. Sa compréhension lumineuse et instantanée d'une position était presque infaillible. Son jeu lucide et méthodique suscita l'admiration respectueuse tant de ses pairs que des générations suivantes. À l'évidence, sa force lui aurait permis de briguer le titre beaucoup plus tôt, mais la Première Guerre mondiale et des considérations financières reportèrent son inévitable triomphe.

En dehors de l'échiquier, Capablanca était réputé pour son charme et sa beauté. Il exerça dans son pays la fonction d'attaché diplomatique, un poste honorable lui permettant de voyager librement et de jouir de la vie, ce qu'il fit sans réserves.

Alekhine pouvait être considéré comme l'exact opposé de Capablanca à bien des égards, ce qui rend leur association dans l'histoire à la fois prévisible et inévitable. Ses parties étaient sauvages et souvent d'une difficulté baroque, marquées par un esprit d'une complexité jamais égalée. L'un des premiers livres d'échecs que j'eus en ma possession était une anthologie des plus grandes parties d'Alekhine. Je pouvais les rejouer encore et encore, j'étais surpris à chaque fois par quelque chose de nouveau. Son style truculent submergeait ses adversaires terrifiés. Voilà la sorte d'échecs que je voulais jouer !

Alekhine n'avait pas vraiment d'autre centre d'intérêt que les échecs. (Même son chat s'appelait Échec.) Quand il ne jouait pas, il écrivait et le reste de son temps était consacré à l'étude. On peinait à lui trouver un charme quelconque et il ne s'en souciait d'ailleurs pas le moins du monde. Le penchant d'Alekhine pour l'alcool eut des effets dommageables à la fois sur sa santé et sur sa carrière – beaucoup attribuent sa perte choquante (et de courte durée) du titre au profit de Max Euwe en 1935 tout autant à l'alcool qu'à la force et à la sérieuse préparation de son challenger hollandais. Ayant cessé de sous-estimer son adversaire et grâce à un strict régime au lait, Alekhine regagna son titre deux ans plus tard.

Sur Capablanca : « J'ai connu beaucoup de joueurs d'échecs, mais parmi eux, un seul génie – Capablanca ! » Emmanuel Lasker

Capablanca par lui-même : « Je joue toujours prudemment et j'essaie d'éviter les risques inutiles. Je pense que ma méthode est bonne car toute "audace" superflue va à l'encontre du caractère essentiel des échecs, qui ne sont pas un pari mais un pur combat intellectuel conduit en accord avec les règles exactes de la logique. »

Sur Alekhine : « Alekhine est cher au monde des échecs, principalement en tant qu'artiste. Les plans à longue échéance, les calculs de longue haleine et une imagination infatigable sont ses marques distinctives. » Mikhaïl Botvinnik

Alekhine par lui-même : « Les échecs ne sont pas un jeu pour moi, mais un art. Oui, et j'assume toutes les responsabilités qu'un art impose à ses adeptes. »

7. Préparation

« Si un homme possède un talent et qu'il ne peut l'utiliser, il a échoué. »

Thomas Wolfe

Comme l'arbre proverbial tombant dans la forêt sans personne autour pour l'entendre, le talent méconnu est comme inexistant. Dans un tel cas, on ne peut se lamenter sur sa perte. En revanche, on peut déplorer un talent qui n'est pas cultivé, dont on connaît l'existence mais qui est gaspillé. Quant à ceux qui n'ont que des talents naturels limités et qui arrivent à les exploiter au-delà de toute espérance, ceux qui, par un travail acharné, réussissent à dépasser des rivaux possédant au départ davantage de dons, ils recueillent souvent les plus grands éloges.

Cette dernière tendance m'a toujours frappé par son injustice. Pourquoi une grande faculté de travail n'est-elle pas considérée comme un don ? À mes yeux, ce n'est pas un compliment de dire de quelqu'un qu'il « a fait beaucoup avec peu », même si c'est censé en être un. Si un joueur de football qui est petit mais qui court très vite devient le meilleur en s'entraînant plus que les autres, a-t-il surmonté un déficit de talent ou simplement exploité un talent supérieur dans un autre domaine ?

Il est incontestable que les plus grandes réussites sont le fruit de grandes dispositions naturelles auxquelles s'ajoute la faculté de travailler dur. Michael Jordan, le fameux basketteur réputé pour ses capacités athlétiques et ses prodigieux tirs en suspension, était aussi le premier à venir s'entraîner et le dernier à partir. Dans les interviews, tant les coéquipiers que les entraîneurs de Jordan insistaient sur son extrême discipline plutôt que sur son aptitude à bondir. Un vétéran de l'association nationale de basket-ball disait du talent de Jordan : « Sans sa continuelle exigence de travail, Jordan ne serait qu'un athlète talentueux parmi d'autres, sans dimension historique. »

Je comprends ce sentiment, mais encore une fois ce commentaire laisse supposer que la discipline de Jordan et sa propension au travail ne font pas partie intégrante de son talent. La capacité de repousser ses limites jour après jour, et de le faire effectivement, n'est pas aussi visible que les dons physiques, mais c'est, chez Jordan, un talent inné qu'il a cultivé.

Ce sont les résultats qui comptent

Au long de ma carrière, j'entendis des compliments équivoques sur l'ampleur et la profondeur de ma préparation aux échecs. Dans les années 20, Alexandre Alekhine travailla plus que quiconque avant lui, modifiant la culture de ce qui avait été jusqu'ici un jeu de gentleman. À cause de ces efforts, il fut catalogué comme « obsédé » par ceux qu'il battait. Dans les années 40, l'esprit rigoureux de Mikhaïl Botvinnik et ses habitudes transformèrent le jeu en profession à plein temps. Dans les années 70, le fantastique dévouement de Bobby Fischer obligea tous les joueurs à passer davantage de temps à étudier s'ils voulaient rester dans la course.

Mon éducation et mon sens du rythme me mirent à la tête de la vague de changement des années 80. Mon éthique du travail était un produit de l'environnement discipliné créé par ma mère et par mon professeur Botvinnik. J'avais une soif insatiable pour la préparation des ouvertures, qui est une combinaison de recherche, de créativité et de mémorisation. J'étudiais toutes les dernières parties des meilleurs joueurs et notais soigneusement leurs innovations pour ensuite les analyser et en tirer le meilleur parti pour mon propre jeu. Pour moi, les systèmes d'ouverture représentèrent une voie pour la créativité et pas simplement des modèles à copier.

La connaissance des ouvertures a toujours été considérée comme un signe de maturité, mais je n'étais alors qu'un adolescent. Il ne fallut pas longtemps après mon entrée dans le monde des échecs internationaux pour que je commence à entendre des murmures attribuant la plus grande part de mes succès à l'étude approfondie engagée avec mon équipe soviétique. Dans les années qui suivirent, cette assertion prit le développement d'une légende à grande échelle. « Kasparov a une équipe de grands maîtres travaillant jour et nuit pour pondre en série de nouvelles ouvertures ! » « Il a un ordinateur surpuissant ! » Au bout d'un moment, cela commença à m'exaspérer d'entendre toujours ces mêmes choses répétées dans les interviews, bien que je fisse mon possible pour les voir comme des compliments. Cependant, comme pour la plupart des légendes urbaines, ces histoires comportaient une part de vérité.

Il est de tradition pour les joueurs de haut niveau, spécialement pendant les matchs de championnat du monde, de travailler – comme au temps des duels – avec des seconds qui les assistent pour l'analyse. Quand j'eus les moyens d'en faire autant, je commençai à travailler avec un entraîneur à plein temps, et non pas juste avant et pendant les grands événements. De même pour l'ordinateur, je fus le premier joueur à intégrer les analyses de la machine dans ma préparation et à systématiser l'utilisation des logiciels de jeu et des bases de données. Et bien que j'eusse à disposition tout ce que mon cousin Eugène, spécialiste en la matière, pouvait me fournir de mieux, le type de PC que j'utilisais n'était en rien supérieur à ce que n'importe qui possédant un bon magasin d'informatique près de chez lui pouvait se procurer.

Plutôt que de prêter l'oreille à des rumeurs colportées par mes adversaires vaincus, je me concentrais sur les résultats. Les méthodes que j'utilisais n'auraient pas marché pour tout le monde mais elles fonctionnaient très bien pour moi. La plupart du temps, les détracteurs et les rivaux se mettent à dénigrer la façon dont vous réussissez parce qu'ils n'arrivent pas à vous égaler. Ceux qui sont rapides et intuitifs vont être taxés de paresse. Ceux qui travaillent d'arrache-pied sont traités de laborieux. Et bien que ce ne soit évidemment pas une mauvaise idée d'écouter l'opinion des autres, il faut cependant se méfier des critiques qui fusent au moment même où vous êtes en pleine gloire.

Inspiration contre transpiration

Nous avons tous des talents inexploités. Même ceux qui atteignent le sommet dans leur profession n'en sont pas exempts. Le Cubain Jose Raul Capablanca était considéré comme une machine d'échecs invincible. Cette réputation contenait une bonne part de vérité car à cette époque, il avait passé huit ans sans une seule défaite. Capablanca, peut-être moins paresseux que ses propres déclarations et sa légende ne le laissèrent supposer, avait néanmoins l'étude en horreur. Bon vivant dont les dépenses étaient couvertes par une sinécure offerte par l'office diplomatique cubain, il ne se préparait que rarement contre ses adversaires et se vantait de n'avoir jamais étudié sérieusement. Son talent était si grand qu'il avait confiance en sa capacité d'échapper à n'importe quel piège, et c'était généralement le cas.

Quand Capablanca prit le titre d'Emmanuel Lasker en 1921, on considéra qu'il s'agissait d'une consécration arrivant avec du retard et qui pouvait durer des dizaines d'années. Avec Capa, les échecs semblaient faciles et ils l'étaient pour lui. Mais il avait trop compté sur ses dons naturels et il ne put garder le titre que six ans. Comme un fait exprès, son successeur, le russe Alekhine, était l'un des joueurs les plus fanatiquement dévoués au jeu qu'on ait jamais vus.

À une époque où le gentleman joueur d'échecs était un type courant et où la pratique professionnelle des échecs était encore à l'état d'incertitude, Alekhine dédia sa vie aux échecs comme cela n'avait jamais été fait auparavant. Une anecdote relate qu'un protecteur, qui avait invité Capablanca et Alekhine au music-hall, raconta ensuite :

« Capablanca n'a pas détaché les yeux du spectacle ; Alekhine n'a pas détaché les yeux de son échiquier de poche ! »

Bien sûr, Alekhine avait sa propre marque de génie flamboyant sur l'échiquier, et en le combinant à son travail intense, il réussit à surpasser le talent inexpérimenté de Capablanca. Outre le fait qu'il avait découvert chez ce dernier quelques faiblesses à exploiter, il avait prudemment étudié toutes les parties de Capablanca. Cela lui permit de repérer quelques erreurs occasionnelles, faisant mentir le mythe d'invincibilité de Capablanca. L'assurance d'Alekhine en fut renforcée mais, point capital, elle resta pourtant modérée.

Alekhine lui-même considérait Capablanca comme le favori de leur match de 1927 à Buenos Aires. Il n'avait encore jamais battu le prodigieux Cubain et avait terminé second à bonne distance derrière Capablanca au tournoi de New York qui avait eu lieu un peu plus tôt dans l'année. Et pourtant, cette victoire facile fut l'un des éléments qui bloquèrent Capablanca. Ainsi qu'Alekhine devait l'écrire plus tard à propos de ce match : « Je ne pensais pas lui être supérieur. Il se peut que la principale raison de sa défaite ait été la surestimation de sa propre puissance, consécutive à sa victoire écrasante de New York en 1927, et la sous-estimation de la mienne. »

Capablanca perdit la première partie à Buenos Aires, et bien qu'il réussît à reprendre le dessus pour un bref moment, il fut sans doute surpris de l'âpreté du combat. Le match devint l'affrontement de deux volontés, ce qui mettait Alekhine dans son élément, lui qui avait déclaré une fois : « Je ne me livre pas à un jeu mais à un combat sans merci. » Le mouvement qui l'avait conduit à se préparer huit heures par jour « par principe » (selon ses propres termes) lui interdisait de perdre. Capablanca n'était pas habitué à un effort aussi soutenu et se coucha finalement après trente-quatre parties (un record qui ne devait pas être dépassé avant mon match de quarante-huit parties contre Karpov en 1984-85).

La préparation est payante à plus d'un titre

Nous ne pouvons tous avoir la dévotion tenace d'un Alekhine. Peu de vies et d'énergies permettent un tel investissement. Il ne s'agit pas de devenir un fanatique consacrant la totalité de son temps, à la minute et à la seconde près, à sa passion. Les clés résident davantage dans une conscience de soi-même et dans la persévérance. Un effort continu est payant, même si ce n'est pas toujours d'une façon immédiate et tangible.

En analysant mes propres parties afin de les publier, je notai avec intérêt, et ce fut aussi une leçon d'humilité, la pauvreté objective de certaines des idées qui avaient guidé ma préparation. Avec le temps, je peux désormais mesurer le colossal travail d'analyse auquel je me livrais en prévision de mes tournois et de mes matchs de championnat du monde. Seule une partie de ces idées a vu le jour, mes adversaires ayant détourné leur cours quand ce n'était pas moi qui les abandonnais au profit de nouvelles variantes. Je vois maintenant que dans bien des cas, ce n'était pas une mauvaise chose. Sous le microscope de puissants logiciels, il apparut qu'au lieu de brandir l'Excalibur du roi Arthur, je me préparais à partir en guerre avec un canif rouillé.

Décontenancé par le manque de qualité de certaines de mes analyses, j'y voyais néanmoins un effet positif. Ces périodes d'intense préparation étaient récompensées même si je n'utilisais pas expressément les fruits de ma réflexion. Sans qu'il y ait un lien direct entre le travail et la réussite, il y avait comme une corrélation entre eux. Peut-être bénéficiais-je d'un équivalent échiquéen de l'effet placebo. Rentrer dans la bataille avec ce que je croyais être des armes invincibles me donnait confiance en moi.

Ces efforts « improductifs » entraînent en réalité un certain nombre d'avantages pratiques, car toutes les activités humaines ont la plupart du temps des points de rencontre. La recherche effectuée par un avocat pour une affaire qui n'ira pas jusqu'au tribunal contribue à le faire progresser en approfondissant sa compréhension de la juridiction. Le travail élargit les connaissances et les connaissances ne sont jamais perdues. Sans même avoir besoin de sortir vos armes, vous pouvez intimider votre adversaire si vous avez la réputation de réserver des mauvaises surprises.

Cette ligne de conduite a été suivie par beaucoup de ceux qui sont restés dans l'histoire comme de grands génies. Nous ne pouvons douter de l'intelligence de Thomas Edison, mais son vrai génie résidait dans sa capacité à poursuivre inlassablement des expériences. Son ampoule électrique était le résultat de sa ténacité et non pas d'un instant d'inspiration isolé. Il avait essayé des milliers de substances, cherchant un filament qui ne se consumerait pas, expérimentant même des fibres végétales rares provenant du monde entier. Edison résumait avec justesse ses idées sur l'invention quand il disait : « Beaucoup laissent passer l'opportunité car elle est en bleu de travail et ressemble au labeur. » Ceci fait écho à un autre grand penseur et travailleur, Thomas Jefferson, qui écrivait : « Je crois beaucoup à la chance et j'ai remarqué que plus je travaillais, plus j'en avais. »

Le pire est que nous sommes généralement conscients de nos propres déficiences dans ce domaine. Nous nous reprochons sévèrement d'avoir passé une heure de travail à surfer sur le net ou de laisser le sac de gym dans l'entrée pour se contenter de regarder la télévision. Cette auto-flagellation est suivie d'aussi peu d'effet que les résolutions de Nouvel An qui passent rarement l'hiver.

Transformer un jeu en science

Si Alekhine a franchi un palier supplémentaire dans la dévotion, et même dans l'obsession, à l'égard des échecs, l'homme qui lui a succédé sur le trône a professionnalisé et codifié cette dévotion. Le premier des sept champions soviétiques, Mikhaïl Botvinnik, tenta, à travers ses écrits et son enseignement, de démystifier le jeu. J'étais son élève favori à l'Académie d'échecs et j'ai une immense dette envers lui pour m'avoir donné la précision et la discipline qui me manquaient. Il m'enseigna à éviter la complexité pour elle-même, disant : « Tu ne seras jamais un Alekhine si ce sont les variantes qui te mènent et non l'inverse. »

Les contributions les plus durables de Botvinnik à la culture des échecs concernent le domaine de la préparation. En ingénieur, il a établi des régimes d'entraînement détaillés. Ceux-ci n'englobaient pas seulement l'étude spécifique échiquéenne, mais également la préparation physique et psychologique. Ces méthodes sont si répandues aujourd'hui qu'il devient difficile d'imaginer une époque où aucun joueur ne les pratiquait. Mais en son temps, Botvinnik fut un vrai novateur. Son système incluait une recherche sur les ouvertures, une étude des styles des adversaires ainsi qu'une analyse rigoureuse de ses propres parties qui, étant publiées, faisaient l'objet des critiques des autres. Pour ne donner qu'un exemple des extrémités auxquelles il pouvait en arriver : lors de la préparation d'un tournoi, Botvinnik faisait jouer une musique en fond sonore tendant à le déconcentrer et demandait même à l'un de ses entraîneurs, Viacheslav Ragozin, de lui souffler de la fumée dans la figure pendant les séances d'entraînement.

Botvinnik instaura le régime idéal pour la préparation des tournois, fixant une heure précise pour les repas, le repos et les marches rapides, un système que je suivis moi-même durant toute ma carrière. Botvinnik n'avait aucune tolérance pour les gens qui se plaignaient de ne pas avoir assez de temps. Et quant à dire au grand professeur que vous étiez fatigué ce jour-là, n'y pensez pas ! Le sommeil et le repos devaient être aussi planifiés que l'entraînement et il n'y avait tout simplement aucune excuse à ne pas se reposer suffisamment.

J'avais eu la chance de bénéficier d'une excellente préparation à la méthode de Botvinnik avec ma mère, Clara. Elle avait hérité de sa famille un sens aigu de l'ordre et de la routine. Pour moi, c'était tout simplement ainsi que les choses devaient se passer et cela ne me posait aucun problème. Le sommeil, les repas, l'école, l'heure de l'étude, l'heure de la récréation, tout cela était planifié.

C'était plus facile il y a trente ans quand j'étais jeune. Il y avait moins de distractions et très peu d'activités possibles pour un enfant, surtout en URSS. Aujourd'hui, le potentiel de distractions est virtuellement illimité et le monde de l'informatique rend les divertissements instantanément accessibles pour tout le monde. Les téléphones portables, les jeux vidéo et les gadgets nous facilitent le gaspillage de temps par une douzaine de moyens différents qui ne riment généralement à rien, en tout cas rien de profond ni de stratégique pour notre développement.

Avec de si nombreuses activités dans leurs vies, les parents ont peu d'opportunités d'enseigner, encore moins d'appliquer, des règles et des régimes. Ayant eux-mêmes des vies trépidantes, il leur est difficile de donner l'exemple. Je voyais comment ma mère programmait sa vie et mes activités et je ne doutais pas que ce soit pour le mieux.

En grandissant et en pénétrant adolescent dans le monde des échecs de haut niveau, je continuai d'être entouré d'entraîneurs et de mentors qui étaient de grands travailleurs. Les paroles et l'exemple de Botvinnik ne firent que renforcer ce que j'avais déjà appris.

Aujourd'hui, bien que retiré des échecs professionnels, je continue de suivre mes habitudes. Mes nouvelles activités sont adaptées à ce programme et je peux donc conserver des cadres qui ont démontré leur efficacité. Les éléments clés sont restés ainsi que le niveau de confort et la productivité qui les accompagnent. La préparation des échecs est maintenant remplacée par la politique. L'analyse de mes adversaires est remplacée par l'analyse d'anciennes parties en vue de la rédaction de mes livres et de mes articles. Ma sieste est toujours sacro-sainte.

Augmenter sa propre efficacité

Alekhine et Botvinnik, et plus tard Fischer, manifestèrent un talent pour maintenir un niveau de travail efficient. Ils augmentaient régulièrement leur investissement d'énergie et obtenaient en retour des résultats positifs. Nous pouvons tous allonger nos heures de travail, étudier davantage, regarder moins la télévision, mais la capacité à rester efficace sous une pression croissante varie d'une personne à l'autre. Chacun atteint son propre niveau d'efficacité en fonction d'une quantité de travail donnée. Un Capablanca pouvait être très inspiré pendant une heure mais complètement éteint après deux. Un Alekhine pouvait avoir besoin de quatre heures pour parvenir aux mêmes résultats, mais était capable de travailler durant huit heures sans aucune baisse de productivité.

Il est capital de savoir ce qui vous motive, de trouver ce qui peut vous aiguillonner pour dépasser vos limites. En ce qui me concerne, je dois suivre mon régime. Je ne peux garder ma motivation qu'en respectant scrupuleusement mon programme. Je sais aussi que j'ai besoin de défis pour rester sur la brèche. À la minute où je commence à sentir une répétition ou une facilité, je sais qu'il est temps de trouver une nouvelle cible pour mon énergie.

D'autres ont besoin de trucs différents, tels que la compétition, se donner des buts ou des récompenses. Par nature, Anatoly Karpov n'était pas un grand travailleur, mais en prévision du match avec Boris Spassky en 1974, il passa dix à douze heures par jour à se préparer. Karpov est terriblement compétitif et sa volonté de gagner l'incita à un niveau d'efforts jamais atteint auparavant. Cela paya car il battit Spassky de manière convaincante.

Si la discipline semble ennuyeuse ou même impossible à notre époque où tout va si vite, nous devrions au moins prendre le temps de considérer quels domaines de notre vie pourraient gagner à être programmés afin d'augmenter notre motivation et nos chances de réussite. Avoir une bonne éthique de travail ne signifie pas être fanatique, cela signifie être conscient et en prendre acte. Comment avons-nous occupé chacune de nos heures de loisir aujourd'hui ? Comment allons-nous les occuper demain ?

8. Matériel, temps, qualité

L'évaluation l'emporte sur le calcul

Ceci n'est pas un livre de cuisine ; nous avons tous besoin de créer nos combinaisons gagnantes avec les ingrédients dont nous disposons. Il existe bien sûr des lignes de conduite pour donner des indications, mais chacun doit découvrir ce qui fonctionne pour lui à travers la pratique et l'observation. Cela ne peut se faire, si on y parvient jamais, que lentement et cela ne vient pas tout seul. Nous devons prendre une part active à cette éducation de nous-mêmes.

On sait qu'apprendre une seconde langue devient beaucoup plus difficile avec les années. Même une immersion quotidienne ne peut reproduire la facilité avec laquelle nous avons appris notre langue natale. Pour un adulte, une langue étrangère est presque un effort physique où l'on doit se colleter avec chaque mot. Les enfants l'acquièrent inconsciemment tandis que les adultes doivent l'étudier consciemment (souvent, qui plus est, avec une certaine conscience de soi-même).

La plupart d'entre nous ne connaissent pas grand-chose aux mécanismes de leur langue natale mais cela ne nous empêche pas de parler couramment. Encore que des millions de livres visant à améliorer la précision de l'écriture soient vendus chaque année à des gens désireux de progresser dans leur propre langue.

Optimiser notre processus de décision est comme étudier notre langue natale. Cela demande une réflexion consciente sur quelque chose que nous faisons sans y penser et que nous avons fait toute notre vie. Chaque jour depuis le moment où nous avons commencé à marcher à quatre pattes, nous faisons d'innombrables choix. Nous avons développé des systèmes et des tendances que nous employons instantanément, constamment, sans, la plupart du temps, en avoir la moindre conscience.

Nous n'allons pas bouleverser l'expérience de toute une vie, et ce n'est d'ailleurs pas ce que nous souhaitons. Il nous faut démarrer par une prise de conscience du processus, puis commencer à l'améliorer petit à petit. Quels sont les mauvais plis que nous avons pour les prises de décisions ? Quelles étapes négligeons-nous et quelles sont celles auxquelles nous accordons trop d'importance ? Nos décisions médiocres proviennent-elles de mauvaises informations ou plutôt d'une évaluation indigente ou bien encore d'un calcul ou d'une combinaison incorrects ?

Le matériel, élément fondamental

Peu d'entre nous aurons jamais l'occasion de se retrouver à la tête d'une multinationale ou candidat à une élection présidentielle, mais les décisions prises au quotidien peuvent également s'améliorer grâce à ce processus. Que pouvons-nous faire pour améliorer la qualité de nos propres décisions ? La capacité à évaluer correctement une situation doit aller plus loin qu'un simple : « Que faire ensuite ? » En prenant davantage conscience de tous les éléments, de tous les facteurs en jeu, nous nous entraînons à penser stratégiquement ou encore de manière « positionnelle » pour reprendre un terme échiquéen.

Je vécus une expérience curieuse la première fois que je me mis à réfléchir sérieusement sur ce qui me passait par la tête en examinant une position sur l'échiquier. Après toute une vie entièrement tournée vers ce jeu, la seule comparaison qui me vienne à l'esprit est de vous demander de réfléchir sur ce qui vous passe par la tête pendant que vous lisez ce livre. Pour moi, les échecs sont un langage, et si ce n'est pas ma langue natale, c'est une langue que j'ai apprise par immersion alors que j'étais très jeune. Comme un francophone d'origine cherchant à expliquer la différence entre « ceci » et « cela », une telle familiarité rend quelque peu difficile pour moi l'analyse objective de mon approche du jeu. À présent que je suis retiré du cœur de la bataille et des tournois, je suis en mesure de porter un regard plus introspectif sur mes anciennes parties et mes anciennes performances.

Évaluer une position va beaucoup plus loin que de chercher le meilleur coup suivant. Le coup n'est que la conséquence, le résultat d'une équation qui doit être d'abord développée et comprise. Cela revient à définir les facteurs pertinents, à les mesurer et surtout à déterminer leur importance. Avant d'entamer notre recherche des clés relatives à une position, il nous faut d'abord effectuer avec soin cette approche fondamentale.

La première étape essentielle d'évaluation concerne ce qui est matériel. Le capital, la provision, les liquidités, les pièces et les pions, tout cela est de l'ordre du matériel. On regarde l'échiquier et la première des choses à faire est de compter les pièces. Combien de pions, combien de cavaliers et de tours ? Ai-je davantage ou moins de matériel que mon adversaire ? Chaque pièce a une valeur standard qui permet de calculer rapidement qui a pris de l'avance dans la course aux armements.

Notre référence, notre monnaie, est le pion. Chaque joueur démarre avec huit de ces fantassins, les membres de notre armée qui ont le moins de valeur car ils sont plus limités que les autres dans leurs mouvements. Au point que le mot « pion » a fini par représenter la faiblesse et l'interchangeabilité. Dans d'autres langues, les pions sont souvent appelés péons, ou paysans. Nous disons même « pions et pièces », les distinguant ainsi de la classe des cavaliers, des tours et des fous.

Les pions fournissent un système très pratique pour estimer la valeur des pièces. Les cavaliers et les fous sont réputés valoir trois pions. Les tours en valent cinq tandis que la dame en vaut neuf. (Le roi, dont la prise clôt le jeu, est faible mais n'a pas de prix.) Ainsi renseigné, un débutant peut se jeter dans la bataille en sachant qu'il ne doit pas échanger un cavalier contre un pion, ou une tour contre un cavalier.

Quand nous débutons à ce jeu, nous sommes tous terriblement matérialistes. Nous cherchons à prendre le plus de pièces possibles sans prêter grande attention aux autres facteurs. Une partie entre débutants qui engloutissent mutuellement leurs pièces peut ressembler davantage à PacMan[1] qu'aux échecs. C'est une manière aussi saine qu'habituelle de commencer à jouer. Cependant, c'est une chose que de connaître la valeur des pièces mais c'en est une autre de l'expérimenter par soi-même.

Il en va de même pour d'autres activités, la plupart des évaluations objectives de succès ou d'insuccès se ramènent au matériel. Mais celui-ci ne procure pas beaucoup plus que le nécessaire : la nourriture, l'eau et un abri. Dans les temps primitifs, la valeur des choses était à l'aune exacte du bien qu'elles vous apportaient. Avec l'évolution de la société, nous avons développé la monnaie – l'or, les pièces, le papier – et des valeurs symboliques ont remplacé, ou rejoint, la valeur d'usage dans notre vision du matériel. Aujourd'hui, beaucoup de nos biens sont sous forme électronique, que ce soit des fonds bancaires ou des parts de marché. Dans une guerre, tout dépend de celui qui a davantage de soldats, d'armes à feu et de navires. En affaires, ce sont les usines, les employés, les stocks, les liquidités disponibles.

Il ne faut pas longtemps, aux échecs comme ailleurs, pour s'apercevoir que la vie a besoin de bien d'autres choses que du matériel. C'est une bonne leçon quand, pour la première fois, on vous fait échec et mat alors que vous disposez d'un avantage matériel conséquent. La valeur ultime du roi surpasse tout le reste sur l'échiquier et votre système de valeur commence alors à se réajuster car le matériel n'est pas tout.

---

1. Jeu vidéo consistant à engloutir le plus grand nombre possible de figures appelées pac-gommes. *(N.d.T.)*

Il faut noter un facteur supplémentaire concernant le matériel. Nous formons souvent des attachements personnels à nos biens qui ont peu à voir avec leur valeur objective. Ces attachements sentimentaux, s'ils ne sont pas toujours nuisibles, peuvent fausser considérablement notre capacité d'évaluation.

Quand j'étais enfant, ma pièce favorite, pour une raison maintenant oubliée, était le fou. J'ai même disputé une fois un match curieux contre un camarade d'équipe plus âgé du Palais des Pionniers local dans lequel je n'avais que les fous et lui que les cavaliers. Et lors de mes premières parties, je croyais dur comme fer à la puissance du fou et évitait leur échange, une manie qui aurait pu me coûter cher. D'autres débutants peuvent subir une attirance vers l'étrange faculté de saut du cavalier, ou, alternativement, développer une peur à l'égard de cette pièce grandement imprévisible.

La recherche intense que Botvinnik poursuivait aidait entre autres à dévoiler de tels partis pris dans le jeu de ses adversaires. Il passait leurs parties au peigne fin pour y découvrir leurs erreurs, les classer et les exploiter. Dans son enseignement, il vous faisait clairement comprendre que la pire sorte d'erreur était celle qui vous rendait prévisible.

Nos amis, nos collègues et notre famille connaissent souvent bien mieux nos manies que nous-mêmes. Les entendre parler de nos tics psychologiques peut être aussi surprenant que d'apprendre par notre conjoint que nous ronflons. L'effet négatif des préférences qui influencent nos décisions peut être neutralisé par la prise de conscience et par un certain travail d'aplanissement. La prise de conscience peut nous permettre de distinguer une simple inclination sans conséquence d'une dangereuse dérive due au manque d'objectivité.

Le temps c'est de l'argent

Quiconque a effectué un travail à taux horaire sait que le temps a une valeur. Le matériel – l'argent – est échangé contre un labeur qui se mesure en heures et en minutes. Le montant dépend de l'utilité que vous produisez dans cet espace de temps, tel qu'il est estimé par votre employeur. Il s'agit ici du « temps de l'horloge », mesuré de la même façon partout dans le monde et facile à comprendre. Il diffère notablement de celui que nous nommerons le « temps échiquéen », qui représente le nombre de pas à faire pour accomplir un objectif.

Les joueurs d'échecs sont habitués à tenir compte des deux sortes de temps pendant une partie. Les aiguilles de votre pendule tournent et vous disposez d'un temps limité pour jouer l'ensemble de vos coups. (Il se peut que vous connaissiez la pendule double utilisée dans les échecs et dans d'autres jeux du même type. Vous jouez votre coup puis vous appuyez sur le bouton de la pendule, ce qui stoppe votre pendule et met en marche celle de votre adversaire.) Vous avez ensuite la partie elle-même, où le temps est parfaitement divisé en coups, alternativement entre vous et votre adversaire, chacun son tour. Combien de coups faudra-t-il pour aller du point A au point B ? Combien de temps cela prendra-t-il avant que je puisse réaliser telle attaque ? Puis-je atteindre mes objectifs avant que mon adversaire atteigne les siens ?

Les échecs sont basés sur les coups et non pas sur le temps réel. En théorie, tout ce qui se passe sur l'échiquier peut être analysé par un nombre défini de coups mais en réalité, cela n'est possible que dans les positions les plus simples, quand il ne reste qu'une poignée de pièces sur l'échiquier. Nos calculs doivent prendre en compte les coups de l'adversaire. Il n'est pas trop difficile de prévoir combien de coups cela prendra à une pièce donnée de se rendre sur une case donnée. Le problème est que votre adversaire ne reste pas non plus en place et que, selon toute probabilité, il ne vous laissera pas faire exactement ce que vous voulez.

La différence entre les blancs et les noirs aux échecs donne une bonne vision de l'importance du facteur temps. Les blancs jouent en premier, prenant dès le début un coup d'avance et donc un avantage sur le temps échiquéen. C'est une question éternellement débattue et jamais résolue que de savoir si l'avantage de jouer avec les blancs serait suffisant pour obtenir le gain en supposant que les deux joueurs jouent à la perfection. Nous sommes si loin de la perfection que cela ne sera jamais prouvé ni dans un sens ni dans l'autre. Nous savons en tout cas que c'est un avantage certain que d'avoir les blancs, particulièrement à haut niveau. Pour les amateurs qui font davantage d'erreurs et de coups inutiles, le petit avantage de ce premier coup est rarement un facteur décisif.

Pour les professionnels, avoir un coup d'avance est un avantage tangible. Avec un jeu précis, ce simple coup permet aux blancs de mettre une pression et d'exercer une menace sur la position des noirs. Les blancs agissent, les noirs réagissent. Les statistiques démontrent clairement l'importance du premier coup. Au niveau du grand maître, les blancs gagnent à 29 pour cent, les noirs à 18 pour cent, et 53 pour cent sont des nullités. Aussi impressionnant que cela puisse paraître, le temps est un facteur dynamique qui peut aller et venir avec fluidité. Un avantage de temps peut disparaître avec un simple coup inutile, une unique opportunité qu'on aura laissé passer.

Un commandant militaire est habitué à penser le temps de la même manière qu'un joueur d'échecs, mais dans la réalité, les choses sont beaucoup plus dynamiques. Il n'existe pratiquement pas de limite au nombre de « coups » que vous et vos ennemis peuvent faire en même temps. De multiples attaques et contre-attaques peuvent se dérouler simultanément sur le champ de bataille, ou partout dans le monde.

Il ne suffit pas d'aller plus vite ni de prendre des raccourcis pour gagner du temps. Le temps peut souvent s'acheter, s'échanger contre des biens matériels. Dans un combat, une force plus légère et plus rapide peut déjouer et surpasser une force supérieure en nombre. De son côté, une armée plus importante peut vaincre en enfonçant le flanc vulnérable de son opposant. Le temps contre le matériel est le premier des échanges dans notre système d'évaluation.

Si les deux joueurs sont contents, se peut-il que tous deux aient raison ?

De l'admiration que je portais aux meilleurs joueurs, j'en vins si rapidement à les affronter qu'il ne me resta qu'assez peu de temps pour me livrer au culte des héros. Mais je vécus un moment incomparable lorsque je vis Mikhaïl Tal en personne pour la première fois. J'avais dix ans et il se trouvait devant moi en chair et en os. Bien qu'il eût été champion du monde deux ans avant ma naissance, son jeu palpitant était le préféré de tous les élèves. Il me fallut rapidement surmonter mon excitation à me retrouver en face de cette légende vivante car en tant que participant à l'événement « Grands Maîtres contre pionniers » qui se déroulait à Moscou, il était un adversaire de mon équipe de Bakou dans un match en simultanée. Le grand maître entraîneur de chaque équipe de sept enfants devait affronter les élèves des autres équipes (tous en même temps) et l'équipe (composée des élèves et de l'entraîneur) qui réalisait le meilleur score remportait la victoire. Je fus confronté à nombre de grands joueurs au cours de ces événements, y compris à mon futur rival en championnat du monde, Anatoly Karpov. Hélas, Tal n'eut pas besoin de me faire son regard furieux pour me battre ce jour-là. Mais l'inspiration dont il fit preuve me servit d'exemple et assura ma future participation à ce genre d'exhibition, lorsque j'eus moi-même une notoriété suffisante pour y jouer à mon tour le rôle d'entraîneur.

Tal fut le « joueur éclair » par excellence. Quand son génie offensif était en plein vol, ses pièces semblaient bouger plus vite que celles de ses opposants. Comment cela était-il possible ? Le jeune Tal se souciait beaucoup moins du matériel que la plupart des joueurs et était prêt à abandonner joyeusement presque n'importe quel nombre de pions ou de pièces en échange d'un temps supplémentaire pour rassembler le reste de ses troupes en une offensive contre le roi ennemi. Ses opposants étaient constamment contraints à la défense, poussés aux erreurs et au désastre. Cela peut paraître simple mais peu de joueurs ont été en mesure d'imiter le succès foudroyant de Tal. Il avait un don unique pour sentir jusqu'où il pouvait aller et combien de matériel il pouvait sacrifier.

Quand on attaque, avoir un coup d'avance est plus important que l'avantage matériel mais reste à savoir quelle quantité de matériel pour quelle quantité de temps ? Un fou vaut à peu près trois pions, mais que vaut un coup, ou deux coups ? Il n'existe pas de cotes de valeur pour le temps, seulement une estimation au cas par cas. Demandez à un général s'il préfère disposer d'une compagnie d'hommes supplémentaire ou de quelques jours de plus. En temps de paix, il préférera les hommes, alors que dans une situation de combat aigu, le temps supplémentaire pourra avoir davantage de valeur.

Aux échecs, on parle de positions ouvertes et positions fermées. Un jeu ouvert signifie des lignes ouvertes pour les pièces, un jeu dynamique, attaque et contre-attaque. Une position fermée signifie généralement une partie lente avec manœuvres stratégiques ; considérez-la comme l'équivalent échiquéen de la guerre de tranchée. La portée d'un coup est bien supérieure en partie ouverte qu'en partie fermée, car il peut y faire beaucoup plus de dégâts. Si la position est bloquée et comporte peu d'activité, il y a moins besoin de se presser.

Prenez une entreprise travaillant sur une nouvelle ligne de produits. Ils savent qu'un concurrent est en train de travailler sur le même projet et en est à peu près au même stade qu'eux. L'entreprise A devrait-elle, pour l'emporter sur l'entreprise B, se précipiter pour lancer ses produits sur le marché ? Ou devrait-elle plutôt investir davantage pour essayer de développer une supériorité sur les produits de l'entreprise B ? Naturellement, toutes les hypothèses tombent finalement à l'eau car les réponses dépendent de facteurs réels. Que fabriquent-ils ? De quel type de produit s'agit-il ? Le temps est toujours un facteur, mais lancer un nouveau cœur artificiel sur le marché de la médecine n'est pas la même chose que d'essayer de sortir un nouveau gadget pour les clients de Noël.

Reconnaître dans quel genre de situation nous nous trouvons est un élément crucial du processus d'évaluation. Avant de commencer à examiner les compromis, prenez le temps de considérer l'ensemble. Le temps est-il réellement décisif ou sommes-nous seulement impatients ? Au quotidien, nous prenons sans cesse des décisions de ce type. Payez-vous un supplément pour avoir une livraison express de votre commande sur Amazon ? Vous recevez vos achats en l'espace de quatre jours avec la livraison normale, ou le jour suivant si vous payez le supplément. Au cas où ni le temps ni l'argent ne sont des problèmes pour vous, le choix est facile. Mais dans la plupart des cas, ils comptent tous deux à divers degrés et toute la question est de savoir peser leur importance relative.

Mon troisième match de championnat du monde contre Anatoly Karpov illustrait de façon criante ce conflit permanent entre le temps et le matériel. C'était la huitième partie de notre match de 1986, qui se partageait entre Londres et Leningrad, comme on appelait Saint-Pétersbourg à l'époque. Je cherchais un avantage et offrit à Karpov un pion pour augmenter mes possibilités d'attaque, estimant que les deux « temps » que je gagnais contre son roi valaient bien le prix d'un pion à l'autre bout de l'échiquier.

Karpov avait fait le même calcul et son estimation fut de façon évidente en faveur du pion car il le prit. Mon attaque monta rapidement en puissance jusqu'au moment où Karpov offrit à son tour du matériel afin d'organiser une défense contre son roi. Il me laissait prendre sa tour avec mon fou, ce qui me donnait un léger avantage matériel mais au prix d'abandonner mon offensive et de lui permettre de consolider sa position. C'était un exemple classique de l'étroite corrélation des facteurs Matériel, Temps et Qualité. J'abandonnai le matériel au profit du temps d'attaque et un peu plus tard, Karpov offrit en retour du matériel pour gagner le temps de sa défense.

Je me vis contraint de refuser cette offre, ne voulant pas si vite échanger mon rôle de prêteur contre celui de débiteur. Il convient de noter que Karpov aurait sans doute choisi le matériel si nos positions avaient été inversées. Prendre la tour garantissait un petit avantage sans risque, exactement le genre de position que Karpov affectionne. J'ignorai la tour et poursuivit plutôt mon avancée en cherchant à opérer une percée. Quelques coups après, j'abandonnai encore un autre pion pour préserver mon offensive, alors même que cette perte offrait l'apparence de l'insuccès de mon attaque. Comme c'est si souvent le cas, un avantage de « temps » échiquéen – la pression et les menaces qui obligent votre adversaire à réagir – se traduisirent en un avantage sur le temps chronologique de la pendule. Karpov fut contraint de passer beaucoup de temps à trouver des issues pour échapper, coup après coup, aux menaces qui pesaient sur son roi. Avec dix coups restant à jouer avant de pouvoir disposer d'un laps de temps supplémentaire à la pendule, Karpov perdit au temps, un événement presque sans précédent dans sa longue carrière. À cet instant, j'avais également une position dominante sur l'échiquier, je n'éprouve donc aucune culpabilité d'avoir gagné de cette manière.

Cette partie tient lieu de testament pour ma philosophie qui donne la préférence au temps sur le matériel, favo-
risant les facteurs dynamiques sur les facteurs statiques.
Ces échelles de valeur estimative font partie du style de la
personne et ne sont pas nécessairement supérieures ou inférieures à celles d'une autre. Karpov perdit cette partie ;
cela signifie-t-il pour autant que son évaluation de la position était erronée ? Avais-je raison et avait-il tort, faisait-il
fausse route et étais-je sur la bonne voie ? Pas du tout. Il
était en accord avec son style et son évaluation, et sa position n'était pas objectivement perdue avant le moment où
le zeitnot contribua à sa chute.

Long terme contre facteurs dynamiques

Il y a beaucoup plus de choses qui interviennent dans
l'évaluation d'une position que de compter les pièces et
les coups. Les valeurs d'une pièce varient en fonction de
la position et peuvent changer après chaque coup. Ceci est
également valable pour l'évaluation d'un coup, sauf si
vous pensez que les cavaliers de Tal étaient réellement plus
rapides que les autres. Le matériel est le point de référence
fondamental ; le temps est mouvement et action. Pour être
correctement compris et utilisés, ils doivent être gouvernés
par un troisième élément : la qualité.

Des générations de lieux communs nous enseignent
qu'il y a un bon argent et un mauvais argent, et même un
« temps qualitatif ». Aux échecs, nous pouvions parler
d'un cavalier faible ou d'un pion particulièrement fort,
puisque leur valeur change en fonction de leur placement
et de certains autres facteurs. Un cavalier placé au centre

de l'échiquier – d'où il contrôle un territoire plus grand et d'où il peut rejoindre tout endroit de l'échiquier où se déroule le combat – a presque toujours plus de valeur que s'il était placé sur le bord, un concept immortalisé par la vieille maxime d'échecs : « Cavalier sur le bord n'est point fort. »

Sur le vrai champ de bataille, tout le terrain n'est pas de même valeur. À travers l'histoire des guerres, les combattants ont toujours recherché les emplacements les plus élevés. Des hauteurs, les archers, et plus tard l'artillerie, pouvaient tirer plus loin et les commandants avaient une meilleure vision du développement de la bataille. Les satellites ainsi que la puissance aérienne ont changé ces anciennes équations de bien des façons, mais il restera toujours que l'endroit où vous placez vos forces peut avoir autant d'importance que leur puissance numérique. L'emplacement procure, ou limite, l'efficacité que nous recherchons.

L'emplacement dépend également d'autres facteurs, tels que la nature des troupes elles-mêmes. Pour l'illustrer, je passerai de mon jeu à celui de mon fils, le jeu vidéo *Warcraft* très apprécié. Vous êtes aux commandes d'une vaste armée et chaque unité a des caractéristiques distinctes. Vos troupes peuvent être des elfes ou des trolls, des mages ou des goblins, tous avec leurs avantages et désavantages. Contrairement aux échecs où chacun joue à tour de rôle, *Warcraft* est un jeu en temps réel. Il y a un authentique élément de temps que le joueur doit égaliser avec ses forces matérielles. (Dans sa nouvelle version, *Warcraft* dépasse les 8,5 millions de joueurs.)

Aussi, à la différence des échecs, vous créez votre propre armée et par conséquent, vous contrôlez ses caractéristiques. Préférez-vous des archers à longue portée ou des cavaliers très armés ? Une fois que vous avez pris le commandement de vos forces, vous devez adapter votre capacité au terrain pour déployer votre puissance. Si, à la différence de votre opposant, vous ne disposez pas d'un armement à longue portée, il est beaucoup plus sensé de rester à couvert dans une vallée boisée que d'occuper les points élevés du terrain.

Warcraft est un distillé du concept MTQ. Vous rassemblez des ressources basiques de bois et d'or pour bâtir votre empire et ses armées. Cet investissement vous donne des troupes plus rapides et de meilleure qualité. C'est tout autant un jeu de gestion des ressources qu'un jeu de stratégie et de tactique. Votre estimation devient de plus en plus multidimensionnelle au fur et à mesure que vous passez du simple soldat au bataillon, pour arriver ensuite au champ de bataille dans son ensemble et au conflit tout entier.

Mettre les éléments en action

Il est extrêmement rare que le matériel soit complètement bloqué et donc inutilisable. Un cavalier piégé dans un coin peut finir par s'échapper et jouer un rôle décisif dans la bataille. L'une des difficultés des programmeurs pour améliorer les logiciels d'échecs réside dans le concept d'« inefficacité permanente » et du rapport qu'il a avec la valeur du matériel. Même un simple humain peut voir qu'une pièce est immobilisée de façon permanente et se trouve par conséquent sans aucune valeur. Mais pour l'ordinateur, cette pièce a toujours la même valeur numérique qu'auparavant. Peut-être perd-il quelques points pour son immobilisation, mais il n'y aucun moyen de faire comprendre à l'ordinateur qu'un fou sur la case X vaut trois pions tandis qu'il n'en vaut qu'un sur la case Y.

Ceci nous conduit à avoir différentes classes de matériel : dynamique et à long terme. Les portefeuilles d'investissement marchent à peu près de la même façon. En fonction du style personnel et des besoins, votre portefeuille peut être plein de dynamisme (liquidités) nécessitant une attention et des calculs constants. Ou bien il peut être prévu pour une retraite qui n'arrivera pas avant quelques dizaines d'années. Mon jeu, dans la partie susmentionnée avec Karpov, montrait ma préférence pour le dynamisme et la sienne pour le long terme. J'avais sacrifié des pions pour donner à mon matériel restant davantage de puissance dans une attaque rapide. Si mon attaque avait échoué, son investissement à long terme sur le matériel l'aurait emporté.

Ceci fut un thème récurrent de la plupart de mes parties contre Karpov en raison de nos différences de nature à l'égard du temps et du matériel. Lors de notre premier match de championnat du monde, mes talents n'étaient pas tellement développés et Karpov prenait le matériel pour déjouer ensuite mes attaques. Ses évaluations étaient meilleures. Mais seulement un an et demi après, dans le match de Londres, ce fut une tout autre histoire. J'avais appris à être moins imprudent avec le matériel et cela se vit dans le résultat.

Le matériel n'a que la valeur de son usage. Le temps pour agir n'a d'importance que s'il nous aide à potentialiser notre matériel. Disposer d'une heure de temps supplémentaire dans la journée serait un bienfait pour presque tout le monde, mais pas pour celui qui est en prison. Il nous faut utiliser le temps pour améliorer notre matériel, et pas seulement pour l'accumuler. Le matériel pour lui-même et le temps gaspillé sont aussi inutiles l'un que l'autre dans l'accomplissement de nos objectifs.

Le matériel utile et le temps bien rempli dans une partie d'échecs sont les conditions du succès. Dans le monde de l'entreprise, ils signifient davantage de revenus. Dans la guerre comme en politique, ils ouvrent le chemin de la victoire. Dans la vie de tous les jours, la victoire peut être définie de façon simpliste et légèrement romantique, comme le bonheur. L'argent ne peut l'acheter, après tout. Il se cultive par une bonne gestion du temps. En utilisant notre temps avec sagesse, nous lui donnons un sens et nous nous rapprochons ainsi de notre vrai but : la qualité.

Comment un mauvais fou devient-il mauvais ?

Nous parlons souvent d'un « bon fou » et d'un « mauvais fou », et ce jargon fournit un aperçu des différences qualitatives du matériel. Celui que je préférais étant enfant, le fou – appelé un éléphant en russe et un évêque en anglais – est facile à catégoriser en raison de ses limites de déplacement. Le fou peut aller aussi loin qu'il veut dans toutes les directions sur les cases en diagonale, mais il reste toujours sur la même couleur. Cela lui donne une longue portée mais le rend prévisible. Si de nombreuses cases de sa couleur sont occupées par des pièces de son propre camp, sa mobilité est extrêmement réduite.

Un tel fou est dit « mauvais » bien que sa valeur intrinsèque ne soit pas différente de celle qu'il avait en début de partie. Sa qualité a seulement diminué en raison des circonstances. D'un point de vue pratique, il est inférieur et doit donc être considéré comme tel. Ceci trouve son expression pratique dans la manière dont on joue. Si, par exemple, j'ai un mauvais fou, je serai heureux de l'échanger contre une autre pièce. Ces deux pièces peuvent être nominalement de même valeur, mais si les conditions qui lui sont faites sur l'échiquier rendent ma pièce inférieure, c'est ainsi que je dois la considérer.

Le P-DG et le général doivent eux aussi être alertés des mauvaises pièces dans leur domaine. Quand Jack Welch reprit le monstre de la General Electric en 1981, l'une de ses premières tâches fut d'établir une liste de tous les secteurs de la compagnie qui n'étaient pas au niveau de performance attendu. Leurs chefs furent informés qu'ils devaient s'améliorer s'ils ne voulaient pas que leur secteur soit vendu ou supprimé. La GE s'était concentrée sur ses points forts et avait fait des coupes sombres sur les secteurs qui n'étaient pas rentables plutôt que de s'accrocher sur leur seule valeur matérielle.

N'importe quel joueur d'échecs reconnaîtrait la stratégie de Welch consistant à appliquer le principe d'amélioration de la plus mauvaise pièce. Il mettait en pratique la maxime de Siegbert Tarrasch : « Une seule pièce mal placée détruit toute votre position ! » Si vous avez un mauvais fou, il faut trouver un moyen de l'activer, de le rendre meilleur. S'il n'y a pas moyen de le réhabiliter, il faut tenter de l'échanger pour l'éliminer. Cela est tout aussi valable pour n'importe quelle pièce inactive. Faites de cette mauvaise pièce, de ce matériel inutilisé, un bon usage ou débarrassez-vous en et toute votre position s'en trouvera renforcée.

Pour en revenir aux portefeuilles d'actions, on voit bien qu'on ne peut conserver toujours les mêmes stratégies. N'importe quel bon conseiller en investissement vous dira de garder un portefeuille équilibré avec un mélange de placements à risque et de placements stables en fonction de votre âge, de vos besoins et de vos revenus. Si vous passez votre temps à vendre vos actions quand elles ont une baisse passagère de rentabilité, vous vous retrouverez inévitablement à un moment donné en mauvaise position.

Compensation et valeur relative

Outre les facteurs externes, nous avons la valeur intrinsèque des pièces. Un fou vaut plus qu'un pion car il a davantage de mobilité et peut donc contrôler une plus grande partie de l'échiquier. Une tour vaut généralement plus qu'un cavalier ou qu'un fou pour les mêmes raisons. Le fait que dans certaines positions un cavalier ou un fou puissent valoir plus qu'une tour est dû à des facteurs externes. Dans la grande majorité des cas, une tour est plus forte, et nous généralisons donc en disant qu'elle vaut davantage.

Les soldats qui sont mieux entraînés et qui possèdent de meilleures armes ont beaucoup plus de chance de gagner une bataille qu'une armée supérieure en nombre. Dans les débuts de la Première Guerre mondiale, l'armée russe était aussi mal entraînée que mal équipée. C'était l'armée qui avait le plus d'hommes au monde à cette époque, mais du point de vue qualitatif, c'était un vrai désastre. Au commencement de la guerre, beaucoup de soldats russes furent envoyés dans la bataille sans fusil et avec un moral plutôt bas. Même lorsqu'ils étaient armés, les choses tournèrent souvent à leur désavantage. Des divisions entières furent hâtivement retirées des premières lignes quand on s'aperçut que les soldats n'avaient pas appris à se servir des fusils japonais qu'on leur avait fournis. Malheureusement, beaucoup de ces erreurs qualitatives furent répétées lors de la Seconde Guerre mondiale.

Chaque pièce, chaque pion, chaque soldat, n'est qu'une part infime de l'ensemble du tableau qualitatif. « Qui est en train de gagner ? » est une question toute simple, mais la vraie difficulté est de faire une bonne évaluation au moment où personne n'a l'avantage. D'abord, il faut compter le matériel. Si l'un des joueurs a un avantage significatif dans ce domaine, on peut dire qu'il est gagnant à moins que son adversaire n'ait une compensation sur le temps et/ou la qualité. Quel est celui dont les forces sont le mieux déployées et qui a la position la plus offensive ? À quelle vitesse une aile peut-elle attaquer et l'autre se défendre ? Combien de temps les renforts mettront-ils à arriver ? Qui commande le plus grand territoire ? L'un des rois est-il en danger ? Toutes ces évaluations sont qualitatives et dotées de divers degrés de signification.

Par habitude et par instinct de survie, nous regardons en premier lieu notre roi quand nous examinons une position. L'échec et mat termine la partie ; il constitue la valeur ultime. Quel que soit le nombre de pièces que vous avez en plus, si votre roi ne peut s'enfuir, vous perdez. En dépit de son usage métaphorique galvaudé, il n'existe pas d'équivalent exact de l'échec et mat dans la vie réelle. Dans des cas extrêmes, une armée peut combattre un certain temps sans ses généraux ; les sujets peuvent survivre sans leur roi ; une société peut présenter une requête pour éviter la faillite. Dans la vie, vous avez du temps pour vous remettre d'une catastrophe, bien que, si l'on n'y met pas bon ordre, il puisse aussi se produire une débâcle finale. Pour les besoins de la discussion, nous pouvons nous référer à l'échec et mat comme « ce qui doit être évité à tout prix ». N'importe quelle quantité de matériel peut être abandonnée pour réussir à faire le mat ou pour contrer la démission de votre roi.

Le matériel est la seconde priorité. En dehors des principes de base que constituent la sécurité du roi et le matériel, les choses deviennent notablement plus compliquées. Évaluer le facteur temps suppose au préalable une compréhension des exigences de la position. Avant de savoir combien de temps cela prendra pour y parvenir, il vous faut savoir quel est votre but. Pour ce faire, des critères d'évaluation plus fins doivent entrer en jeu.

Évaluation à double tranchant

La structure, élément qualitatif positionnel, est facilement comparable à un conflit militaire. Nous nous aiderons ici d'un schéma (vous n'avez même pas besoin de savoir comment les pièces se déplacent).

Observez la différence entre les blancs et les noirs sur le diagramme. Chacun possède le contingent complet de huit pions, ils ont donc le même matériel. C'est la structure, la façon dont les pions se groupent, qui fait ici la différence qualitative. Les blancs sont en bon ordre et forment un mur complet à travers l'échiquier. Les noirs sont fragmentés en trois « îles ». Il y a deux cas où un pion noir se trouve devant un autre, limitant sa mobilité. Nous dirions donc que les blancs ont une « structure de pions supérieure ».

Cette appréciation pourrait être juste et le jeu serait simple s'il n'y avait les autres pièces et les rois. Dans une vraie partie, la structure des pions ne serait qu'un des facteurs d'évaluation de la position. Il n'est pas impossible que les trous des noirs puissent leur être bénéfiques s'ils compensent cette structure inférieure. Un joueur qui aime les avantages statiques à long terme, tels qu'une structure solide, va préférer jouer avec les blancs. Mais montrez cette position au grand David Bronstein, qui défia Mikhaïl Botvinnik pour le championnat du monde de 1951, et il choisira sans aucun doute les noirs ! Comme moi, Bronstein était un joueur dynamique qui favorisait toujours le court terme. Il serait dans son élément avec les trous structurels qu'on a ici car il les utiliserait pour activer ses pièces.

Les facteurs à double tranchant tels que la structure ne prennent de l'importance que lorsque les deux camps sont de force équivalente dans les zones principales. Meilleurs seront les joueurs, plus disputée sera la partie et plus l'évaluation se fera sur d'infimes détails. Les failles de ces critères secondaires n'apparaîtront que dans les moments de grande pression et c'est la marque d'un grand joueur que d'être capable de les détecter et de les exploiter. Un proverbe dit que « le diable est dans les détails » et ces facteurs subtils sont les diables des joueurs d'échecs.

Retour personnel sur investissement

Quels sont les infimes événements qui peuvent avoir un grand impact sur nos vies ? Peu d'entre nous sont en danger d'avoir faim ou soif et pourtant nous nous soucions des biens matériels tout autant que nos ancêtres. Les concepts d'utilité, de qualité ou de bonheur semblent trop vagues et trop philosophiques pour qu'on s'y arrête. Nous pensons au temps comme à quelque chose à ne pas gaspiller et non comme à quelque chose à investir.

L'éducation est une réfutation évidente de ce mode de pensée passif. L'université est-il autre chose qu'un investissement de temps et de matériel en échange de la qualité ? Nous donnons du temps et de l'argent pour acquérir des capacités qui augmenteront notre valeur aux yeux d'un employeur. C'est une caricature, mais qui devient de plus en plus vraie. Les collégiens sont souvent contents de leur condition et cumulent le plaisir immédiat et l'investissement à long terme.

Faire de bonnes études est l'un des exemples où nous sacrifions des biens matériels pour asseoir notre position future. Plus nous investissons dans ces sacrifices et plus grand sera le retour. Si vous avez les moyens financiers et le niveau pour aller dans une grande école, vous bénéficierez d'une éducation supérieure, vous aurez de meilleures relations et serez en meilleure position pour entrer sur le marché du travail.

Prenons pour exemple le MBA (master de gestion) qui offre énormément de débouchés. Un cadre gagnant cent mille livres par an pourra décider de quitter son emploi et de dépenser des dizaines, des centaines de milliers de livres pour acquérir cette formation. Tout compte fait, une école de commerce n'est pas très drôle, et le plaisir à court terme n'est donc pas sa motivation. Au regard de l'investissement de temps et d'argent, le retour qualitatif doit être très élevé puisque le succès de ce genre d'écoles est en pleine expansion.

Ce retour qualitatif prend la forme de compétences et de contacts, qui conduisent ensuite à une meilleure situation. Un salaire plus élevé et plus de responsabilités rehaussent encore la qualité de vie conférée par le nouveau MBA, ou du moins c'est ainsi que la formule est censée marcher. Il existe pourtant beaucoup de gens très diplômés qui ne sont pas heureux. Un nouveau travail très lucratif peut exiger tellement de temps qu'il n'en reste plus pour les activités qui contribuent au bonheur. La difficulté consiste à rester conscient de tous ces petits facteurs et à les évaluer avant de prendre une décision les concernant.

Les questions que nous devons nous poser ne se limitent pas aux échanges. Le sacrifice de matériel ne fait pas toujours gagner du temps, ou vice versa. Aux échecs, comme ailleurs, vous pouvez tout gagner ou tout perdre. Le joueur qui se trouve en position gagnante aura souvent davantage de pièces et aura de surcroît une avance de temps à laquelle s'ajoutera une supériorité de position et de placement. Voyez-le comme une variante de « l'argent appelle l'argent ».

Un politicien en campagne mettra toute son énergie à gagner l'élection. Il dispose d'un temps et d'un montant d'argent limités. Sa stratégie va consister à optimiser ces facteurs pour donner à ses électeurs la meilleure impression possible. En dépit de l'énorme investissement financier de ces campagnes (plus onéreuses que jamais), on n'est pas à l'abri d'une gaffe. Une simple petite phrase peut changer radicalement l'image médiatique, pour le meilleur et pour le pire. Dan Quayle ruina sa carrière politique à jamais à cause d'une simple faute d'orthographe sur le mot « pomme de terre » devant une classe entière d'enfants au cours de sa campagne électorale. Cependant, il reste assez rare que de telles choses puissent l'emporter sur des qualités ou des défauts plus fondamentaux.

La perception de la qualité est la qualité elle-même

La cote en Bourse est un instantané de la qualité d'une société. Les experts se fondent sur les ratios entre le cours et le bénéfice, les émissions des chaînes câblées commentent les bénéfices, et cependant les parts de marché font souvent voler ces chiffres en éclats. Une importante cotation en Bourse reflète la confiance dans la qualité, la promesse qu'une société, au vu de sa bonne position ou de la bonne impression qu'elle produit, est appelée, dans le futur, à accroître sa valeur matérielle.

Google est devenu une marque si célèbre et si dominante que sa performance boursière a rappelé les souvenirs de l'apogée d'Internet. Durant l'été 2006, l'action en Bourse de cette société a atteint le chiffre astronomique de 387 dollars (ayant baissé par rapport aux 450 dollars qui amorçaient l'année) et son capital a dépassé les 120 milliards. Aussi, si l'on en croit les cours de la Bourse,

Google vaut (ou vaudra) beaucoup plus que la valeur totale de toutes les sociétés chiliennes (65 milliards de dollars), une assertion douteuse à première vue. Les sociétés chiliennes ont globalement produit un PIB de 169 milliards de dollars en 2004, alors qu'en 2005, Google avait des revenus de quelques milliards de dollars.

Les gens qui ont acheté des actions Google à 350 dollars et qui ont poussé son avancée à un tel point pensaient-ils que cette société gagnerait un jour une telle somme ? Bien sûr que non. Les cotations en Bourse se développent rarement dans les proportions espérées. Elles sont plutôt liées à la perception qu'on en a sur le moment. Les acheteurs se précipitent pour gagner de l'argent dans le court laps de temps où une société est au meilleur de ses performances. Google vaut 380 dollars, ou n'importe quel autre chiffre, tant que les gens continuent d'acheter. Le chiffre est basé sur la confiance et la motivation de l'acheteur, et non pas sur la valeur réelle de la société. La crise, ainsi que les investisseurs d'Internet l'ont appris à leurs dépens, survient quand quelqu'un fait remarquer que l'empereur est nu, qu'Internet ne produit aucun revenu. La qualité, en tant qu'elle est une perception de la qualité, est une chose fragile.

Théoriquement, les ordinateurs devraient avoir un avantage dans l'estimation car ils sont à l'abri de telles variations de perception. Et pourtant, les programmes ne sont pas bons en réalité sur le marché de la Bourse car ils sont conduits par des humains irrationnels dont le comportement est imprévisible, et même illogique – c'est d'ailleurs pour la même raison que les ordinateurs ne sont pas bons au poker. Ils sont meilleurs aux échecs, mais pas parce qu'ils comprennent le matériel, le temps et la qualité à la manière des humains.

L'objectivité monolithique d'un logiciel d'échecs est à la fois sa grande force et sa grande faiblesse. Un logiciel connaît la valeur des pièces et joue par rapport à cette donnée. Si vous lui dites que la dame ne vaut pas plus qu'un pion, il l'abandonnera facilement. Avec son système d'échelle de valeurs, l'ordinateur fait un compte rapide et précis du matériel, en fonction duquel il décide du meilleur coup. Il examine tous les coups possibles et compte le matériel résultant de chaque variante. Le gain matériel est bon, la perte matérielle est mauvaise.

Vient ensuite le roi et le concept d'échec et mat. Les ordinateurs se débrouillent bien aussi avec cette « valeur ultime », bien qu'ils puissent en être distraits par le gain matériel. Ils peuvent facilement trouver des parades et se défendre contre l'échec et mat quand ils sont acculés, mais les concepts de temps et d'initiative restent pour eux relativement flous. Vous pouvez masser vos pièces pour une gigantesque attaque contre le roi de l'ordinateur pendant qu'il s'occupe de prendre des pions de l'autre côté de l'échiquier. Au moment où il comprend que toutes les lignes conduisent au mat ou à la perte de matériel pour lui, il est trop tard. La notion du temps d'un ordinateur ne va pas aussi loin que sa capacité de calcul. Il lui manque la capacité humaine à conceptualiser ce qui se présente en termes généraux.

Les programmes informatiques ont toujours des difficultés avec la qualité et la façon dont les valeurs matérielles se modifient en fonction de la position. Tandis que l'ordinateur fera une évaluation erronée des positions, un grand maître pourra exploiter cette faiblesse et développer un jeu positionnel. Un logiciel peut surestimer des tours par rapport à d'autres pièces, ou sous-estimer des faiblesses autour de son roi. C'est aussi le cas pour des humains bien sûr, mais nous pouvons tirer rapidement les leçons de nos erreurs et même nous en servir comme pièges.

Actuellement, les logiciels d'échecs de pointe sont « renseignés » pour utiliser des valeurs fluctuantes pour les pièces plutôt que des valeurs fixes et immuables. Il devient de plus en plus difficile de les duper, bien qu'ils soient encore, en profondeur, toujours aussi matérialistes. Leur calcul approfondi réduit en effet le jeu à son plus petit commun dénominateur, le matériel, et ils l'effectuent avec une compétence et une rapidité qui leur permet d'atteindre le niveau d'un excellent grand maître. Sur l'échiquier, les ordinateurs jouent bien, mais en réalité, ils ne jouent pas le même jeu qu'un être humain de bon niveau.

MTQ à la maison

Prenons un dernier exemple pour introduire le prochain palier, l'évaluation et le contrôle des échanges et des équilibres entre toutes ces forces en présence. Ma femme Dasha et moi avons acheté une nouvelle maison, ce que je décrirais comme une épreuve où il entre autant de considérations – et autant de stress – que lors d'un match de championnat du monde. Quiconque a acheté une maison ou même simplement loué un appartement connaît une bonne partie des compromis relatifs à la question. Ils dépassent de loin l'objectivité de l'équivalence entre le matériel et la qualité. Même si vous pensez que « tout se paie » et que vous aurez une meilleure maison en y mettant le prix, il faut faire un grand effort pour se représenter ce que « meilleur » signifie, particulièrement si vous avez une famille, ce qui accroît le nombre de facteurs à prendre en compte ainsi que le nombre des décideurs.

En premier lieu, il y a « l'emplacement, l'emplacement et l'emplacement ». Exactement comme pour le cavalier, la place est décisive. L'endroit où vous vivez est aussi important que ce que vous y vivez. Avez-vous besoin d'être à proximité d'une école ou de votre travail ? Le voisinage est-il sécurisant, et qu'en est-il des commerces et des distractions ? Ces caractéristiques sont évidemment celles que tout le monde recherche. Nous avons aussi des maximes équivalentes aux échecs. « Développez vos pièces. » « Occupez le centre. » « Mettez rapidement votre roi en sécurité. » Ces platitudes guident utilement les débutants. À mesure que les joueurs progressent, ils commencent à détecter les exceptions et c'est ce qui fera la différence entre un bon joueur et un excellent joueur.

Il n'existe pas de formule universelle pour l'évaluation. On est piégé par une rhétorique standardisée aboutissant à quelque chose d'inadapté à nos besoins personnels. La plupart du temps, nous savons ce que nous aimons et prenons les décisions afférentes, mais sous la pression, nous pouvons facilement nous troubler et perdre de vue nos objectifs. Il est difficile de garder en tête les données de moindre importance et il n'est donc pas surprenant que ce soit les « broutilles » qui créent le plus de problèmes.

La faute la plus fréquente consiste à se placer dans une dépendance excessive par rapport aux domaines que l'on comprend le mieux. Il est réconfortant de s'en tenir à ce que l'on connaît, et nous avons tendance à ignorer qu'un problème peut être vu sous un autre angle. Si nous sommes complètement centrés sur un seul aspect d'une position d'échecs, d'une négociation d'affaires, d'un nouveau travail ou d'une nouvelle maison, une mauvaise évaluation en découlera de façon presque certaine.

Alors que vous pouvez tout avoir aux échecs, et peut-être même dans la vie, cette condition élyséenne n'est pas une bonne école. La plupart du temps, il nous faudra faire des rééquilibrages, des échanges et des estimations, encore et encore. Si nous le faisons assez bien pour allier le matériel, le temps et la qualité dans une évaluation multidimensionnelle, nous obtiendrons une idée claire de ce que nous voulons et pourrons ainsi planifier notre réalisation. Quand nous voyons tous les facteurs, nous pouvons apprendre à les modifier et à les construire. Faute de développer nos capacités d'évaluation, nous risquons de tomber dans le travers stigmatisé par la célèbre remarque d'Oscar Wilde : « De nos jours, les gens connaissent le prix de tout et la valeur de rien. »

Mikhaïl Nekhemievich Tal (1836-1992), URSS / Lettonie

La magie de l'attaque à l'état pur
Huitième champion du monde – 1960-61. Né à Riga, URSS (Lettonie). Tal battit Mikhaïl Botvinnik et devint, à l'âge de vingt-trois ans, le plus jeune champion du monde jusqu'alors. Il détruisit la vogue de l'impressionnant Patriarche, mais ne possédait ni la discipline ni la bonne santé pour résister à la contre-attaque bien préparée de Botvinnik dans le match de revanche qu'ils disputèrent un an plus tard.

Comme le disait Tal : « Botvinnik a compris mon jeu mieux que je ne le comprends moi-même ! »

Lorsque Tal remporta le titre suprême, son style audacieux avait déjà fait de lui une légende. Authentique génie créatif, son nom est toujours synonyme de brillante spéculation offensive. Son jeu dynamique servait de repoussoir idéal à la logique et à l'esprit scientifique de Botvinnik et leurs deux matchs de championnat du monde fournissent de bons exemples pour une étude des contrastes.

Tal resta une puissance redoutable pendant des dizaines d'années, bien qu'il n'obtînt le titre qu'une seule fois. Ayant souffert de sérieux problèmes rénaux durant toute sa vie – exacerbés par un mode de vie dissipé, avec trop de tabac et d'alcool – il revenait toujours à l'échiquier dans un excellent état d'esprit. En 1988, alors que ses talents déclinaient déjà depuis un certain temps, l'adorable « Misha » enchantait ses légions de fans en décrochant le premier prix d'un championnat du monde de blitz au Canada, l'emportant sur toute une batterie de stars incluant Anatoly Karpov et moi-même.

Sur Tal : « Si Tal apprenait à se discipliner correctement, il deviendrait imbattable. » Mikhaïl Botvinnik

Tal par lui-même : « En général, je préfère jouer aux échecs plutôt que de les étudier. Pour moi, les échecs sont plus un art qu'une science. On a dit qu'Alekhine et moi avions un jeu similaire, sauf qu'il étudiait davantage. Oui, c'est possible, mais je dois dire qu'il pratiquait aussi beaucoup. »

« Si vous attendez que la chance vous sourie, la vie devient très ennuyeuse. »

9. Échanges et déséquilibres

Geler le jeu

Un déséquilibre est un manque de symétrie, n'importe quelle différence qui puisse être exploitée d'une façon quelconque. Aux échecs, cela fait référence aux différences quantitatives et qualitatives entre les forces de votre opposant et les vôtres. Les déséquilibres existent toujours quand on considère les trois facteurs MTQ car même si les pièces sont parfaitement symétriques sur l'échiquier, c'est le tour de jouer pour l'un d'eux. Le joueur qui a le trait a un avantage de temps qui provoque un déséquilibre.

Suspendre le temps dans la partie peut être utile pour enseigner aux élèves l'évaluation des facteurs qualitatifs tels que la structure et l'espace. Montrer une position d'échecs sans indiquer celui qui a le trait semble absurde. Dans la mesure où il s'agit de décider du meilleur coup, n'est-il pas essentiel de savoir qui va jouer ce coup ? La raison de cette technique est précisément d'éliminer la question de choisir le prochain coup pour se consacrer à l'appréciation des éléments subtils qui sont en jeu sur l'échiquier. Faute de quoi, les élèves commencent immédiatement par faire des suggestions pour le prochain coup, essayant une chose, puis une autre, sans réfléchir en profondeur et manquant ainsi de vue d'ensemble.

Mes diverses aventures (et mésaventures) dans l'industrie de l'Internet m'ont laissé quelques plaies et bosses, mais elles m'ont aussi ouvert des domaines d'expertise que je n'aurais jamais expérimentés autrement. En 1999, nous étions presque prêts à lancer sur Internet un portail d'échecs géant portant mon nom. Alors que le site était proche de l'achèvement, les programmeurs travaillaient avec des groupes-tests destinés à préciser les modèles et la navigation.

Il était tragi-comique d'observer comment ces gens ignoraient complètement les instructions soigneusement placées par les programmeurs du site. Au lieu de quoi, suivant ce qu'on m'a dit être l'usage habituel, les navigateurs cliquaient immédiatement sur la première chose qu'ils voyaient et, si le résultat ne leur convenait pas, revenaient en arrière pour faire une nouvelle manœuvre. À moins que les choix du menu ne soient tout à fait évidents, ils étaient régulièrement ignorés. Le désir d'aller vite et d'avancer a tendance à nous dominer.

Malheureusement, cela reflète la façon dont la plupart d'entre nous prennent leurs décisions. Nous suivons notre principale intuition et nous fonçons, considérant à peine les différentes options. Il y a un gouffre entre l'examen des coups possibles et l'évaluation d'une situation. Il est facile de se laisser prendre par la seule recherche des options plutôt que de se livrer à l'analyse de base qui s'impose pour évaluer laquelle est la meilleure possible.

Par exemple, pour en revenir à ces étudiants d'échecs, qu'en est-il si l'un d'entre eux, alliant la chance à l'intuition, trouve rapidement le bon coup lorsqu'on lui présente une nouvelle position à analyser ? C'est à mettre à son crédit, mais cela ne signifie pas pour autant qu'il comprenne réellement la position et cela pourrait engendrer de mauvaises habitudes. C'est pourquoi il est judicieux d'éliminer provisoirement le facteur temps et de ne pas se soucier de ce qu'il faut faire ni pour le prochain coup ni pour les suivants. Se livrer à l'analyse par alternance permet de réduire le champ de nos options et d'informer nos décisions. Celles-ci intervenant après le redémarrage de la pendule et la réintroduction du facteur temps.

Cette technique d'isolation est utilisée dans les écoles de commerce pour entraîner les étudiants aux diverses méthodes d'évaluation d'une entreprise. Pour commencer, la classe pourrait avoir à faire un bilan, sans rien connaître de la concurrence, ni même peut-être du domaine d'industrie dont il s'agit. Ou bien alors, on pourrait leur présenter la part de marché de cette entreprise par rapport à la concurrence. En introduisant les éléments un par un, on tend à éliminer les mauvaises habitudes d'évaluation. Quand les étudiants ont le tableau d'ensemble, ils peuvent voir comment tous les éléments se combinent pour former une image particulière, unique.

Une fois qu'on a gelé le temps, il nous reste à savoir ce qu'il faut analyser et quel poids donner à cette analyse. Sur l'échiquier, il y a un nombre limité de facteurs à considérer mais un nombre illimité de façons de le faire. Comme nous l'avons dit précédemment, même des joueurs de très haut niveau vont s'opposer sur l'importance des différents éléments. Le test le plus simple est de présenter une position à quelqu'un et de lui demander de quel côté il préférerait jouer. Les noirs ou les blancs ? Qui a la meilleure position et pour quelle raison ? La position peut être équilibrée mais l'être humain est une créature qui ne peut jamais être tout à fait objective. Être conscient de vos propres préférences et préjugés peut être aussi décisif que votre observation des facteurs externes.

La recherche de la compensation

Une évaluation correcte implique la recherche d'un profit ou d'une compensation pour un désavantage. Peu d'avantages sont inconditionnels et pour menaçant qu'il soit, un nuage ne manque pas nécessairement de beauté. Siegbert Tarrasch n'exagérait qu'à peine en écrivant que « chaque coup crée une faiblesse ». Chaque coup, sauf le mat, a des aspects positifs et négatifs. On peut en dire autant des caractéristiques statiques. Par exemple, en avançant vos pions vous gagnez de l'espace de dégagement pour les pièces, mais au prix d'un affaiblissement de vos défenses. Avec l'avancée des troupes, les lignes de communication et d'approvisionnement peuvent être coupées ou désorganisées.

Les pertes matérielles sont l'unique facteur purement négatif, bien qu'il existe des cas extrêmes où l'on puisse en tirer bénéfice. Si la cavalerie rapide d'une armée est enserrée par ses propres fantassins, un général peut tout simplement sacrifier ses troupes les plus lentes. Et aux échecs, il n'est pas rare de faire un « sacrifice de déblayage » en jetant un pion en pâture à l'adversaire pour dégager des lignes de développement pour les pièces.

Si une possession est presque sans valeur et n'a pas de perspective d'amélioration, autant en tirer le maximum de profit tant qu'il en est encore temps. Les amateurs de spéculation boursière sont connus pour conserver leurs actions jusqu'à ce que celles-ci soient tombées au plus bas, s'imaginant, illusion fatale, qu'ils n'ont pas vraiment perdu quelque chose tant qu'ils n'ont pas vendu. L'investisseur qui a du sang-froid sait qu'il vaut mieux tirer peu de chose aujourd'hui que rien le lendemain.

Lors d'un tournoi en Yougoslavie en 1983, je disposais d'actions en baisse sous la forme d'un fou. Dans ma partie contre le joueur hongrois Lajos Portisch, je m'évertuais à trouver une voie pour exploiter mon léger avantage. Je voulais utiliser cet avantage dynamique pour lancer une attaque contre son roi. Le problème était que toutes mes pièces avaient besoin de passer par le même carré central. Si j'y jouais le cavalier, cela bloquerait mon fou, le condamnant pour le reste de la partie. Ceci me conduisit à un questionnement – si le fou ne participait pas activement à ce moment précis de la partie, pourquoi ne l'échangerais-je pas contre quelque chose d'importance dans la position des noirs, tel que le pion qui se trouvait juste devant le roi ?

Abandonner un fou contre un simple pion est absurde dans une perspective purement matérielle mais à cet instant de la partie, je n'avais qu'un léger avantage de temps et augmenter cet avantage était la seule chose dont j'avais besoin. Le fou était sans utilité dans l'opération que j'étais en train de planifier alors que son sacrifice pouvait accroître encore davantage mon avance dynamique.

J'abandonnai le fou et Portisch fut contraint de perdre encore du temps pour mettre à couvert son roi qui n'était plus protégé. Finalement, mon activité prit le dessus sur son avantage matériel.

Notre but est d'affaiblir le camp adverse et de renforcer en même temps le nôtre. Une part essentielle de ce processus est d'essayer de transformer nos faiblesses en forces, en les utilisant de la meilleure manière possible ou du moins en les minimisant. Une faiblesse théorique, un simple désavantage sur le papier, qui ne peut être exploitée par votre opposant n'est pas une faiblesse en réalité.

Bien exploiter ses forces permet de les améliorer et éventuellement de gagner une quantité décisive de matériel. C'est là qu'intervient l'alchimie, la transformation d'un type d'avantage en un autre. Avec un jeu précis, nous pouvons transformer le matériel en temps et refaire la démarche inverse, ou investir les deux pour une compensation décisive en qualité.

Les lois de la thermodynamique, les échecs et la qualité de vie

La première loi de la thermodynamique nous apprend que la quantité d'énergie d'un système donné est constante, c'est-à-dire que si nous amenons de l'énergie dans un domaine, nous en perdons autant dans un autre domaine. Ce qui signifie que l'énergie ne peut être spontanément créée ni détruite, seulement transférée d'une zone vers une autre ou transmuée d'une forme à une autre.

Sur l'échiquier, nous essayons de briser cette loi, de créer de l'énergie et du matériel. Si un pion parvient à l'autre côté de l'échiquier, il peut être « promu » en n'importe quelle pièce et même en une autre dame. (Bien sûr, vous ne pouvez acquérir un autre roi. Aux échecs, la bigamie est tolérée mais la monarchie est absolue.) Augmenter l'énergie de nos propres pièces ne se fait pas toujours aux dépens du niveau énergétique de notre opposant. Un jeu typique d'attaque et de contre-attaque voit les deux joueurs rassembler leurs forces et augmenter leur niveau d'activité.

Si tout se passe bien, chaque transformation sur l'échiquier doit augmenter la qualité de notre position. En échange de temps – disons deux coups – je peux amener mon cavalier à une meilleure place. Ou alors si je sacrifie un pion, mon adversaire doit perdre un coup ou deux pour le prendre, me laissant du temps pour intensifier mon attaque.

Une société peut appréhender son propre champ d'action de façon similaire. Une avance financière – le matériel – peut être transformée en recherche ou en nouveaux produits, ou en primes pour le personnel, ou en un accroissement de publicité, ou dans une modernisation de l'usine. Observer les biens de nos concurrents peut nous aider à trouver des déséquilibres à exploiter. Même si votre opposant domine sur bien des plans, vous pouvez essayer de développer un déséquilibre en votre faveur. Si vous pouvez déceler ou cultiver un point faible dans la position de votre adversaire, vous pouvez alors essayer d'y adapter la vôtre pour en tirer un avantage.

Stratégie sur le champ de bataille des navigateurs

L'expression « guerre des navigateurs » était très en vogue à la fin des années 90, quand Netscape et Microsoft se disputaient le marché d'Internet. Netscape Navigator était le premier et le meilleur et Microsoft Explorer loin derrière sur pratiquement tous les plans. Ses dernières versions étaient médiocres et Navigator avait une base de clientèle large et fidèle.

Microsoft développa une habile stratégie d'échanges. Il connaissait des déséquilibres négatifs dans la qualité de sa production, sa base d'utilisateurs et la reconnaissance de sa marque. Mais ce n'était pas seulement la lutte d'un navigateur contre un autre, c'était aussi une lutte entre deux entreprises, et là, Microsoft avait quelques avantages sur Netscape. Tout d'abord, il avait un énorme avantage pécuniaire grâce au succès de ses suites Office et de son système d'exploitation. Ensuite, Microsoft pouvait obliger le consommateur à utiliser Explorer puisqu'il était intégré dans son logiciel le plus vendu. En achetant Windows ou Office, le navigateur Microsoft était installé automatiquement sur votre ordinateur.

Microsoft ne s'était pas contenté de fournir le navigateur avec un autre logiciel. Utilisant l'énorme masse de numéraire dont ils disposaient, ils le fournirent à tout le monde gratuitement. C'était un échange massif de matériel contre une qualité positionnelle, et cela fonctionna merveilleusement bien. Ils investirent aussi beaucoup d'argent pour améliorer la qualité du navigateur Explorer, mais ce ne fut pas le facteur décisif dans la compétition avec Navigator. Netscape, beaucoup moins grand, voyant ce qui se passait, essaya de rester dans la course – tout en poussant de hauts cris et en faisant des actions en justice. Mais une société aussi petite ne pouvait assurer la distribution gratuite de ses principaux produits tout en maintenant une bonne qualité. Leurs tentatives pour grouper Navigator avec un autre logiciel pâlirent devant la domination à 95 pour cent du PAO de Windows. En l'espace de deux ans, Microsoft passa d'un peu moins de 10 pour cent à plus de 80 pour cent des parts du marché de la navigation, continuant à progresser encore davantage jusqu'à ce que toute la concurrence fût entièrement marginalisée.

Microsoft exploita son avance écrasante en ressources, en termes de guerre de Sécession, il joua les général Grant alors que le reste du monde de l'informatique se contenta de jouer les général Lee. La coalition de Grant n'était pas très brillante sur le plan tactique mais il savait qu'il finirait par avoir raison de l'armée sudiste grâce à une quantité massive de troupes et d'armement. Une guerre d'usure convenait parfaitement à Grant – sinon à ses hommes – et il possédait la nature brutalement pragmatique appropriée pour mener et remporter une telle guerre. En poussant un peu, on pourrait même faire une analogie avec la Guerre froide. Par une constante augmentation des dépenses militaires, les États-Unis mirent finalement l'URSS, qui souffrait déjà de la faillite idéologique, en faillite financière.

En guise d'épilogue, la guerre des navigateurs s'est rallumée l'an passé. Ne voyant plus de concurrents, Microsoft négligea son développement dans ce domaine, se laissant déborder sur le plan de la qualité par des concurrents tels que Firefox. La sécurité, les virus et le matériel d'espionnage offrirent des débouchés de grande consommation trop rapidement pour que Microsoft trouve le temps de réagir et Explorer rata le tournant dans ces domaines. Les tactiques agressives de Microsoft concernant la fourniture Internet gratuite accompagnée d'autres programmes furent également condamnées en justice, entravant leur stratégie de distribution.

Firefox – une création de la société Mozilla, qui est en partie un vestige de Netscape – est un projet qui a relativement peu de débouchés et qui n'a pas les possibilités commerciales de distribution d'un produit Microsoft, mais il y a une différence importante entre 2006 et 1998 : l'ubiquité d'Internet lui-même. Les utilisateurs débutant sur Internet représentent une clientèle presque négligeable. De nos jours, il est normal de télécharger un nouveau logiciel depuis Internet et il suffit à Firefox d'avoir un site sur le web pour atteindre le monde entier. À l'heure où j'écris ces lignes, il approche les deux cents millions de téléchargement. Ce modèle neutralise partiellement le poids de Microsoft dans la distribution et, combiné avec la qualité supérieure du produit, a conduit Firefox à prendre une grosse part du marché d'Explorer, se montant jusqu'à 10 pour cent pour la plupart des estimations. En conséquence, Microsoft, pour la première fois depuis des années, est en train d'apporter d'importantes améliorations à sa prochaine version d'Explorer.

Tout changement a un prix

Cette évaluation des déséquilibres doit aussi intervenir pour nos propres opérations et pas seulement par rapport à nos concurrents. Aux échecs, on parle d'harmonie dans la position. Nos pièces travaillent

ensemble d'une façon complémentaire et le développement du matériel est en accord avec nos cibles stratégiques.
La difficulté pour réussir une bonne coordination augmente
avec le nombre des possessions. Les méga fusions que
nous avons connues depuis une dizaine d'années l'ont
parfaitement illustrée. Time Warner et AOL ont atteint
ensemble des proportions record en 2001 et les investisseurs envisagent maintenant de séparer de nouveau ces
sociétés. Il n'est pas toujours souhaitable de s'agrandir,
surtout si c'est au prix de la coordination.

La seconde loi de la thermodynamique couvre le
concept d'entropie qui dit que, dans la mesure où les
échanges d'énergie ne sont jamais efficaces à 100 pour
cent, il y en a toujours une légère déperdition durant un
processus, à moins qu'il y ait un nouvel apport. (Il est à
remarquer que cette théorie fut, d'une certaine façon, anti-
cipée d'environ un siècle dans la préface de l'édition de
1775 du *Dictionnaire* du Dr Johnson, où il cite Richard
Hooker : « Un changement n'est jamais sans inconvénient,
même pour aller vers un mieux. ») Ceci se vérifie aux
échecs et nous luttons pour surmonter cette perte d'énergie,
de qualité et de temps. Pour prendre une pièce, il faut
l'investissement d'un coup, et en gagnant ainsi sur le matériel, il se peut que nous perdions sur le temps. Il nous faut
décider à l'avance si oui ou non cet échange représente un
résultat positif sur l'ensemble de notre position.

En général, nous parlons de positions à peu près
égales où notre adversaire résiste et maintient l'équilibre. Il
nous faut construire nos avantages pied à pied et chercher
tous les moyens d'accroître nos éléments MTQ. Mais dans
le cas où notre adversaire coule, il est souvent possible
d'augmenter de façon extraordinaire, grâce à un échange

puissant, la quantité d'énergie de notre position. La plupart des fautes proviennent d'une sous-estimation des facteurs dynamiques tels que le temps et l'initiative, laissant la position vulnérable à un échange de matériel contre du temps gagné pour une offensive.

Regardez les premières victoires de Napoléon dans sa campagne d'Italie en 1796. Ses victoires devaient davantage à la mauvaise compréhension de ses opposants des facteurs dynamiques. Ils croyaient dur comme fer au modèle dépassé des grandes armées de fantassins et des manœuvres lentes. Ils furent déroutés et submergés par les attaques éclair de Napoléon et par ses tactiques novatrices. Ce qu'il abandonna en nombre, il le regagna largement en rapidité et en qualité.

Élargir notre champ d'action

Pour en revenir une dernière fois à la physique, nous avons finalement trouvé un terrain commun dans le principe que « les systèmes ordonnés ont moins de déperdition d'énergie que les systèmes chaotiques ». Si nos pièces travaillent ensemble, elles favorisent la transformation d'un avantage en un autre avantage, sans perte de qualité. Une position, ou une entreprise, ou une formation militaire, qui est déjà désorganisée peut être entièrement dispersée par une simple tentative de transformation. Réaliser un objectif peut nous laisser si démunis par certains côtés que nous risquons d'être rapidement balayés, une occurrence qui peut, en fait, se produire fréquemment dans des positions déjà fragiles.

L'expression « défaite foudroyante » est très courante dans les comptes rendus de parties d'échecs. Un joueur en position difficile tend à faire des erreurs en raison de la tension psychologique résultant du fait qu'il se sent menacé. Surtout, une position inférieure est moins à même de supporter la perte d'énergie requise par une tentative d'assaut. Si une entreprise est en difficulté financière, elle peut parier sur une aventure risquée ou sombrer lentement. À défaut d'une stabilité, cette aventure risquée pourrait conduire à l'effondrement total de cette entreprise, même si le pari atteint ses objectifs immédiats.

La démesure des ressources militaires est un concept aisément compréhensible. Durant la Seconde Guerre mondiale, l'Allemagne avait essayé de se battre sur un front qui s'étendait des forêts de Russie jusqu'aux déserts de Libye. C'était tout simplement un territoire trop étendu pour leurs troupes et un ensemble trop vaste pour que leurs généraux en aient une vision d'ensemble ou puissent la contrôler. D'une façon similaire, quand l'influence d'un politicien décline, nous disons qu'il a usé son capital politique et qu'il ne lui reste plus qu'à chercher querelle. Cela représente une perte de l'énergie accumulée et, dans le cas présent, une perte d'influence le mettant alors dans l'incapacité de disposer de ses anciennes faveurs.

La démesure est un concept auquel on se réfère souvent dans d'autres domaines de la vie. La compagnie aéronautique Pan Am, jadis dominante, avait investi dans de nouveaux avions et de nouvelles lignes juste au moment où le marché du transport aérien était sur le point d'atteindre un plafond et la compagnie se trouva rapidement dans de sérieuses difficultés. Comme d'habitude, il fallut la combinaison de déséquilibres négatifs pour passer d'une position gagnante à une position perdante. La crise énergétique de 1973 représenta un facteur externe décisif dans la bataille judiciaire accordant d'importantes lignes internationales aux compagnies concurrentes.

Pan Am essaya de résoudre certains de ses problèmes par l'acquisition de lignes intérieures, mais, comme souvent, tenter ce changement audacieux alors qu'ils étaient en difficulté fut une erreur. Ils durent payer un prix exorbitant pour la National Airlines et accumulèrent une dette énorme, condamnant l'adoption de nouvelles tactiques désespérées. Ils réussirent à se maintenir par la vente de biens et de lignes, diversifiant leurs ressources matérielles en attendant des conditions plus favorables. La compagnie était dans un tel état de précarité que le moindre changement négatif supplémentaire pouvait la ruiner. En 1988, la goutte d'eau proverbiale fit déborder le vase avec l'explosion de Lockerbie due à un attentat terroriste sur le vol 103 de la Pan Am. Les réservations dégringolèrent et, qui plus est, une chute complète du voyage en avion consécutive à la première guerre du Golfe amena la compagnie à déposer le bilan en 1991.

Il ne fait aucun doute que le premier géant des avions de ligne eut plus que sa part de malchance, mais les dirigeants de la Pan Am souffrirent de leurs propres erreurs et se rendirent beaucoup plus vulnérables par une volonté d'expansion démesurée et en ignorant leurs propres faiblesses – aucune ligne intérieure, très peu de liquidités, une attente sur les décisions de justice. Cette analyse n'a pas pour but de vous inciter à être conservateur ou à ne planifier qu'en envisageant le pire. La prise de risque est essentielle à toute entreprise. C'est le contexte qui importe. Si nous sommes conscients de nos points faibles et de nos défauts, nous pouvons les faire entrer en ligne de compte dans notre stratégie. Un unique point faible est rarement décisif. L'important est d'être capable de voir lorsque se forme une confluence et si celle-ci nous est favorable ou non.

En 1993, je commis l'erreur de lancer une attaque depuis une position de faiblesse. Cependant, ce n'était pas sur l'échiquier, mais dans la politique des échecs. Depuis que la Fédération internationale d'échecs, la FIDE, avait interrompu mon premier championnat du monde en 1985, j'avais presque continuellement contesté leur suprématie. Durant mon ascension vers le titre de champion du monde en 1993 contre Nigel Short, l'Anglais m'appela et me fit une offre alléchante, celle de jouer le match en dehors de la FIDE et de lancer notre propre Association d'échecs professionnels. Une chance s'offrait enfin de rompre avec cette bureaucratie corrompue et d'introduire les échecs dans le monde du sport moderne.

Short était le premier challenger de l'Ouest depuis Bobby Fischer en 1972. Avec son engagement, je pensais que nous pourrions soulever un immense intérêt et obtenir le soutien des Grands Maîtres du monde entier à notre cause contre la FIDE. À peine quelques années auparavant, l'union des joueurs professionnels que j'avais créée s'était effondrée quand les GM de l'Ouest avaient formé un bloc d'opposition. Soudain Short, le dernier président de l'Association des Grands Maîtres, offrait de se rallier. Je pensais alors que nous pourrions vraiment unir le monde des échecs. Ceci s'avéra une terrible erreur, la pire de toute ma carrière. Après que nous eûmes fait notre déclaration, il devint vite évident que ma supposition était erronée et que

Short ne disposait pas d'un tel appui. Nous étions isolés et fûmes immédiatement dépeints comme des « renégats » et des « pilleurs du championnat du monde ». La FIDE nous excommunia tous les deux et organisa un autre match de championnat du monde en parallèle avec celui que Short et moi-même disputions à Londres. Ainsi s'ouvrit un schisme dans le monde des échecs qui ne se referma jamais tout à fait. J'étais si impatient de parvenir à mon but que je négligeai de remarquer que mon plan n'avait qu'une infime chance de se réaliser.

Les facteurs statiques et le choix des maux

Mon entrée récente dans le monde de la politique m'a fourni de nouveaux aperçus sur les concessions mutuelles et sur les compromis. Si la politique est, comme le disait Bismarck, « l'art du possible », il est essentiel de commencer par établir ce qui peut ou non être changé. Chaque situation comporte un certain nombre de facteurs statiques, immuables, que nous devons exploiter ou contourner. Il existe aussi des facteurs dynamiques qui sont largement au-delà de notre influence directe, tels que la concurrence. Il est capital d'identifier ces facteurs et ce qu'ils signifient pour notre stratégie. Comment transformer nos acquis pour prendre avantage de ces conditions exté-rieures ? Sommes-nous faits pour travailler en accord avec notre environnement ? Si le marché où nous nous trouvons est en train de changer, il nous faut être prêt à nous adapter et à nous investir pour nous repositionner.

Il se peut aussi qu'il y ait des facteurs statiques, des points faibles auxquels nous pourrions remédier directement. Dans ce cas, il nous faut rechercher un environnement où ces points soient minimisés. En cas de faiblesse permanente d'un côté de l'échiquier, je dois envisager une offensive de l'autre côté. Si la structure de ma position est mauvaise au point de rendre impossible une stratégie de manœuvres lentes, j'essaierai un jeu tendu pour créer un environnement d'attaques rapides où mon adversaire n'aura pas le temps d'exploiter ma faiblesse structurelle. Tous les manuels racontent le conflit de l'an 31 avant Jésus-Christ pour le contrôle de l'Empire romain, où Octavien finit par vaincre Antoine et Cléopâtre grâce à une flotte très rapide, après avoir échoué sur la terre ferme au terme de nombreuses batailles. Octavien enserra les armées d'Antoine jusqu'à ce qu'il fût finalement contraint de sortir et de se battre sur mer, où le brillant amiral d'Octavien, Agrippa, gagna un combat décisif – c'est du moins ainsi que l'on raconte l'histoire.

Cette lutte avec les déséquilibres et les échanges existe aussi à l'intérieur de la société. Benjamin Franklin l'a formulé sans ménagements lorsqu'il a dit : « Ceux qui renoncent à une liberté fondamentale pour une sécurité temporaire ne méritent ni la liberté ni la sécurité. » Grâce à la menace du terrorisme mondial, le groupe d'action américain PATRIOT (un acronyme bien trouvé pour « *Providing Appropriate Tools Required to Intercept and Obstruct Terrorism*[1] ») et des mesures similaires proposées par l'Union européenne fournissent les derniers exemples de cette bataille éternelle entre la sécurité et la liberté individuelle. Les échanges entre la société civile et l'État sont

---

1. Se donner les moyens appropriés pour intercepter et faire obstacle au terrorisme. *(N.d.T.)*

constants et toutes les constitutions du monde avec leurs nombreux programmes y participent également.

À travers l'histoire, l'État a cherché à étendre son contrôle le plus possible, une grave erreur si l'on en croit Franklin. La fameuse loi de Parkinson et ses axiomes expliquent pourquoi les bureaucraties se développent inexorablement [1]. Quand cette tendance naturelle à s'amplifier rejoint l'intérêt des politiciens pour le pouvoir et le contrôle, les citoyens ont intérêt à être vigilants.

Ma décision de me retirer des échecs professionnels pour me consacrer à plein temps à la politique fut largement motivée par le besoin que j'éprouvais de rejoindre la résistance à l'expansion catastrophique de l'autorité étatique dans mon pays d'origine. J'ai passé vingt-cinq ans de ma vie à représenter les couleurs de la Russie et je crois que je continue à le faire. Le président Vladimir Poutine exploite le thème de la sécurité pour inciter les citoyens à échanger leur liberté contre un contrôle gouvernemental renforcé et, cependant, la sécurité semble toujours hors d'atteinte. Outre un manque de transparence, il y a peu de contrôle sur les dépenses, et à défaut d'un tel contrôle, l'extension de l'État est sans fin. En Russie aujourd'hui, les citoyens sont grandement menacés par les abus de pouvoir de l'État car les fonctionnaires sont hors de portée des citoyens. N'importe quelle critique des fonctionnaires peut être taxée d'extrémisme, un terme séparé d'un cheveu

---

1. En 1985, l'historien et auteur anglais C. Northcote Parkinson postulait que « le travail se développe de façon à occuper tout le temps possible à sa pleine réalisation », ainsi que les axiomes (1) « Un fonctionnaire veut multiplier les subordonnés, pas les rivaux » et (2) « Les fonctionnaires se donnent du travail les uns aux autres ». Le génie de Parkinson fut confirmé quand sa prédiction que la Royal Navy finirait par avoir plus d'amiraux que de navires se réalisa.

du terrorisme dans la loi de Poutine. Il ne s'agit pas exactement d'une loi martiale, mais disons d'une « loi martiale allégée ». Les tendances sont toujours les mêmes, seuls les détails changent avec le temps.

Ce modèle a fait ses preuves depuis l'avènement des temps modernes. Mussolini avait utilisé cette méthode pour instaurer le fascisme en Italie dans les années 1920. En dépit de tous les exemples qui nous ont précédés, nous laissons encore et encore les choses se faire. Nous échangeons nos libertés contre des promesses de sécurité et quand cette sécurité ne vient pas, on nous dit que c'est parce que nous n'avons pas donné assez de nos libertés. Nous connaissons les règles de ce jeu. La question est de savoir si nous pouvons ou non résister à la tentation de faire des concessions. Tant que nous n'avons pas de garanties concernant ces échanges, il nous faudrait pour le moins garder en mémoire l'histoire récente.

Nous sommes quotidiennement confrontés à des déséquilibres et nous luttons pour les convertir en bienfaits. Norman Mailer écrivit qu'à chaque instant « nous vivons un peu plus ou nous mourons un peu ». Il n'existe pas de station immobile, ni aucun équilibre parfait. Nous pouvons cependant geler un instant de la réalité et faire une pause dans notre quête perpétuelle de la prochaine action à accomplir pour en peser calmement les avantages et les inconvénients. Nous pouvons défier les lois de la thermodynamique pour créer de l'énergie et de la qualité en opérant des transformations positives.

Tigran Vartanovich Petrossian (1929-84), URSS
Boris Vasilievich Spassky (1937), URSS / France

Deux conceptions contrastées de la sagesse échiquéenne
Tigran Petrossian fut le neuvième champion du monde
et Boris Spassky fut celui qui, à la seconde tentative, lui prit
son titre. Ces deux camarades de l'équipe soviétique furent
pour moi l'équivalent d'enseignants professionnels quand
j'entrai dans le monde des tournois internationaux. Ils étaient
encore des joueurs performants et avaient une grande expérience de la compétition à haut niveau dont ils pouvaient faire
profiter un junior novice.

Leurs enseignements me parvinrent bien longtemps
avant que je ne les rencontre par le biais d'un ouvrage rela-
tant le second match de championnat du monde qu'ils disputèrent en 1969. Je reçus ce livre en cadeau lorsque j'étais
enfant et je trouve encore du plaisir à le feuilleter.

Petrossian et Spassky me donnèrent aussi des leçons sur
l'échiquier. Je perdis mes deux premières rencontres décisives contre chacun d'eux alors que j'étais en bonne position,
ne réussissant que plus tard, un peu plus âgé et un peu plus
sage, à égaliser le score à 2-2.

Petrossian fut l'homme qui mit finalement un terme au
règne de Botvinnik, lui prenant son titre en 1963, l'année de
ma naissance. Son redoutable style défensif était idéal pour
les matchs où un seul gain et aucune perte suffisent à obtenir
la victoire. Botvinnik lui fit un compliment rare en disant que
la capacité de Petrossian à évaluer une position en profondeur
était incomparable.

Spassky était un joueur universel, tout aussi capable de
faire des attaques spectaculaires qu'un jeu calme avec des
manœuvres. Lors de son premier match de championnat du
monde, il sous-estima la capacité de Petrossian à jouer dans

les complications et il en paya le prix. Dans leur match suivant, en 1969, Spassky contrôla son attaque et gagna. Malheureusement, il est davantage connu pour avoir perdu le titre contre l'Américain Bobby Fischer dans leur fameux match à Reykjavik, Islande, en 1972.

L'attitude insouciante de Spassky l'empêchait d'effectuer l'immense quantité de travail requise pour se maintenir longtemps au sommet. D'esprit indépendant et n'ayant jamais accepté la mentalité soviétique, Spassky épousa une Française et émigra en France en 1976. Aujourd'hui, il se déclare fièrement nationaliste russe et monarchiste.

Sur Petrossian : « Petrossian a la capacité de voir et d'empêcher le danger vingt coups avant qu'il ne se manifeste ! J'ai été stupéfait par l'aptitude de Petrossian à passer tout son temps, après être parvenu à une excellente position, à trouver de nouvelles manœuvres pour la consolider. » Bobby Fischer

Petrossian par lui-même : « Certains considèrent que quand je joue, je suis excessivement prudent, mais il me semble que la question peut être envisagée autrement. Je cherche à éviter le hasard. Ceux qui s'en remettent au hasard devraient jouer aux cartes ou à la roulette. Les échecs c'est autre chose. »

Sur Spassky : « Spassky a une santé enviable, c'est un bon psychologue, et il évalue avec subtilité une situation, ses atouts et les atouts de son adversaire. » Mikhaïl Botvinnik

Spassky par lui-même : « Le jeu d'échecs, Garry, est le jeu des rois ! » m'a-t-il dit par rapport à mes efforts pour démocratiser ce sport en 1986 en créant l'Association des grands maîtres.

10. Innovation

L'originalité est le fruit d'un travail

La créativité fait partie des nombreuses qualités considérées comme étant innées et immuables, comme une chose qui vous est donnée au départ ou que vous n'avez plus qu'à envier aux autres. On entend souvent parler de quelqu'un qui a un « esprit fertile », qui est « débordant d'idées » et l'on se demande comment cette personne a pu avoir autant de chance dans son bagage génétique.

Presque toujours, quelqu'un qui aura trouvé une idée ou une invention couronnée de succès sera soumis inlassablement à cette question : d'où lui vient cette idée ? On demande aux musiciens, même aux mauvais, où ils trouvent les idées de leurs chansons. Après une partie d'échecs, on demande aux joueurs comment leur est venue telle idée ou comment ils ont trouvé le coup gagnant. (Dans le pire des cas, on nous demandera même comment nous avons pu commettre telle gaffe aussi monumentale.)

Comme tout talent inutilisé, l'imagination qui ne s'exprime pas est comme inexistante. Les idées peuvent tout bonnement donner leur contribution en étant lancées dans l'atmosphère, où elles se mêlent à d'autres et trouvent leurs applications. Chaque esprit a une manière singulière d'approcher un problème en raison du bagage unique d'expériences que chaque individu porte en lui-même. Comme nous l'avons vu précédemment, l'inclination et le style ont aussi leur part dans les décisions que nous prenons. Ce qui ne veut pas dire que les solutions et les innovations doivent toujours venir de la bonne personne au bon moment comme si cela était réparti par le ciel. Avec le travail et la détermination, nous pouvons prendre en main notre créativité.

Chemin faisant, nous prendrons en considération tant le pouvoir que les limites de l'innovation. Toutes les innovations ne sont pas de même valeur et il importe d'examiner tant les fiascos que les succès. Il existe aussi différentes sortes d'innovations.

La première catégorie est celle qui conduit directement à la création et à l'invention. Elle a un impact immédiat, la résolution d'un problème, le développement d'un produit, la réponse à une question. Nous pensons à Archimède jaillissant de sa baignoire et criant « Eureka ! » quand il eut l'illumination de la poussée dans l'eau et de la densité. Mais ce « modèle d'Eureka » de la créativité est largement incompris.

La deuxième catégorie se rapporte au long terme et aux idées qui suscitent des transformations évolutives. Leurs effets peuvent rester cachés pendant des générations, ce qui signifie aussi que leurs causes peuvent également passer inaperçues. Nous nous pencherons d'abord sur le type le plus immédiat, les découvertes et les inventions qui font parler d'elles dans l'actualité plutôt que sur celles dont l'influence se fera sentir à plus long terme.

Faire la liste de nos innovations

Les exemples d'inventeurs célèbres donnent lieu à une quantité phénoménale d'histoires amusantes. L'inspiration tout autant que la perspicacité peuvent nous donner des éléments pour grossir la liste des innovations de nos vies. Nous devons nous poser cette question : « Existe-t-il une autre manière de parvenir à cette fin ? » Examinez d'abord votre but, puis les moyens, et autorisez-vous à concevoir de nouvelles idées et à expérimenter de nouvelles méthodes. Personne n'est plus qualifié que nous pour découvrir de nouvelles solutions à nos problèmes. Cela n'arrivera pas forcément la nuit prochaine, mais si nous restons concentrés sur eux, cela arrivera.

Il y a une certaine vérité dans l'histoire de la pomme tombant sur la tête de Newton comme il y en a une dans celle de Washington abattant un cerisier. (Il y a bien sûr une longue histoire du fruit fatidique dans la mythologie.) Nous apprécions tous une bonne histoire, surtout une de celles qui omettent de mentionner le dur labeur qui se cache sous ce qu'il est convenu d'appeler un trait de génie. Seule la nature humaine peut montrer les aspects triviaux et amusants de la grandeur. En cherchant à « Newton » sur Internet, vous pourriez penser que ses inventions de la porte va-et-vient et du calcul ont eu la même importance pour l'humanité.

Précédemment, nous parlions de la stupéfiante capacité de travail de Thomas Edison et son exemple est une réfutation typique du mythe d'Eureka. Pratiquement toutes les grandes découvertes furent le produit d'une combinaison de connaissance préalable, de travail acharné et de réflexion systématique. L'épiphanie miraculeuse convient à merveille dans une histoire pour enfants, mais elle ne nous est d'aucune aide dans notre recherche personnelle d'inspiration. Le labeur de Newton peut nous stimuler à l'effort mais que faire pour concurrencer une pomme chanceuse ?

Même les idées saisissantes qui renversent l'ordre de la sagesse conventionnelle ne tombent pas du ciel. Une profonde connaissance du passé est indispensable pour aller de l'avant. Comme nous l'avons vu, le premier champion du monde d'échecs, Wilhelm Steinitz, a largement contribué au développement du jeu. Ses écrits, dans le dernier quart du XIXe siècle, étaient les premiers à casser les composants habituels d'une position d'échecs et à élucider les élaborations stratégiques. Les découvertes de Steinitz sont bien illustrées par ses parties qui passèrent, au cours de sa carrière, du chaos romantique à l'ordre scientifique, au fur et à mesure qu'il en venait à comprendre et à appliquer ses principes.

Ces concepts révolutionnaires, quoi qu'il en soit, étaient largement basés sur son analyse des parties passées. Ce n'est qu'après avoir soigneusement analysé et compris le style ancien que Steinitz a pu s'embarquer dans une nouvelle direction qui fut couronnée de succès. Il fut le premier à lancer un regard critique sur le passé plutôt que d'accepter le statu quo. Il mit en pratique ses nouveaux concepts dans son propre jeu et gagna le premier match de championnat du monde en 1886.

Le pouvoir de la nouveauté

Les innovations aux échecs, par opposition aux théories générales, ont une définition très concrète. Elles définissent un coup qui n'a jamais été joué auparavant dans la même position, c'est ce que nous appelons une « nouveauté théorique », habituellement abrégée en « TN » ou même simplement « N » dans les notations d'échecs. Avec l'étendue de la préparation professionnelle et l'usage des bases de données informatiques, vous pourriez penser qu'il est difficile d'innover aujourd'hui. Dans certaines variantes, il faut bien compter une vingtaine de coups avant de pouvoir s'écarter des parties et analyses répertoriées.

Je me dois de le signaler pour la simple raison qu'une variante qui a déjà été jouée n'est pas forcément connue par les deux joueurs en présence. Une base de données de plusieurs millions de parties peut indiquer instantanément le moment où l'on s'écarte des parties répertoriées, mais même le Grand Maître le mieux préparé peut être occasionnellement surpris de s'apercevoir qu'il a passé quelques heures sur l'échiquier à réinventer les coups d'une ancienne partie.

Les échecs sont suffisamment variés et complexes pour assurer que de telles choses sont l'exception et non la règle. De nombreuses parties arrivent à des positions originales avant le quinzième coup, avec des ruptures en terrain inconnu avant le dixième coup. À l'image d'une ville, les échecs ont leurs avenues principales et leurs rues secondaires. Il existe toujours une place considérable pour l'originalité hors des sentiers battus, mais ils sont aussi plus risqués. Qu'allons-nous choisir entre la sécurité des grandes avenues et l'inconnu des chemins de traverse ?

Une idée puissante est comme une nouvelle arme dans une bataille ou un produit inédit lancé sur le marché. L'avantage dans la compétition est maximisé par l'effet de surprise. L'arc anglais fut une arme de choc au XVe siècle, comparable aux Colt et aux Winchester à répétition du Grand Ouest. Toutes les armes nouvelles ne sont pas aussi redoutables que celles-ci, mais la peur de l'inconnu est en soi-même une arme puissante. Les roquettes V2 utilisées par les nazis vers la fin de la guerre, en premier lieu contre les Anglais, étaient moins efficaces sur le plan militaire que les bombardiers mais ils terrifiaient à cause de leur silence et de l'impossibilité de s'en défendre.

La valeur de la surprise sur l'échiquier est aisément transposable au champ de bataille. Le fameux stratège militaire de l'ancien empire de Chine, Sun Tzu, mettait toujours en relief l'importance de la déception et de la surprise dans *L'Art de la guerre*. Il y a peu de place pour une vraie supercherie sur l'échiquier, bien qu'un peu de tactique psychologique ne puisse être négligé.

Supposons l'élaboration d'une nouvelle idée pour gêner notre adversaire dans sa défense favorite. Allons-nous jouer rapidement et avec assurance durant le déroulement de la partie, gagnant du temps mais risquant aussi de lui faire penser que nous allons sortir quelque chose de notre manche ? Ou bien allons-nous au contraire prendre tout notre temps de façon à ne pas attirer son attention ? Et quand arrivera le moment de jouer le nouveau coup, le ferons-nous en fanfare pour lui faire savoir que nous avions préparé ce piège ou après un instant de feinte réflexion, lui faisant croire que nous n'avions pas analysé la position auparavant ? Il est difficile de dissimuler la vérité dans la mesure où il existe nombre de signes qu'un professionnel peut détecter au cours d'une partie. N'importe quel coup nouveau, puissant, sera suspecté d'être le résultat d'une préparation, surtout si nous avons déjà joué cette ligne.

Mon opinion sur tout ceci coïncide généralement avec celle de Bobby Fischer qui disait : « Je ne crois pas à la psychologie. Je crois aux bons coups. » Je n'ai jamais été un adepte de la dissimulation de mes émotions pendant une partie et si j'avais un nouveau coup puissant, cela ne me dérangeait pas de le faire savoir à mon adversaire tant que cette connaissance ne lui était d'aucune aide.

Dompter un tigre

Mon match de championnat du monde en 1995 contre l'Indien Viswanathan Anand fournit une bonne illustration du pouvoir d'une simple innovation. Le match démarra très serré avec huit nullités consécutives. J'avais joué différentes ouvertures dans chaque partie où j'avais les blancs, testant ses faiblesses et donnant du matériel à analyser pour mon équipe et pour moi-même. La percée se produisit avant la neuvième partie, lorsque je trouvai une suite avec un sacrifice spectaculaire pour contrer Anand dans son ouverture de défense préférée, la Ruy Lopez, qu'il avait utilisée avec succès dans la sixième partie. Elle avait été sa défense principale dans les matchs de qualification précédant notre bataille finale pour le titre, aussi nous attendions-nous tous deux à un probable abattage de cartes. Dans trois de mes tentatives précédentes avec les blancs – parties 2, 4 et 8 – j'avais évité cette place forte. C'était l'heure maintenant d'un assaut frontal.

Naturellement, j'étais très excité par cette nouvelle découverte et impatient de l'utiliser. Le problème était que j'avais les noirs dans la neuvième partie, pas les blancs. J'étais si occupé par l'anticipation de la dixième partie que je me fis balayer dans la neuvième, donnant une avance à mon adversaire. C'était sans aucun doute la première fois qu'une innovation m'explosait à la figure avant même d'avoir été jouée ! Maintenant, c'était doublement important que ma nouvelle idée fonctionne dans la partie suivante.

Dans la partie 10, je jouai la première étape de la nouvelle idée sur le coup 14, suivant en fait une suggestion que Tal m'avait faite il y a longtemps. Anand était visiblement préparé à cette approche et il ne lui fallut que quatre minutes de réflexion pour répliquer. Après mon coup suivant cependant, il passa 45 minutes bien sonnées à réfléchir, peut-être un record pour ce grand maître indien réputé pour sa rapidité. Le piège avait fonctionné et il n'y avait aucune issue. Je continuai à jouer tous mes coups suivants presque instantanément, heureux de pouvoir enfin réaliser mon plan sur l'échiquier.

À son crédit, le « Tigre de Madras » combattait en vrai champion et, après s'être d'abord laissé prendre au collet, il avait réussi à survivre à la première vague de l'attaque. Ce n'est que lorsque la fumée se fut dissipée et que mon avantage fut devenu évident que je commençai à ralentir afin d'être sûr de remporter la victoire. C'eût été horrible de ne pas récolter les fruits d'une si merveilleuse idée. Avec un jeu précis, je serrai de quelques crans de façon à aplanir le match et je finis par gagner. La victoire valait un point, mais l'effet psychologique était dévastateur. Grâce à cette seule innovation, Anand fut obligé de remiser sa défense principale pour le reste du match. Avec du recul, certains suggérèrent qu'il aurait dû éviter d'utiliser encore la Ruy Lopez dans le partie 10 en dépit des succès qu'elle lui avait valu auparavant. Mais il venait de prendre la tête du match et il voulait amplifier son ascendant en ne se laissant pas ébranler par l'ouverture de la bataille psychologique.

Cela nous prit, à mes secondants techniques et à moi-même, plusieurs jours pour découvrir cette innovation et pour en explorer toutes les complexités. Il nous fallut tout ce temps pour appréhender le matériel et les subtilités de la variante. Ce n'est pas comme de s'asseoir autour d'une table pour étudier une crise bien circonscrite. La clé de n'importe quelle bonne solution, tout scientifique vous le dira, est avant tout une identification correcte du problème. Comme l'édicte le principe de GIGO (*garbage in, garbage out*[1] ») la qualité d'une expérience est fonction des données qu'on y a introduites et des questions posées à ces données. Même les plus grands esprits peuvent être si occupés par la quête des réponses qu'ils en oublient de poser les bonnes questions. Il vaut la peine de se rappeler qu'Isaac Newton lui-même passa une grande partie de la seconde moitié de sa vie à l'illusoire poursuite de l'alchimie.

Notre recette de base est donc de commencer par se plonger dans chaque aspect du problème et d'identifier

---

1. Rebut à l'intérieur, rebut à l'extérieur. (*N.d.T.*)

ensuite les questions auxquelles il faut répondre. Les esprits les plus créatifs vont se trouver parmi ceux qui cernent le sujet au plus près.

L'innovation ne suffit pas à apporter le succès

Être un novateur n'apporte pas toujours un grand succès tel qu'il se définit dans le monde du sport ou des affaires, autrement dit par de bons scores ou des gains financiers. L'histoire est si pleine d'inventeurs qui ont fini sans le sou que cette idée est devenue un lieu commun. La reconnaissance d'une innovation est un point critique, tout comme la volonté et la capacité à l'exploiter.

Les échecs ont aussi leur lot de penseurs originaux ayant échoué à atteindre les sommets en tant que joueurs. Il est difficile de les considérer comme des ratés dans la mesure où ils ont grandement contribué au développement du jeu. Plusieurs de ces joueurs trouvèrent un biais pour utiliser leur créativité d'une façon gratifiante en aidant d'autres à gagner.

Anatoly Karpov et Victor Kortchnoï sont des noms bien connus par tous les passionnés d'échecs. Ils s'affrontèrent dans deux matchs de championnat du monde consécutifs, en 1978 et en 1981, le jeune Karpov sortant vainqueur les deux fois. (En réalité, leurs matchs remontent même à plus loin, à 1974 où Karpov battit Kortchnoï pour pouvoir affronter Bobby Fischer en championnat du monde. Leur match devint de fait un championnat du monde quand Fischer renonça au titre en refusant de jouer.) Moins connus sont les noms des entraîneurs qui les assistèrent dans ces batailles, imprégnant leurs jeux de riches idées pour les ouvertures.

Yaacov Murey était l'un des seconds de Kortchnoï et Igor Zaitsev assistait Karpov. Kortchnoï était un joueur d'une grande créativité qui ne travaillait jamais bien longtemps avec quiconque. Il éprouvait le besoin de renouveler son entourage pour glaner de nouvelles idées tout autant que pour faire jaillir les siennes. En revanche, Karpov avait bénéficié durant toute sa carrière du soutien d'un groupe stable de collaborateurs l'assistant depuis bien longtemps. Il avait une capacité redoutable à assimiler et à synthétiser de nouvelles idées ainsi qu'à optimiser leurs effets. Nous pouvons observer ces mêmes différences d'approche dans le monde du travail ou de la politique. Un Premier ministre fraîchement promu va-t-il remplir son cabinet d'associés de longue date afin d'établir une structure de commande solide ou bien va-t-il s'entourer de gens relativement nouveaux qui le stimuleront intellectuellement, au point même de le contredire parfois ?

Ni Murey ni Zaitsev ne s'approchèrent de l'élite mondiale, mais tous deux se consacraient à trouver de nouvelles voies pour les ouvertures. Comme nombre de grands inventeurs d'échecs, ils prêtèrent leur expertise et leur créativité à des joueurs plus forts, leur donnant un élan initial à la façon dont les « pousseurs » d'une équipe de bobsleigh lancent le démarrage avant de sauter dans l'engin tête baissée.

Qu'ont-ils donc de plus que les autres ? Pourquoi certains joueurs, certains êtres, sont-ils plus créatifs ? Tout d'abord, ils partagent un certain degré d'irréalisme. C'est un problème sur l'échiquier mais c'est un atout pour le jaillissement de nouvelles idées qui peuvent être ensuite modérées par un tempérament plus posé. Ils ont agité des pensées sans se soucier de savoir si chacune d'elles était parfaite. Peut-être leur taux de succès était-il infime au départ, mais ils ont produit une telle quantité d'idées que, à travers leurs essais et leurs erreurs, ils ont augmenté petit à petit leur pourcentage de réussite. Ils ont établi, pour ainsi dire, une routine de créativité. La production constante de nouvelles idées nourrit et aiguise l'intuition.

Certaines de leurs inventions étaient si significatives qu'elles continuent de porter leurs noms. La variante Zaitsev de la Ruy Lopez était probablement le dernier système important à porter un nom de ce type quand son inventeur éponyme le développa au milieu des années 70. On peut regretter qu'il n'y ait pas de brevet pour les variantes d'échecs, aussi Igor en tira-t-il peu de bénéfice, hormis une certaine reconnaissance, quand les joueurs utilisèrent ses idées dans le monde entier.

Quoi qu'il en soit, il y a de nombreuses similitudes entre les innovations échiquéennes et les inventions dans la vie réelle. Les unes et les autres se sont considérablement noyées, avec la mondialisation croissante, dans le flux des informations.

La transition entre l'imitateur et l'inventeur

Quand Amazon développe une nouvelle spécialité sur son site, elle est immédiatement partagée avec le reste du monde. La programmation sur le web n'est pas comme la formule secrète de Coca-Cola ou une invention telle que le lecteur de DVD. Les concurrents directs d'Amazon, peuvent facilement copier, sinon le code exact, du moins le concept et la spécialité elle-même. Ceci a conduit à des tentatives, compréhensibles mais aussi de plus en plus absurdes, pour faire breveter toutes sortes d'idées, aussi simples et évidentes soient-elles.

Le concept de droits de propriété intellectuelle est un élément décisif pour assurer aux inventeurs une récompense de leurs efforts. Mais que dire des tentatives pour faire breveter l'usage de smiley dans le courrier électronique ou la capacité d'acheter des produits sur Internet d'un simple clic ? Les deux ont été tentés respectivement par Microsoft et par Amazon. De toute évidence, l'Office des brevets n'avait pas de telles choses en tête à l'origine. Mais maintenant, comment faire face à la marchandisation croissante de l'information ? Puisque tout est accessible à tout le monde, rapidement et gratuitement, pourquoi chercher encore à innover ?

Bien sûr, si chacun avait raisonné ainsi, nous serions encore en train de vivre dans des cavernes, mais la société a aussi besoin d'imitateurs. Si nous ne pouvons nous offrir un iPod, nous avons la possibilité de trouver un lecteur MP3 dans notre ordre de prix. L'histoire de la technologie nous prouve qu'il est impossible de prévoir ce qui sera au sommet du hit-parade. Certaines idées nouvelles sont des fiascos et il faut bien accepter quelques déconvenues. Comme le disait Thomas Watson, le fondateur d'IBM : « Si vous voulez réussir, doublez votre taux de ratages. » Si vous n'échouez pas, au moins occasionnellement, c'est que vous ne prenez pas les risques suffisants pour être un innovateur.

La raison la moins visible et pourtant la plus importante d'investir dans la recherche et l'innovation est qu'il vous faut rester sur le fil si vous voulez avoir un grand impact. Vous ne pouvez passer brusquement de la position de suiveur à celle de leader, car seul le leader possède la vision de l'avenir. Les meilleurs imitateurs peuvent quand même finir par devenir des inventeurs s'ils veulent étendre leur territoire et avoir davantage de succès. Ceux qui échouent à le faire sont habituellement supplantés par d'autres imitateurs. Si risquée soit l'innovation (l'une de mes devises favorites est : « Les pionniers sont criblés de flèches. »), il est encore plus risqué de ne pas innover.

La transition de l'imitateur à l'innovateur se voit couramment à tous les niveaux. Les produits japonais étaient considérés par les Américains comme de pâles copies, de mauvaise qualité, des produits européens et américains. Il y a à peine trente ans, « Made in Japan » était presque synonyme de camelote dans tous les domaines, de la radio aux automobiles. Le flot des importations à bas prix et des imitations déferlant sur le marché a provoqué un changement radical dans l'industrie électronique de consommation. De nouvelles caractéristiques et une technologie de pointe ne furent pas aussi significatives pour le marché de la télévision que la baisse du coût de production entraînant une baisse de prix pour le consommateur. Incapables de s'adapter suffisamment vite, la plupart des fabricants américains abandonnèrent bientôt le marché ou se retirèrent complètement de l'industrie, laissant le champ libre aux entreprises japonaises. Les Japonais furent alors confrontés à la nécessité de produire des modèles de meilleures finitions avec de nouvelles caractéristiques exigées par les consommateurs. Et il ne fallut pas longtemps pour que les entreprises japonaises soient imitées à leur tour. La Corée et Taiwan se mirent rapidement sur le marché du bas prix tandis que les entreprises japonaises investissaient davantage dans la recherche et le développement. Les Japonais avaient été contraints de devenir des innovateurs.

La seule solution pour survivre est de ne jamais s'arrêter de grimper vers le sommet de la pyramide. Vous ne pouvez vous permettre de rester en bas, la concurrence y est trop violente. Il s'y trouvera toujours des nouveaux venus pourvus de certains avantages pour l'offensive. À l'image du darwinisme dans la nature, l'innovation est littéralement une question de survie. Pour survivre il faut savoir s'adapter.

Les innovations de l'évolution

Il est assez facile d'identifier des inventions telles que l'ampoule électrique ou la télévision comme des symboles de la pensée innovante. L'impact de ces inventions sur la société pour les générations à venir est déjà plus difficile à évaluer. Les inventions les plus novatrices sont celles qui, par des effets en cascade, créent de nouvelles façons de penser et de vivre. Être conscient de ces effets, de leur vitesse de mouvement et de leur direction, est une part intrinsèque du rôle de l'innovateur.

Peu d'entre nous ont besoin d'avoir la vision d'ensemble d'un P-DG ou d'un Premier ministre. Nous n'avons pas non plus le besoin vital, ainsi qu'un médecin, d'être au fait des derniers développements médicaux. Cependant, nous avons tout à gagner à nous maintenir dans le courant des tendances qui sont dans l'air du temps. Par exemple en tant que parents, nous devrions suivre les derniers développements et orientations en matière d'éducation. Nous essayons souvent de nous débrouiller avec le moins d'informations possible au lieu de chercher à en avoir davantage. Que savons-nous des derniers développements dans les domaines qui affectent notre travail ou notre famille ? Plus nous aurons d'informations et plus nous serons à même de trouver des voies meilleures et nouvelles pour améliorer notre qualité de vie.

Nous avons tous un ami qui possède constamment les derniers gadgets et la technologie la plus récente, que ce soit dans sa poche ou dans sa cuisine, et qui les remplace régulièrement par des modèles inédits. Quoi que vous mangiez, il vient de lire une nouvelle étude démontrant les effets dévastateurs de cet aliment – jusqu'au mois prochain où une autre étude prouvera exactement le contraire. Ce trait de caractère plutôt comique illustre bien la mince différence qui sépare l'innovateur de celui qui se contente de suivre les dadas du moment. Acheter les derniers jouets et croire aux dernières trouvailles n'est pas la même chose que de réfléchir à leur signification. Autrement dit, les implications ultérieures d'une invention sont souvent une mesure plus réelle de sa valeur que son utilité proprement dite.

L'ancien slogan de Microsoft, « Un ordinateur sur chaque bureau et dans chaque foyer », paraît daté, alors qu'il s'est pratiquement réalisé. Il n'y a pas si longtemps que nombre de penseurs en technologies affichaient un scepticisme déclaré concernant l'avenir du PC. En 1977, Ken Olsen, président du Digital Equipment Corporation (DEC), déclara à l'auditoire de la convention de la World Future Society : « Il n'y aucune raison pour qu'un particulier ait un ordinateur chez lui. » Cette déclaration se fit dans la même année où Steve Jobs et Steve Wozniak mirent sur le marché l'ordinateur personnel Apple II qui devait amorcer la révolution du PC. À l'évidence, le président du DEC – et il n'était pas le seul – était incapable d'envisager les implications de la technologie dont il était un expert.

L'adaptation et l'innovation sont partout, bien que généralement à plus petite échelle. Par exemple, l'omniprésent iPod. Quand tout le monde commença à acheter des lecteurs portables MP3, peu de gens se demandèrent ce que cela pourrait entraîner. Le MP3 ne servit pas seulement à écouter de la musique mais généra un nouveau type de distribution de l'information, le podcasting.

Comprendre les implications des inventions

Comme dans la nature, les effets plus profonds n'émergent que très lentement en comparaison de l'apparition des innovations individuelles. Pour poursuivre l'analogie, les effets à long terme révèlent l'évolution des idées tandis que les variations et inventions sont analogues aux mutations. S'ils réussissent et survivent à l'état sauvage, ils peuvent s'additionner pour former un grand changement et entraîner des changements plus importants encore.

Les principales étapes de la diffusion de l'information fournissent de bons exemples de cet effet. Chacun a marqué un point décisif dans l'avancée de la civilisation. L'invention de l'alphabet et de l'écriture a sorti l'être humain de l'âge de pierre. Les lois écrites, les inventaires et les contrats ont révolutionné la vie politique et le commerce car ils ont permis la création d'archives

permanentes et objectives. Puis la presse écrite a démocra-
tisé la distribution de l'information, la rendant beaucoup
plus difficile à contrôler. L'espèce humaine entra dans
l'ère moderne scientifique avec la création de références
communes.

Internet est le pas suivant sur le chemin de l'accès à
l'information universelle. Il est en marche vers l'établissement d'un accès sans frontière, instantané, à la totalité des
connaissances de l'espèce humaine et à la communication
immédiate avec n'importe qui sur terre. Son impact sur
notre société est déjà extraordinaire, alors même qu'il lui
reste à conquérir les aires sous-développées de la planète
où ses effets vont être des plus foudroyants.

Nous entendons tant de choses sur Internet, et il fait
tellement partie de notre vie quotidienne, que nous
omettons souvent de considérer l'impact immense qu'il a
sur notre monde. Nos enfants ne vont pas grandir dans le
même monde que nous. Leur éducation sera, ou du moins
devrait être, entièrement différente. Considérez le potentiel pour l'éducation des jeunes enfants, pour les modèles
de carrière atypiques, ce que peut signifier pour un enfant
de six ans d'avoir la possibilité de se procurer littéralement n'importe quelle information sur n'importe quel sujet
en quelques secondes.

Tout cela est merveilleux, mais qu'en est-il des conséquences, positives et négatives ? Quelle en est la signification par rapport au développement de l'esprit critique de
nos enfants ? À leur motivation à passer du temps à approfondir un sujet ? La possibilité d'obtenir des réponses
instantanées va-t-elle finir par atrophier les muscles
mentaux à la manière dont nos quadriceps et nos biceps se
sont amollis à force de rester assis à un bureau toute la

journée ? Quelqu'un qui se trouve au Bangladesh à dix mille kilomètres peut-il faire votre travail ? Ou, pour être plus optimiste, pouvez-vous rester chez vous et travailler pour une société allemande, brésilienne ou indienne ?

Être simplement au courant des technologies et s'en servir est complètement différent du fait de considérer ses implications et d'intégrer ces considérations dans nos stratégies de vie. Pendant les trente années de ma carrière échiquéenne, je me suis toujours demandé quelles implications pouvaient avoir les innovations sur mon monde, le monde des échecs. Normalement, nous devons pouvoir tirer ces points de vue de la lecture des informations ou de conversations avec des amis informés. Mais parfois, ils viennent d'une source complètement inattendue.

Un enfant sera notre guide

En 1985, j'avais vingt-deux ans et je venais d'obtenir le titre de champion du monde d'échecs. Un des avantages de ma nouvelle position était la possibilité d'obtenir l'un des premiers ordinateurs à usage personnel, parmi les rares qu'on pouvait se procurer dans ma ville natale de Bakou. Les utilisations en étaient très limitées pour autant que je me souvienne, mais je n'en étais pas moins fasciné. Un jour, je reçus un colis par courrier d'un étranger nommé Frédéric Friedel, écrivain scientifique et fan d'échecs vivant à Hambourg en Allemagne. Avec un témoignage d'admiration, il m'envoyait une disquette contenant plusieurs jeux informatiques, dont l'un appelé Hopper.

Les jeux vidéo n'avaient pas alors le succès qu'ils connurent par la suite aux États-Unis et je relevai le défi avec enthousiasme. Je dois admettre que je passai le plus clair de mon temps libre des semaines suivantes à pratiquer le Hopper et à obtenir des scores de plus en plus élevés.

Quelques mois plus tard, je partis pour Hambourg à l'occasion d'un événement échiquéen et fis en sorte de passer voir M. Friedel. Je rencontrai sa femme et ses deux jeunes fils, Martin, dix ans, et Tommy, trois ans. Ils m'accueillirent chaleureusement et Frédéric était impatient de me montrer les derniers développements de son propre ordinateur. Je m'arrangeai pour glisser dans la conversation que j'avais complètement maîtrisé l'un des petits jeux qu'il m'avait envoyés.

« Vous savez, je suis le meilleur joueur sur Hopper à Bakou, dis-je, omettant de mentionner le manque total de compétition.

— Quel est votre meilleur score ? demanda-t-il.

— Seize mille, répondis-je, un peu surpris que ce nombre extraordinaire ne lui fît même pas lever un sourcil.

— Très impressionnant, dit Frédéric, mais ce n'est pas un score si élevé chez nous.

— Quoi ? Vous pouvez faire mieux ? demandai-je.

— Non, pas moi.

— Ah, d'accord, Martin doit être le champion des jeux vidéo.

— Non, pas Martin. »

J'eus le sentiment de couler à pic en comprenant soudain au sourire qui se dessinait sur le visage de Frédéric que le champion en Hopper de la maisonnée n'était autre que le petit de trois ans. Je n'arrivais pas à le croire. « Ce ne peut pas être Tommy ! » Mes craintes furent confirmées quand Frédéric conduisit son petit garçon à l'ordinateur et l'assit à côté de nous tandis que l'ordinateur chargeait le jeu familier. En qualité d'invité, j'eus le privilège de commencer et en cette occasion, j'atteignis mon meilleur score, soit dix-neuf mille points.

Mon succès fut pourtant de courte durée quand Tommy prit son tour. Ses petits doigts couraient à toute vitesse et en quelques instants, le score monta à vingt mille, puis trente mille. Je compris qu'il me faudrait m'avouer vaincu avant la fin de la soirée. Ma cause était clairement entendue.

Perdre au Hopper contre un bambin était moins difficile pour mon ego que n'importe quelle défaite contre Anatoly Karpov, mais cela me donnait pourtant à réfléchir. Comment mon pays allait-il se défendre contre une génération de petits génies de l'informatique élevés dans l'Ouest ? J'en étais là, l'un des rares dans ma ville soviétique à posséder un ordinateur, et adroitement distancé par un Allemand en bas âge. Et quelles en seraient les implications pour les échecs ? Qu'allait-il se passer si nous avions la possibilité d'archiver et d'étudier les parties d'échecs de la même manière que nous utilisions nos PC pour écrire des lettres et pour garder des données en mémoire ? Cela allait représenter une arme puissante que je ne devais pas être le dernier à posséder.

Mais ma première opportunité pour utiliser ce que j'avais tiré de cette leçon ne fut pas en rapport avec les échecs. Quand je signai un contrat de sponsoring avec la société informatique Atari, j'eus, à titre de paiement, plus de cent ordinateurs à rapporter à un club pour les jeunes de Moscou, le premier du genre en Union soviétique. Nous ne pouvions en rester à l'âge de pierre tandis que Tommy et ses compatriotes aux doigts agiles prenaient possession du monde.

J'avais eu aussi l'opportunité d'explorer une autre voie avec Frédéric : comment un ordinateur familial pouvait être utilisé comme outil échiquéen. Nos conversations débouchèrent sur la création de la première version de ChessBase, un nom maintenant synonyme du logiciel d'échecs professionnel en raison de la société du même nom cofondée par Frédéric à Hambourg. ChessBase était le résultat d'un ralliement à l'innovation et d'une ouverture aux tendances et aux nouvelles possibilités. (Et bien que Martin et Tommy n'aient pas jusqu'à présent pris possession du monde, tous deux sont de brillants professionnels en design informatique et programmation.)

Les ordinateurs font évoluer le jeu

Malgré le pressentiment que j'eus de la puissance d'un outil tel qu'une base de données pour les échecs, je ne pris pas l'entière mesure de l'influence des ordinateurs sur le jeu. Cependant, en regardant en arrière, j'aurais difficilement pu prévoir l'impact que les programmes informatiques allaient avoir. Les ordinateurs et les logiciels d'échecs étaient presque risiblement faibles dans les années 80. Nous comprenions tous confusément qu'ils allaient développer leur puissance, et même peut-être arriver à battre le champion du monde, mais peu considérèrent ce que cela allait signifier au sens large pour ce sport.

Vous pourriez pardonner ma sous-estimation si vous aviez assisté à cet événement à Hambourg en 1985. Je jouais contre trente-deux ordinateurs différents en même temps, dans ce que nous appelons une exhibition de parties simultanées. J'allais de l'un à l'autre, jouant mes coups pendant plus de cinq heures. Les quatre meilleurs fabricants avaient envoyé leurs modèles de pointe, y compris huit de Saitek qui portaient mon nom. Sachant que personne ne fut très surpris de mon score parfait 32-0, bien qu'il y eut un moment difficile, cela vous donne une idée du niveau des ordinateurs d'échecs.

Au cours d'une partie, je vis que je m'étais laissé entraîner dans une situation embarrassante, et c'était justement contre un modèle « Kasparov ». Si cette machine me battait ou même faisait une nullité, les gens auraient vite fait de dire que j'avais fait exprès de ne pas gagner pour devenir le « public relations » de la marque, il me fallait donc redoubler d'efforts. Finalement, je trouvai une astuce avec un sacrifice que la machine aurait dû refuser. Ah, le bon vieux temps des anciens ordinateurs…

De nos jours, vous pouvez acheter un logiciel PC ChessBase comme Fritz ou Junior qui écrasera la plupart des Grands Maîtres. En 2003, j'ai fait des matchs sérieux (en ne jouant qu'une partie à la fois bien sûr) contre de nouvelles versions de ces logiciels lancés sur des serveurs à puissants multiprocesseurs – mais disponibles dans le commerce – et dans les deux cas, le score était égal. Que ce jour puisse arriver avait été prévu par beaucoup d'observateurs et de programmeurs des dizaines d'années auparavant. Mais personne ne comprit toutes les ramifications conséquentes au fait d'avoir un super-GM sur son portable et particulièrement à ce que cela allait signifier pour les joueurs professionnels.

Il y eut beaucoup de scénarios apocalyptiques racontant comment les gens perdraient tout intérêt pour le jeu avec l'avènement des machines. D'autres postulèrent que le jeu serait entièrement résolu, c'est-à-dire que les ordinateurs pourraient trouver un cheminement mathématique conduisant une partie tout entière jusqu'à une victoire finale assurée. Aucune de ces sombres prédictions ne se réalisa, ni ne se réalisera jamais. Mais il y eut de multiples conséquences inattendues, tant positives que négatives, de la rapide prolifération des puissants logiciels d'échecs.

Les enfants adorent les ordinateurs et vont naturellement vers eux, il n'est donc pas étonnant que la même chose se produise pour une combinaison d'ordinateurs et d'échecs. Avec l'introduction d'un logiciel superpuissant, il devint possible pour un enfant d'avoir dès le plus jeune âge un adversaire d'excellent niveau à la maison au lieu d'un entraîneur professionnel. Les pays qui n'ont pas une grande tradition d'échecs et qui disposent de peu d'entraîneurs de bon niveau peuvent malgré tout produire des prodiges, et c'est d'ailleurs le cas.

L'usage massif des ordinateurs d'analyse a poussé le jeu lui-même dans de nouvelles directions. La machine ne se soucie ni du style, ni des modèles, ni d'une théorie établie depuis des centaines d'années. Elle se contente de compter le matériel, analyse plusieurs milliards de positions, et compte encore. Elle n'a pas le moindre préjugé ni la moindre doctrine, ce qui a contribué au développement de joueurs presque aussi dénués d'idées préconçues que les machines avec lesquelles ils s'entraînent. La devise du jeu moderne est devenue « C'est à voir ». De plus en plus, un coup n'est ni bon ni mauvais sous prétexte qu'il a l'air de l'être ou qu'il n'a jamais été joué auparavant. Il est simplement bon s'il est efficace et mauvais s'il ne l'est pas. Bien qu'il soit nécessaire d'avoir une grande part d'intuition et de logique pour bien jouer, les humains commencent à jouer de plus en plus comme les ordinateurs.

Les idées sont le reflet de la société

Ceci n'est que la dernière phase du développement d'un jeu ancien. Les échecs ont connu de multiples changements à travers les siècles. La version européenne moderne des échecs – pour éviter la confusion avec le Shogi et le Xiangqi, souvent cités respectivement comme les échecs japonais et les échecs chinois – doit avoir l'archivage de règles le plus ancien de tous les jeux actuellement répandus. Avec un peu d'imagination, nous pourrions faire un parallèle entre son développement et celui des connaissances humaines.

Que le premier jeu intellectuel occidental reflète la société de bien des façons n'est pas fait pour nous surprendre. De tels parallèles se retrouvent dans les arts raffinés, la musique et la littérature. Les premières têtes de file dans ce jeu sont apparues au milieu de la Renaissance, en Italie et en Espagne. L'auteur du livre le plus ancien qui nous soit resté sur la pratique des échecs, Lucena, était étudiant à l'université de Salamanque quand il publia son livre en 1497. Il établissait la transition entre les anciennes formes du jeu et les règles modernes, qui n'ont que très peu changé dans les cinq cents ans qui suivirent.

Le premier Grand Maître, le Français François André Danican Philidor, qui avait essayé de créer une théorie positionnelle du jeu, vivait au siècle des Lumières et de la philosophie rationaliste. Nous pouvons même avancer que cette phrase mémorable : « Les pions sont l'âme du jeu », anticipait étrangement la Révolution française.

Dans la première moitié du XIXᵉ siècle, les échecs prenaient modèle sur la réalité géopolitique et constituaient l'arène de batailles continuelles pour la suprématie entre la France et l'Angleterre. Au milieu du siècle, on vit émerger le joueur attaquant légendaire, Adolf Anderssen, originaire d'Allemagne. Son style audacieux et ses sacrifices spectaculaires illustraient les triomphes de l'esprit sur la matière. Comme nous l'avons vu, il ne fut dépassé – et pour un temps très court – que par le météorique Américain Paul Morphy. Pour deux ans seulement – 1857-1858 – Morphy sortit de nulle part avec un mélange détonant de pragmatisme, d'agressivité et de puissance de calcul, personnifiant les caractéristiques de sa nation tout en devenant le premier champion du monde américain à chaque épreuve.

Le premier championnat du monde officiel eut lieu en 1886 aux États-Unis. Cela surprend souvent les Américains qui, pour la plupart, ne considèrent pas les échecs comme un sport sérieux. La majorité des épreuves pour le championnat du monde se déroulèrent pourtant bien aux États-Unis, attirant un parrainage considérable et une couverture médiatique nationale. Les enjeux sur les joueurs montaient jusqu'aux sommes fabuleuses de deux mille dollars chacun, une somme deux cents fois plus importante que le salaire hebdomadaire à ce moment-là. Ce premier match légendaire voyagea de New York à Saint Louis puis à La Nouvelle-Orléans, la ville natale du grand Morphy qui venait de mourir. Les concurrents étaient les meilleurs représentants des deux écoles : Johann Zukertort représentait l'âge romantique du jeu d'attaque tandis que Wilhelm Steinitz était le premier maître du jeu positionnel moderne.

La victoire décisive de Steinitz devint un modèle pour les joueurs à venir et donna le coup de grâce à la période romantique. Le premier champion du monde entreprit de codifier ses nouvelles théories du principe positionnel, d'une façon parfois un peu trop dogmatique.

Le mouvement suivant fut, après la Première Guerre mondiale, l'école hypermoderne. Les iconoclastes tels qu'Aaron Nimzowitsch et Richard Réti contestèrent les concepts traditionnels du jeu classique répandu par leurs aînés. Le tournant suivant fut celui de Mikhaïl Botvinnik, toujours en vie, qui fut la tête de file de l'approche soviétique, froide et scientifique. En 1972, Bobby Fischer incarna, comme Morphy, une explosion brève et puissante de l'individualisme américain, qui bouleversa le monde et poussa les échecs à un autre niveau.

L'ère actuelle des échecs, disons moderne, ou dynamique, ou informatisée, représente pleinement la condamnation à mort des « grands mensonges » et mythes du XXe siècle. Les principes idéologiques stricts sont derrière nous et ainsi en est-il de bien des doctrines passées du jeu d'échecs. Les tendances continuent à aller et venir, mais la seule règle réellement à l'œuvre de nos jours est l'absence de règles. Regardez le monde aujourd'hui et comment chaque chose est en mouvement, depuis la technologie de l'information jusqu'au transport et à la guerre. Qui peut dire que les échecs ne reflètent pas la vie ?

Mieux vaut un changement trop rapide que la peur du changement

Hormis le risque d'un fiasco retentissant, il y a peu de désavantages à être un innovateur. Être un petit peu trop en avance sur son temps ou sur le marché peut, à l'occasion, avoir des retombées négatives, mais même dans ce cas, les effets positifs l'emportent en général, bien que ce ne soit pas toujours pour la personne ou l'entreprise qui a fait l'erreur. Elles sèment des nouvelles façons de penser et, comme la plupart des erreurs, servent au moins à montrer ce qu'il ne faut pas faire, ce qui s'avère bien souvent tout aussi utile que de montrer ce qu'il faut faire. Comme dit toujours ma mère : « Un résultat négatif est aussi un résultat. » Comme un ingénieur, elle a une approche plus confiante et plus pratique des revers qu'un sportif.

Le scientifique John Carew Eccles passa la plus grande partie du début de sa carrière à essayer de prouver que les réactions synaptiques du cerveau étaient électriques plutôt que chimiques, et que le mental était en quelque sorte séparé du cerveau. En définitive, il s'était trompé. Mais ses arguments et ses expériences amenèrent beaucoup de découvertes importantes qui dérivèrent de ses erreurs ; sa dernière étude du système nerveux lui valut le prix Nobel. Thomas Edison résuma bien la chose quand il déclara : « Je n'ai pas échoué, j'ai seulement trouvé dix mille voies qui ne fonctionnaient pas. »

Naturellement, le monde de la haute technologie est plein de mises en œuvre précoces qui ne furent pas à la hauteur du potentiel d'idées se trouvant derrière elles. Après la Seconde Guerre mondiale, la société Northrop dessina un modèle de navigation aérienne pour l'armée américaine, le « flying wing », qui, de l'avis général, était plus efficace que tous les autres. Cependant, il paraissait trop insolite et comportait trop de caractéristiques innovantes pour être crédible auprès des décisionnaires. Certains l'appelèrent « plus avancé qu'il n'aurait dû », un étrange énoncé pour le monde technologique, mais approprié si nous prenons en compte les considérations réalistes du marché. Après quelques revers précoces, l'idée du projet dans son ensemble fut oubliée jusqu'aux années 80, où elle fit un retour couronné de succès sous la forme du bombardier furtif B-2.

Les choses peuvent être aussi trop nouvelles pour votre acheteur moyen. Les consommateurs ont souvent boudé un nouveau produit pour se mettre ensuite à l'acheter en masse seulement dix ans plus tard. De petites modifications sur le produit ou dans la culture peuvent faire une différence allant du désastre à la révolution de marché.

Quelques experts en informatique que j'ai assistés dans la fondation du club informatique de Moscou en 1986 étaient engagés dans le développement de la reconnaissance de l'écriture manuelle, finalement vendue à Apple qui l'utilisa pour créer l'un des premiers PDA, le MessagePad, appelé plus tard le Newton. L'Apple Newton semble familier à tout le monde maintenant que nous sommes environnés par Palm Pilot, Blackberrie et des douzaines d'autres imitateurs. Le Newton fut vendu de 1993 à 1999 mais ne fut jamais un grand succès. Il était très cher et un petit peu trop gros pour entrer dans la poche, un défaut fatal pour un appareil portable.

Les premiers Palm Pilot atteignirent le marché au moment où le Newton disparaissait. Un peu moins cher, un peu plus petit et doté d'une meilleure reconnaissance d'écriture, le Palm Pilot eut un succès immédiat. (On dit que l'un de ses créateurs, Jeff Hawkins, a porté dans sa poche un morceau de bois de la taille du Pilot pour tester la praticabilité de ce format.) Dans un tel cas, l'imitateur eut une grande réussite là où l'innovateur n'avait connu qu'un demi-succès. Mais le marché lui-même, les consommateurs et l'industrie technologique furent tous secoués par l'échec relatif d'Apple. Comme Eccles, ils ouvrirent la voie à ce qui allait marcher en montrant d'abord ce qui ne marchait pas.

L'évolution ne se soucie pas de rendre à César ce qui est à César. Elle ne se soucie pas de la contrefaçon sur le marché. Elle se soucie de la survie des meilleures idées sous une forme ou sous une autre. Les bonnes idées parviennent presque toujours à survivre, même si leurs enveloppes d'origine n'y parviennent pas.

Être trop en avance sur un plan stratégique peut coûter plus cher, particulièrement si ces idées échouent à s'enraciner ou entraînent des répercussions. Il peut être catastrophique de ne pas réussir à innover et à impulser des transformations, que ce soit dû aux circonstances ou à une simple lâcheté.

Le comte Mikhaïl Speransky était le Premier ministre du tsar Alexandre Ier de Russie au début du XIXe siècle. Idéaliste et réformateur, il entreprit la création d'un nouveau système constitutionnel complexe avec des élections régionales et des représentations démocratiques à un niveau local et étatique. Malgré sa grande influence, peu de ces fantastiques idées se réalisèrent en son temps.

Speransky ne tarda pas à finir ses jours en Sibérie, ayant perdu à la fois sa bataille et les plus grands privilèges de l'époque.

La Russie continua de travailler sous le régime féodal jusqu'à ce que les réformes du tsar Alexandre II en 1861, qui incluaient l'abolition du servage, se répandent très vite lors des pertes dévastatrices subies par la Russie dans la guerre de Crimée. Le couvercle de la marmite s'était soulevé, entraînant plus de libertés que le tsar n'était prêt à en accepter, et il ne mit pas longtemps à s'effondrer aux premiers signes d'un mouvement révolutionnaire. Ceci conduisit à des tentatives d'assassinat contre lui. En 1881, un groupe terroriste réussit à tuer Alexandre II le jour même où il signait un document annonçant son intention de mettre en œuvre la réforme constitutionnelle, non décrétée jusqu'ici. Depuis ce jour mémorable, le besoin évident de réformes radicales fut toujours entravé par la peur des tsars de ne pas pouvoir contrôler les consé-quences. La méfiance instinctive à l'égard des change-ments conduisit en ligne plus ou moins directe à la prise du pouvoir de la révolution bolchevique en 1917.

Les États-Unis souffrirent eux aussi de leur incapa-cité à accomplir des réformes au début de leur histoire. La question de l'abolition de l'esclavage se posa encore et encore dans les premiers temps de la république et chaque fois, elle fut abandonnée à la décision des générations futures. Thomas Jefferson, lui-même connu comme un possesseur d'esclaves, insista souvent sur sa révulsion à l'égard de cette pratique, mais en vint à considérer l'escla-vage comme un problème impossible à résoudre. Vers la fin de sa vie, il était suffisamment résigné pour écrire en 1817 dans une lettre : « Je laisse donc ceci aux générations futures. » Si grands penseurs que furent les pères fondateurs, ils n'eurent pas le courage de risquer des scissions sur la question de l'esclavage. Le débat sur l'esclavage fut mis de côté jusqu'à ce que cette question entre violemment en conflit avec les droits étatiques égalitaires. Toutes les voies avaient paru impraticables aux pères fondateurs, mais en ajournant l'affrontement, ils aboutirent finalement à la dévastation de la guerre civile.

Cette série d'anecdotes illustre notre capacité à trouver des parallèles utiles en analysant les événements, qu'ils viennent des livres d'histoire, de l'actualité ou de nos vies personnelles. Leur trame ordinaire peut nous aider à développer des modèles profitables à nos prises de décisions.

Le courage de lâcher prise

Le premier pas pour devenir un innovateur et le rester est d'être conscient des changements et des progrès qui se produisent autour de nous. L'observation pointue d'un domaine conduit souvent à une avancée dans un champ entièrement différent. Les tendances et les idées se soulèvent par vagues et il n'y a pas de coïncidence. Quand une masse critique de connaissances est atteinte, des idées et des innovations similaires commencent à surgir dans le monde entier. Nous devons garder un œil sur les tendances pour pouvoir en tirer profit et créer notre propre tendance.

Se libérer de la pensée dogmatique est plus facile à dire qu'à faire. L'originalité exige une grande quantité de travail et d'audace. Comme l'écrivait le psychanalyste allemand et américain Erich Fromm : « La créativité suppose le courage d'abandonner ses certitudes. » Nous chérissons ce que nous connaissons, nous nous appuyons dessus et nous en tirons une fierté. Pour faire un pas supplémentaire dans une résolution des problèmes et avoir une réflexion originale, il nous faut accepter de lâcher un peu notre prise sur cette connaissance déjà acquise, juste assez pour obtenir un nouvel angle de vue, une perspective inédite. Dûment inspirés dans notre quête de créativité, il ne faut pas oublier l'importance d'une bonne estimation de nos acquis avant de se mettre en chemin vers de nouvelles réalisations.

Une fois que nous avons entièrement assimilé nos connaissances, nous pouvons nous en distancer pour obtenir une vue d'ensemble. À partir de là, nous avons la possibilité de trouver de nouvelles voies et d'établir de nouvelles connexions. Des rapports insoupçonnés se révèlent, les anciennes informations apparaissent sous un jour inaccoutumé et l'innovation devient la norme au lieu d'être l'exception.

Sir Winston Churchill (1847-1965)

Le grand homme d'État britannique, auteur et commandant en période de guerre, n'a pas besoin d'être présenté. Je l'inclus ici afin de souligner l'importance particulière qu'il a pour moi ainsi que ma perception de sa grandeur. Les héros ne sont pas réservés aux enfants.

Churchill était regardé avec une certaine suspicion en Union soviétique. Nous pouvions le voir dans des films sur la guerre, mais c'était une image biaisée du leader britannique, une image qui lui concédait des qualités tout en le critiquant comme anticommuniste acharné. La chose principale que tout Soviétique connaissait à son propos était son discours de Fulton, bien plus que son rôle prépondérant dans la Seconde Guerre mondiale. En 1946, invité par le président Truman dans son État d'origine, le Missouri, Churchill annonça au monde l'avènement du « Rideau de fer ».

Naturellement, l'histoire de la Seconde Guerre mondiale était très différente en URSS. Selon nos livres d'histoire, les Alliés, se battant sur ce que nous appelons le deuxième front, nous soutinrent très peu car ils voulaient que les nazis tuent le plus de Soviétiques possible et que les Soviétiques tuent le plus de nazis possible. Tout était présenté de façon à donner l'impression que c'était l'URSS seule qui avait gagné la guerre. Mais grâce aux histoires de mon oncle et de mon grand-père, je compris très tôt le décalage qu'il y avait entre la propagande officielle et la réalité.

À mes débuts, je commençais à lire davantage en anglais et je tombais sur beaucoup de citations puissantes de Churchill. Ceci me conduisit à découvrir ses livres sur l'histoire et ce sont eux qui déclenchèrent mon admiration pour lui.

La clé pour moi fut la capacité de Churchill à résister à l'opinion publique et à s'exprimer publiquement sur de grandes idées. Trois moments de sa carrière illustrent à mes yeux sa façon d'aller droit au but. En premier lieu, ses avertissements des dangers du bolchevisme et son appel à « tuer le serpent dans l'œuf » (une phrase souvent citée dans les livres soviétiques au titre de démonstration du préjudice causé à l'URSS par Churchill). Vient ensuite son opposition à Hitler et aux nazis, où il fit même cause commune avec Staline. Et pour finir, le discours de Fulton dénonçant la menace que l'URSS faisait peser sur l'Europe après la Seconde Guerre mondiale : « Je me suis senti tenu de dépeindre l'obscurité qui, autant à l'Est qu'à l'Ouest, s'avançait sur le monde. »

Dans le premier cas, on l'ignora et nous en payons le prix aujourd'hui. Dans le deuxième cas, il fut entendu mais pas assez tôt pour sauver le monde du cataclysme de la Seconde Guerre mondiale. La troisième fois, il fut entendu, et suffisamment à temps pour inciter Truman à agir de façon plus décisive pour contenir la menace soviétique et pour sauver l'Europe de l'Ouest, ainsi que la Corée du Sud et Taïwan.

Ma découverte de Churchill se produisit à un moment opportun de ma vie. L'effondrement de l'URSS rendait les vieilles batailles obsolètes et j'étais en quête de nouvelles idées. Il m'inspira pour trouver un rôle actif dans un monde où les politiciens semblaient incapables de résister à la pression des scrutins.

11. Phases de la partie

*« Avant la finale, les dieux ont placé le
milieu de partie. »*

Siegbert Tarrasch

La première ligne du célèbre discours d'Abraham
Lincoln « House Divided » en 1858 est une bonne observation sur la nécessité d'établir un plan fondé sur des
objectifs. « Si nous pouvions d'abord savoir où nous allons
et ce vers quoi nous tendons, nous serions mieux à même
de juger ce qu'il convient de faire et comment le faire. »
Lincoln aurait pu ajouter qu'il ne s'agit pas seulement de
savoir où l'on va mais aussi où l'on est. Le projet comme
l'innovation demandent un solide enracinement dans le
présent. C'est le seul moyen de savoir « ce vers quoi nous
tendons ». Il nous faut apprendre à sentir d'où vient le vent
et dans quelle direction il souffle.

À travers les siècles, d'innombrables théories se sont
développées ayant pour but de simplifier le jeu d'échecs
pour les étudiants. L'une des idées qui demeura le plus

longtemps fut celle de diviser le jeu en trois parties, ou phases : l'ouverture, le milieu de partie et la finale. Il n'existe pas de façon universelle de dire exactement quand l'une finit et quand l'autre commence, mais il est indiscutable que chacune d'elles a des distinctions caractéristiques et que chacune pose des problèmes qui privilégient différents modes de réflexion.

Chaque coup doit avoir sa justification

L'ouverture est la phase de la partie où les lignes de bataille se dessinent. Les pions établissent les contours de la structure, les pièces quittent la rangée du fond pour prendre des positions d'attaque ou de défense.

La fin de la phase d'ouverture correspond généralement au moment où le roi a roqué pour se mettre à l'abri et que les pièces ont quitté leur case de départ. C'est une définition théorique utile, bien qu'elle comporte nombre d'insuffisances dans l'ère moderne du jeu. L'ouverture est beaucoup plus qu'une mobilisation de forces. Elle établit le type de bataille à venir et est la première et meilleure opportunité pour orienter la partie dans des directions où vous êtes mieux équipé pour vous battre que votre adversaire. L'ouverture est la phase la plus difficile, la plus subtile de la partie, surtout au plus haut niveau de compétition.

Il nous faut ici faire une distinction entre la phase générale de la partie que nous appelons « l'ouverture » et « les ouvertures ». Nous utilisons le terme « les ouvertures » pour décrire les centaines de séquences de coups spécifiques qui peuvent entamer une partie. Elles ont généralement des noms, tels que les variantes précitées Zaitsev ou Dragon. Ces noms peuvent venir du joueur qui a trouvé la variante, de la ville ou du pays où la partie d'origine fut jouée, ou ce peut être aussi une description prosaïque – ou poétique – de la position. (La variante du Dragon est réputée tirer son nom de la façon dont l'alignement des pions rappelle la constellation Draco.) Les noms des ouvertures forment une grande part du précieux jargon du joueur d'échecs, nous permettant de discuter de tout depuis la Défense sicilienne jusqu'au Système Maroczy et depuis le Gambit Marshall jusqu'à la défense Est-Indienne.

Les joueurs, même dans les clubs amateurs, consacrent des heures à étudier et à mémoriser les lignes de leurs ouvertures préférées. L'idée erronée qui sous-tend cette occupation est qu'en connaissant la façon dont un grand maître a joué dans une position exactement identique en 1962, cela pourrait vous éviter d'avoir à réfléchir par vous-même. Vous pourriez vous contenter de suivre les parties de joueurs plus forts aussi longtemps que vous le pouvez et si vous vous en souvenez mieux que votre adversaire, il glissera hors du chemin et fera une faute.

C'est du moins la théorie mais elle se vérifie rarement. Bien avant de devenir un maître, le joueur s'aperçoit qu'il y a loin de la mémorisation mécanique, si prodigieuse soit-elle, à la compréhension. Il atteindra la fin de ce qu'il sait par cœur et se retrouvera seul dans une position qu'il ne comprend pas réellement. Sans savoir pourquoi les coups précédents ont été joués, il ne peut avoir qu'une faible idée de la manière de poursuivre.

En juin 2005 à New York, je donnai une session spéciale d'entraînement à un groupe de jeunes joueurs parmi les meilleurs aux États-Unis. Je leur avais demandé à tous d'apporter deux de leurs parties, une gagnée et une perdue, pour que nous puissions les revoir ensemble. Un garçon très doué âgé de douze ans passait à toute vitesse sur les coups d'ouverture, impatient d'arriver au moment où il pensait avoir fait une faute. Je l'arrêtai, lui demandai pourquoi il avait poussé un certain pion dans cette variante subtile d'ouverture et sa réponse ne me surprit pas : « C'est ce que Vallejo avait joué ! » Bien entendu, je savais aussi que le grand maître espagnol Paco Vallejo Pous avait utilisé ce coup dans un jeu récent, mais si ce gamin ne comprenait pas la motivation sous-jacente à ce coup, il était déjà en route pour les ennuis.

Sa réponse me ramena trente ans en arrière, lors de mes propres sessions avec Mikhaïl Botvinnik. Plus d'une fois, il m'avait réprimandé pour avoir commis exactement la même faute. Le grand enseignant insistait sur le fait qu'il fallait connaître la rationalité de chaque coup. Tous les élèves de Botvinnik avaient appris à devenir de grands sceptiques, même concernant les coups des meilleurs joueurs. La plupart du temps, nous découvrions finalement qu'il y avait une idée puissante derrière chaque coup de grand maître, mais nous avons aussi trouvé des améliorations.

Pour les joueurs qui s'en remettent au par cœur, l'ouverture se termine à expiration des coups mémorisés, quand ils doivent commencer à réfléchir par eux-mêmes. Ceci peut se produire au cinquième coup ou au trentième, mais cette méthode inhibe toujours le développement d'un joueur. Pour un joueur de niveau international c'est autre chose ; il connaît le « pourquoi » de chacun des coups. Pour le développement, il est beaucoup plus important de réfléchir par soi-même dès le début.

Le but de l'ouverture n'est pas de s'en débarrasser, mais de poser les bases du type de milieu de partie que vous souhaitez. Ce qui peut aussi vouloir dire de manœuvrer pour installer un type de jeu que votre adversaire n'aime pas. Une telle mise en œuvre demande une préparation, de l'étude et une connaissance de l'adversaire. Quelles sont les ouvertures de prédilection de mon opposant ? Que s'est-il passé les dernières fois que nous nous sommes rencontrés ? Puis-je trouver une nouvelle idée, dans l'une de ces ouvertures, qui me donnerait un avantage dès le début ? Quels types de positions mettent mon adversaire mal à l'aise ? Quel choix d'ouverture peut nous conduire dans l'une de ces positions ? Il faut prendre des décisions afin de réduire le champ de vision et cela avant que l'étude sérieuse ne commence car il est impossible de tout préparer en même temps. Il faut établir des priorités.

La créativité dans la phase d'ouverture se manifeste maintenant davantage dans le confort de la maison plutôt que devant l'échiquier. Les bases de données contiennent presque chaque partie sérieuse qui ait jamais été jouée, incluant, grâce à Internet, ce qui fut joué la veille même du jour où nous sommes. Vous pouvez récapituler la carrière toute entière de votre opposant en une seconde et voir ses tendances, ses faiblesses et les lacunes de son répertoire d'ouvertures. Puis vous vous dirigez vers l'échiquier pour affronter quelqu'un qui a fait la même chose avec vous.

Pendant la période où le simple joueur devient un Grand Maître, presque tout son temps d'entraînement est consacré au travail de cette première phase. Les ouvertures sont la seule phase où l'on a la possibilité d'une application originale. On peut y trouver quelque chose qui n'a jamais été réalisé auparavant. Bien que ce champ se réduise d'année en année, il y subsiste encore un vaste territoire inexploré. Vous pouvez vous lancer par vous-même sans que personne sache ce que vous tramez. Vous pouvez chercher des pièges et de nouvelles idées et, au retour de ces explorations, vous trouver prêt à surprendre votre opposant. C'est pourquoi, alors même que vous n'êtes pas réellement en train de jouer dans ces moments-là, la préparation des ouvertures demande autant de créativité que de zèle.

C'est exactement comme un inventeur dans son laboratoire échafaudant de nouveaux systèmes et dispositifs. Au XIXᵉ siècle, il existait un grand nombre d'inventeurs amateurs, une espèce maintenant en voie de disparition. Quand avez-vous, pour la dernière fois et de votre propre chef, passé un laps de temps suffisamment long sur une investigation créatrice, en rapport ou non avec votre travail ? C'est souvent quand vous n'êtes ni à votre bureau ni devant l'échiquier que votre imagination est le plus fertile.

Avec une telle préparation et un tel bagage, le pouvoir de la surprise est tout à la fois plus difficile à accomplir et d'un effet supérieur. Une fois que vous avez établi quelles sont les lignes les plus critiques, vous (et votre ordinateur !) pouvez commencer à chercher de nouvelles idées pour surprendre votre adversaire.

Améliorer le produit

Cela ne demande pas beaucoup d'imagination de voir la valeur universelle d'une préparation. Cela ne demande pas non plus beaucoup d'investigation que de découvrir les exemples passés. Il faut, en revanche, beaucoup plus d'efforts pour comprendre ces exemples et pour les améliorer.

Quand une grande entreprise développe un *nouveau* produit, elle doit accomplir en amont une énorme quantité de travail. Il y a d'abord la recherche qui guide le développement du produit lui-même. Y a-t-il une niche pour lui sur le marché ? Notre concurrence a-t-elle une place dans cette ligne de production ? Et nous-mêmes ? Que veulent les consommateurs ? Quelles améliorations souhaiteraient-ils dans les produits qui sont déjà sur le marché ? Une étude de marché circonstanciée est aujourd'hui considérée comme incontournable pour chaque domaine de la consommation, de l'alimentation à la cinématographie. Si une fin de film hollywoodienne ne correspond pas aux désirs des spectateurs, on la change pour une autre.

Le travail de préparation ainsi que le terrain de bataille sont absolument décisifs pour toute entreprise. Ils sont essentiels pour optimiser nos forces et pour exploiter les faiblesses de notre adversaire. L'une des devises de Napoléon était de déstabiliser ses ennemis avant le début de la bataille. S'ils étaient en mouvement (« sortis de leur coquille »), ils étaient davantage sujets à la confusion.

L'art résulte de la sublimation d'un conflit

Nous en arrivons maintenant au milieu de la partie, le moment où les forces sont engagées. Les pièces se sont développées, les rois sont en sécurité (ou bien, plus excitant, ne le sont pas), et les lignes de bataille sont dessinées.

C'est l'heure de l'affrontement et le sang va couler. C'est le moment de la créativité, de la fantaisie et de l'énergie. Au début de la partie, les pièces sont inertes. L'ouverture prépare le saut, mettant les pièces en position pour libérer leur énergie. Au milieu de la partie se produisent les déflagrations.

Il est rare qu'un joueur soit exactement dans la position qu'il souhaite après l'ouverture et presque impossible que les deux joueurs soient contents en même temps. Vos plans sont toujours contrés et déviés par votre opposant, et vice versa. Ceci signifie qu'il faut sans cesse réajuster les évaluations et que les nouvelles du front sont perpétuellement en cours d'élaboration. Même si vous vous êtes trouvé dans une position rigoureusement semblable dans une partie précédente, il est délicat d'en reprendre l'évaluation, surtout à cause du fait que votre opposant est toujours averti de ce précédent et qu'il peut vous avoir préparé un mauvais coup. Nous observons le paysage, examinons les déséquilibres, et formulons une stratégie.

Notre analyse MTQ est similaire à celles que le monde de l'entreprise appelle rapports SWOT. SWOT signifie Strengths, Weaknesses, Opportunities, Threats[1]. Les deux positions doivent être évaluées en profondeur avant de formuler une stratégie. Nous devons aussi rester conscient de toute nécessité d'action immédiate. Pouvons-nous créer une menace qui contraindra notre adversaire à la défensive et l'empêchera de suivre son plan ? Devons-nous mettre nos projets stratégiques en attente pour répondre à un danger imminent ?

---

1. Forces, Faiblesses, Opportunités, Menaces. *(N.d.T.)*

À moins de considérations tactiques immédiates, nous pouvons poursuivre le processus de développement de notre stratégie et les objectifs intermédiaires qu'elle comporte. Ce processus a bien sûr commencé dans l'ouverture. N'oubliez pas que les phases du jeu n'ont pas de délimitation précise mais seulement des lignes d'indication générale qui deviennent moins utiles au fur et à mesure que notre niveau de jeu progresse. Nos mécanismes cognitifs doivent changer constamment en fonction de la situation présente. La stratégie d'une partie idéale constitue un fil directif pour toutes les phases.

L'ensemble des éléments qui font des échecs un art prend son origine dans le milieu de partie. Une recherche sommaire sur l'ouverture peut être déguisée par une brillante tactique. Les calculs poussés peuvent agir de concert avec des visions audacieuses. Le désastre complet se cache à chaque instant tandis qu'on optimise les forces dynamiques des pièces. Les commandants du champ de bataille relèvent les généraux d'arrière-garde. Plus que tout, le milieu de partie récompense l'action plutôt que la réaction. C'est la phase d'attaque et le combat pour l'initiative est souverain.

Le milieu de partie exige de rester en alerte à la fois sur la physionomie d'ensemble du jeu mais aussi sur ses schémas particuliers. Il s'agit ici d'idées générales que n'importe qui apprendra avec la pratique ; plus vous jouez, plus vous avez d'expérience, et meilleur vous devenez pour reconnaître les schémas et appliquer les solutions. Il reste encore une grande place pour la créativité. Celle-ci se manifeste surtout dans la capacité que nous avons à mettre en rapport des schémas connus avec de nouvelles positions pour trouver une solution unique : le meilleur coup.

Le peu d'étude concrète qui existe sur le milieu de partie vient de sa connexion avec l'ouverture, l'un de nos points clé de transition. L'ouverture dessine la configuration du milieu de partie et il peut être très utile, et même essentiel, de pousser votre étude de l'ouverture dans la réalité de l'action du milieu de partie. C'est pourquoi il est si important d'étudier des parties entières d'échecs et pas seulement les coups d'ouverture. C'est aussi pourquoi les écoles de commerce se sont plus largement orientées sur les méthodes d'études de cas particuliers plutôt que sur la théorie. Toute l'étude et la préparation du monde ne pourront jamais vous montrer ce qui arrivera dans la réalité imprévisible. Il est plus instructif d'observer les plans types en action, erreurs et accidents inclus, que de planifier dans sa tour d'ivoire.

Avec ce principe en tête, il est toujours fructueux de se projeter au-delà des conséquences initiales de nos décisions. Il nous faut imaginer plusieurs scénarios du type « et si » découlant logiquement de notre préparation. S'il nous arrive jamais de prévoir avec exactitude le dénouement des choses dans la réalité, cela restera un cas d'exception ; le monde est trop complexe pour cela, à la différence des échecs. Mais cet exercice de modélisation aide à développer une expérience critique.

Assurez-vous qu'une bonne paix succède à une bonne guerre

Si les deux joueurs survivent à la fumée, à la flamme et aux poussées contraires du milieu de partie, nous en arrivons à la finale. Très aimée des auteurs, ne serait-ce que comme métaphore de l'existence, la phase finale, la fin du jeu, est le résultat objectif des échanges de pièces. Quand le potentiel dynamique des armées a diminué jusqu'à un niveau minimum, le milieu de partie est terminé. La pure logique et le calcul prennent la relève quand il ne reste plus que quelques survivants sur le champ de bataille.

Une grande part de la phase d'ouverture reste encore à découvrir. Le milieu de partie est presque entièrement cartographié, mais certaines zones demeurent plus ou moins inexplorées. La fin de partie est largement accessible à tous, étant presque un exercice mathématique. L'imagination est reléguée en arrière-fond et c'est un calcul froid qui est requis durant cette phase technique. Ce n'est pas pour dire que tout y est prédéterminé. Le résultat est incertain et il reste toujours une chance de dominer votre adversaire. La fin de partie peut avancer vers une conclusion logique avec les deux parties jouant du mieux qu'il est possible, ou bien un dommage peut être infligé ou réparé.

La fin de partie représente la période des négociations après la fin du combat. Le plus grand maître des fins de parties, Talleyrand, réussit à sauver la France d'une dislocation au Congrès de Vienne (1814-15) après avoir habilement manœuvré pour écarter Napoléon du pouvoir. Après la défaite de l'empereur, la France était une nation en disgrâce et occupée, ne pouvant espérer une grande influence sur le Congrès qui devait donner une forme à l'Europe après les guerres napoléoniennes. Et pourtant, Talleyrand s'arrangea pour diviser les Alliés victorieux et créer de nouvelles alliances qui préservaient la plus grande partie des frontières territoriales de la France. (Elles furent néanmoins remises en cause peu de temps après, lorsque Napoléon s'enfuit de son exil et entreprit les fameux Cent-Jours avant sa défaite finale à Waterloo.)

Le parcours opposé est aussi possible. Il y a peu de choses qui soient plus tragiques que de jouer une puissante ouverture, un milieu de partie brillamment offensif, et d'en voir les fruits envolés par un seul coup erroné en fin de partie. Ceci m'arriva à un match pas moins important que celui de championnat du monde contre Nigel Short à Londres en 1993. Heureusement pour moi mon adversaire fit la même chose.

Dans un duel d'ouverture féroce, j'eus à faire face à une idée d'ouverture inédite que Short avait introduite plus tôt dans le match. Au terme de l'ouverture, j'avais un avantage significatif et dans le milieu de partie, j'avais résisté avec succès aux tentatives de mon adversaire pour ramener la situation dans les rails. J'abordais la fin de partie avec un avantage matériel. Le jeu s'était réduit jusqu'à une simple tour pour mon adversaire et une tour et deux pions pour moi. (Sans compter les rois qui se trouvent obligatoirement sur l'échiquier.) C'était une position gagnante et je n'attendais plus que l'abandon de Short, ma première erreur. Nous étions tous deux en autopilotage pour les derniers coups et ce ne fut qu'après la partie qu'il apparut évident que nous avions fait tous deux d'horribles gaffes. Avec seulement deux pions et deux tours sur l'échiquier, j'avais fait un faux pas, jouant un coup « naturel » avec mon pion qui permettait à mon adversaire une manœuvre défensive lui donnant la nullité. Mais Short ne vit pas non plus l'opportunité et il réagit avec son propre coup « naturel », puis abandonna une demi-douzaine de coups plus tard.

Comment se fait-il que le champion du monde et son challenger aient pu tous deux manquer une chose aussi importante en fin de partie, en dépit du fait que l'échiquier comportait très peu de pièces, évitant ainsi les complications ? La fin de partie, avec son aridité et son manque de dynamisme, est souvent considérée à tort comme offrant peu de possibilités. La phase technique peut être ennuyeuse car il y a peu d'opportunités pour la création, pour l'art. L'ennui mène à la suffisance et aux erreurs.

La fin de partie est binaire : bonne ou mauvaise, avec peu de place pour le style. Les meilleurs joueurs de finales puisent leur inspiration dans les détails, dans la précision nécessaire. Les grands négociateurs, et même les grands comptables, peuvent être nés sous ces auspices, au même titre que les artistes et les joueurs d'échecs.

Les joueurs prudents, patients et bons en calcul excellent dans les finales. Tigran Petrossian et Anatoly Karpov, par exemple, étaient meilleurs dans cette phase de la partie que Boris Spassky et moi. Les attaquants qui prospèrent sur le dynamisme du milieu de partie et la créativité de l'ouverture trouvent souvent un ennemi naturel dans la stérilité de la finale, bien qu'il y ait toujours des exceptions.

Éliminer les préventions à l'égard des phases

Tenter de catégoriser les meilleurs joueurs de l'histoire relève d'une simplification excessive, car bien entendu, pour atteindre le meilleur niveau, il leur a fallu exceller dans tous les domaines. J'avoue sans détour que mes prouesses en finales étaient inférieures à mes talents pour le milieu de partie et pour l'ouverture. Karpov était plus fort dans le milieu de partie et la finale que dans l'ouverture, bien que ceci fût compensé par son travail avec des entraîneurs bien choisis.

Vladimir Kramnik, qui me prit mon titre en 2000, peut être considéré comme résumant la dernière des combinaisons possibles. Sa préparation dans l'ouverture est excellente et il brille aussi en finale. C'est dans le dynamisme du milieu de partie que la qualité de son jeu manque de consistance, ceci, encore une fois, n'étant que très relatif.

Il peut être intéressant de mettre ainsi à plat nos propres talents et performances et de prendre quelques libertés avec le nécessaire niveau de généralisation. Quels sont nos propres points forts ? La préparation créatrice ? L'action fluide ? Les calculs de détail ? Cherchons-nous à nous dérober à l'un de ces domaines ? Beaucoup de joueurs dépendent trop lourdement de l'un ou l'autre de ces domaines, ce qui limite leur développement et leur réussite. Une finale défendable vaut mieux qu'un milieu de partie médiocre, mais si vous n'aimez pas les positions tranquilles, il se pourrait que vous ne le compreniez que trop tard. Il nous faut découvrir nos préventions et travailler à les éliminer.

Pour moi, cela a toujours signifié contrôler mon désir d'action et rester conscient du moment où il peut devenir contre-productif. Mon amour des complications dynamiques m'a souvent conduit à éviter la voie de la simplicité au moment où c'était pourtant le choix le plus sage. Cette tendance excède les limites de l'échiquier où mon instinct était généralement bon. Cette expérience a rendu ma transition vers la politique beaucoup plus fluide. Cela m'a aidé à reconnaître le moment où il fallait faire taire les canons pour passer à la diplomatie.

N'apportez pas un couteau dans un duel au pistolet

La transition d'une phase à une autre est souvent invisible. Il importe de ne pas faire des hypothèses sur une position qui dépend trop des caractéristiques d'une seule phase. Ce qui joue à votre avantage dans le milieu de partie peut vous nuire dans la fin de partie, ce qui arrive fréquemment. Vous avez aussi le cas d'un joueur s'engageant paisiblement dans la technique de la finale pour s'apercevoir bientôt que son opposant est toujours en train de jouer un milieu de partie.

Dans la onzième ronde des olympiades d'échecs de 2002 en Slovénie, j'avais les noirs contre le champion allemand Christopher Lutz. La partie s'était lentement simplifiée en une position sans dame et avec seulement trois pièces par joueur. Lutz avait placé ses cavaliers sur un côté éloigné de l'échiquier où ils s'enlisaient dans de petits gains relativement insignifiants. Dans une finale, cette perte de temps passagère ne serait pas un facteur déterminant. Mais avec ses pièces de l'autre côté de l'échiquier, je vis qu'il y avait une chance de monter à l'attaque sur son roi en dépit du matériel limité.

Alors même que ce que je tentais était évident, Lutz sous-estima le danger. Il était déjà en mode de finale et ne fut pas capable de revenir à l'état d'esprit dynamique du milieu de partie pour réagir à la menace. Ma petite armée accula son roi, l'obligeant à abandonner.

La sous-estimation des facteurs dynamiques est une erreur commune, pas seulement au tournant d'une finale. Il existe plusieurs autres problèmes psychologiques typiques associés à ces transitions clés d'une phase à une autre. Même un joueur bien préparé peut retarder le moment d'une réflexion critique en début de milieu de partie. Des coups de routine peuvent passer dans l'ouverture, mais ils peuvent conduire à des surprises désagréables si votre adversaire se concentre sur des lignes plus agressives que vous, c'est-à-dire s'il joue déjà un milieu de partie alors que vous êtes encore dans l'état d'esprit de l'ouverture.

Ces erreurs de transition trouvent leur parallèle dans tous les domaines qui incluent une planification et de la stratégie, car une bonne planification prend en compte l'ensemble des trois phases pendant tout le déroulement. Vers quel genre de milieu de partie va nous conduire notre ouverture ? Y sommes-nous préparés ? Est-ce le type de négociation, ou de bataille, ou de travail, ou de projet dont nous avons l'expérience ?

Nous devons aussi jouer le milieu de partie avec un œil sur la finale. Si nous avons fait un sacrifice de matériel en vue d'une attaque et que nous n'avons pas pu réaliser cette attaque en milieu de partie, nous pouvons être presque certains de perdre en finale. Où se trouve le point de non-retour ? Il y a cependant un moment où l'on a encore la possibilité de s'en sortir avec un moindre mal.

L'Autrichien Rudolf Spielmann écrivait que nous devrions « jouer l'ouverture comme un livre, le milieu de partie comme un magicien, et la finale comme une machine ». Le but est d'opérer les transitions entre les phases graduellement, et pas seulement de réaliser des performances dans chacune d'elles. Dans la vie réelle, les phases n'existent dans notre esprit qu'à titre de guides facilitant l'étude.

Il nous faut maintenant prendre les résultats de toute cette étude et évaluation pour les transformer en action.

Robert James Fischer (1943), États-Unis

Une légende brillante et un triste héritage

Demandez à n'importe qui, dans la rue, le nom d'un joueur d'échecs et il y a de bonnes chances pour que vous entendiez le nom de Bobby Fischer. En 1972, longtemps avant Internet et les logiciels de jeu, à l'époque où les échecs étaient encore un pur jeu humain, Fischer devint le plus célèbre joueur de l'histoire. Son talent pour les échecs n'avait d'égal que son talent pour créer la controverse, une combinaison idéale – ou catastrophique – pour la première star d'échecs du monde occidental à l'âge de la télévision.

Fischer, sorti de Brooklyn, était un prodige adolescent de premier ordre. Il possédait une incroyable volonté de gagner, une éthique du travail jamais en défaut et une acuité technique inégalée. Nombre de ses prouesses resteront vraisemblablement dans l'histoire pour toujours. Champion des États-Unis à l'âge de quatorze ans. Candidat au titre de champion du monde à l'âge de seize ans. Vainqueur du championnat américain de 1963 avec un score parfait de 11-0. Vainqueur de deux matchs consécutifs de qualification avec les scores parfaits de 6-0. Champion du monde contre Boris Spassky à Reykjavik, Islande, en 1972. Avec un soutien extérieur très limité, l'iconoclaste Fischer opéra une irrésistible ascension jusqu'à arracher la couronne aux Soviétiques pour la première fois depuis 1948.

Les événements et controverses entourant le match de Reykjavik composèrent une parfaite pièce de théâtre. Fischer n'irait pas jouer, puis il irait, puis il n'irait pas, puis il était à l'aéroport, non, il n'y était pas... et ainsi de suite. Henry Kissinger alla jusqu'à téléphoner pour persuader Fischer de faire son devoir patriotique. Et même après son arrivée tardive en Islande, il fallut déployer des trésors de diplomatie, et de courtoisie de la part de Spassky, pour que l'événement pût avoir lieu.

Les surprises continuèrent après le début du match. Fischer commit une gaffe horrible et perdit la première partie avec les noirs. Avant la seconde partie, Fischer protesta de nouveau sur les conditions de jeu dans la salle, son passe-temps favori. Il y avait trop de bruit, disait-il, trop de caméras. Finalement, la partie commença... sans Fischer ! Il refusa de se montrer et perdit par forfait. Il perdait par 2-0 et le match semblait bien devoir être annulé. Des négociations héroïques permirent au match de se poursuivre, mais la troisième partie eut lieu dans une pièce annexe réservée au ping-pong, et non pas sur la scène. Seul un circuit fermé de caméra permettait aux spectateurs d'admirer leurs idoles. Fischer gagna cette partie, la première victoire de sa vie sur Spassky, puis continua de dominer le reste du match et remporta le titre.

Parvenu à ce stade, Fischer avait le monde à ses pieds. Il était jeune, beau, riche, et sur le point de faire des échecs un sport formidablement répandu aux États-Unis. Les offres de parrainage et les invitations à des événements se mirent à pleuvoir, mais hormis quelques apparitions à la télévision, il en refusa la plupart. Et puis, rien. Fischer arrêta de jouer aux échecs et ne poussa plus un pion sérieusement pendant vingt ans. Ne pouvant parvenir à un accord avec la FIDE sur les règles du championnat du monde qui devait suivre, il perdit son titre en 1975. Le challenger, Karpov, était installé et Fischer était devenu un fantôme.

Il y avait toujours des rumeurs dans son entourage, des histoires laissant penser qu'il allait reparaître à n'importe quel moment pour dominer de nouveau le monde des échecs. Mais ce ne fut qu'en 1992 que Bobby Fischer, presque âgé de cinquante ans, alourdi et barbu, se remit à jouer aux échecs. Ce fut dans des circonstances à la fois tristes et joyeuses. Il fut attiré à nouveau sous les feux de la rampe par une offre de plusieurs milliers de dollars pour donner une revanche, dans une Yougoslavie déchirée par la guerre, à Boris Spassky qui était presque à la retraite et qui vivait en France. On pouvait prévoir que le match serait oxydé, avec toutefois quelques éclats de l'ancienne brillance. Le pire de tout était que Fischer semblait irrésistiblement porté à des remarques profanes, antisémites. Son mental fragile s'était effondré durant sa longue période loin des échecs, le seul monde qu'il avait jamais compris.

Après ce match, il disparut de nouveau pour reparaître en 2004, dans un endroit encore plus improbable, un centre de détention situé à Narita, l'aéroport de Tokyo. Son match en Yougoslavie avait violé l'embargo des Nations unies et il avait été arrêté dans son voyage avec un passeport périmé. Soudain, Fischer apparaissait de nouveau dans les journaux. Après huit longs mois, les Japonais le laissèrent partir pour l'Islande, lieu de son plus grand triomphe et où il est toujours très aimé.

En dépit de son comportement et des revirements étranges de sa vie, Fischer mérite de rester dans nos mémoires, surtout pour son immense contribution au jeu d'échecs. Il ne resta qu'un temps tragiquement court au sommet, mais il domina ses contemporains à la manière d'un Paul Morphy moderne. Le succès de Fischer et son immense charisme attirèrent une génération entière de joueurs vers les échecs, particulièrement aux États-Unis où il y eut un énorme « Fischer boom ». J'avais neuf ans quand le match Fischer-Spassky eut lieu et mes amis et moi suivions les parties passionnément. Bien que ses victimes aient été principalement soviétiques, Fischer avait de nombreux fans en URSS. Son style était indéniablement brillant, mais nous admirions aussi son caractère et son indépendance.

Sur Fischer : « Fischer m'a toujours fait une impression particulière par l'intégrité de sa nature. À la fois aux échecs, et dans la vie. Sans compromis. » Boris Spassky

Fischer par lui-même : « Tout ce que je veux faire, à jamais, est de jouer aux échecs. »

12. Le processus de prise de décision

« Savoir n'est pas agir. »
Carl von Clausewitz

Tout ce que nous avons vu allait dans le sens de la meilleure prise de décision. Pour qu'une stratégie se réalise, il faut prendre des décisions. Pour que des évaluations aboutissent à un résultat, elles doivent conduire à des décisions. Après avoir préparé, planifié, analysé, calculé et évalué, il nous faut choisir un mode d'action.

Les résultats comptent, bien sûr, et il est difficile d'arguer que le coup que je joue sur l'échiquier est moins important que la méthode que j'ai utilisée pour trouver ce coup. Les résultats sont le fruit de la qualité de notre prise de décision. Si vous avez bien suivi les différentes étapes et que votre résultat final n'est pas bon, il y a forcément une erreur quelque part. Pourtant, nous ne pouvons faire foi à un résultat unique, qu'il soit bon ou mauvais. Il importe de faire les choses de la bonne manière et c'est pour cette raison que les professeurs de maths insistent pour que les élèves montrent leur travail. Dans l'équation algébrique simple $5x = 20$, on peut, après tout, trouver x en piochant dans plusieurs réponses possibles l'une après l'autre et finalement arriver à la même solution que celui qui se contente de diviser simplement 20 par 5.

Nous prenons des décisions à chaque instant et peu d'entre elles demandent une préparation particulière ou le développement d'une stratégie spécifique. Mais il importe de savoir si ces décisions vont ou non dans le sens de nos buts plus lointains, dans le sens de notre projet général. Même des choix triviaux tels que de décider ce qu'on mangera au petit déjeuner incluent de penser à nos plans pour le reste de la journée – et peuvent se révéler angoissants si nous sommes au régime.

Examiner de près les méthodes et les moyens que nous employons ne doit pas être réservé qu'aux seuls P-DG, aux seuls politiciens ou à tous ceux dont les décisions affectent un grand nombre de gens. Nous sommes tout aussi concernés, pour ne pas dire davantage, par la qualité des décisions qui affectent nos propres vies et les vies de nos familles et amis.

Le développement d'un sceptique

Lorsque je considère mon propre développement relatif à la prise de décision, il me faut revenir loin en arrière, au temps de ma petite enfance. J'ai grandi à Bakou, Azerbaïdjan, qui faisait alors partie d'un empire soviétique aux frontières mouvantes. C'était un avant-poste impérial typique, un riche mélange d'ethnies, quelque peu

aplani par une langue commune et une culture russo-sovié-
tique dominante.

Mes propres racines étaient caractéristiques : une
mère arménienne, Clara Kasparova, et un père juif, Kim
Weinstein – ce qu'on appelle un mélange explosif. L'atmosphère de notre foyer était une combinaison entre le pragmatisme rigide de ma mère et la créativité contrariée de
mon père. Le reste du clan incluait le frère de mon père,
Leonid, et leur cousin Marat, un avocat connu à Bakou.
Leur entourage consistait en grande partie en professeurs
juifs et en intellectuels qui remettaient constamment en
question les vues officielles, et pas seulement la propagande braillarde du gouvernement soviétique. Pour eux,
tout adage traditionnel appelait une immédiate remise en
cause – chaque chose était sujette à caution.

Être sceptique ne signifie pas avoir des tendances
paranoïaques. L'essentiel est de ne rien considérer comme
acquis et d'interroger les sources d'information tout autant
que l'information elle-même. Que vous regardiez Fox
News ou CNN, n'oubliez jamais que la présentation de
l'information a une finalité. Pourquoi y a-t-on inclus
certains détails et qu'a-t-on laissé de côté ? Réfléchir à la
raison qui fait qu'on raconte une histoire peut nous en
apprendre davantage que l'histoire proprement dite.

Le scepticisme de ma mère provenait moins de la
défiance que d'une rigueur scientifique. Elle ne cherchait
pas à m'inculquer une façon de penser, mais seulement à
examiner tout ce que j'entendais. Son éducation et sa
formation d'ingénieur lui avaient appris à toujours considérer les faits concrets dans n'importe quelle situation
donnée. Son père était ingénieur dans le domaine du
pétrole et communiste intransigeant, mais elle s'intéressait

davantage aux questions pratiques qu'à l'idéologie. Il écoutait Radio Liberty et Voice of America et je me souviens de grandes discussions avec grand-père Shagen qui n'aimait pas les vues critiques sur l'État. Il avait passé toute sa vie à construire le communisme ; les disettes de la fin des années 70 allaient être pour lui une terrible source de désillusion.

Entre ces pôles, je grandissais en lisant beaucoup et en posant de nombreuses questions. Après la mort de mon père quand j'avais sept ans, je partis vivre avec la famille de ma mère. Lorsque je commençai à avoir des succès publics aux échecs, il parut naturel que je prenne le nom de cette famille. Mon professeur Mikhaïl Botvinnik, lui-même d'origine juive, ajouta que de ne pas m'appeler Weinstein ne risquait pas d'entamer mes chances de succès en URSS.

Le nom de mon père conduisit à un malentendu amusant lorsque je me rendis pour la première fois au Palace des Pionniers pour jouer aux échecs. Mon premier coach, Oleg Privorotsky, adore raconter cette histoire qui a pris des proportions plus importantes avec les années. Quand je le rencontrai pour la première fois au club d'échecs des Pionniers, il crut entendre que je m'appelais « Bronstein » et il fit la remarque que ce n'était pas un mauvais nom pour les échecs. Après tout, le grand maître soviétique David Bronstein avait été un challenger pour le champion du monde d'échecs en 1951. Mon oncle Leonid dit qu'après ma première session, Privorotsky bondit en s'écriant : « C'est bien un autre Bronstein ! Nous n'avons jamais eu un tel talent ici ! » Ce fut sans doute à ce moment-là que l'erreur sur mon nom fut éclaircie.

Processus contre contenu

Les processus que nous utilisons pour arriver à une conclusion ont très peu à voir avec les décisions elles-mêmes. Notre délibération matinale « Fruit ou céréales ? » est à mille lieues des décisions qui se prennent à la Maison-Blanche ou sur des champs de bataille et qui peuvent influer sur le monde entier. Et pourtant, chaque individu use des mêmes processus pour chaque décision qu'il doit prendre. Si nous avons de mauvaises habitudes et de mauvais modèles pour les décisions que nous prenons au travail, il en sera de même à la maison. Les moindres changements que nous opérons peuvent avoir un impact sur chaque aspect de notre vie.

Ceci a pour corollaire le fait que notre style dans la prise de décision peut être approprié dans un domaine de notre vie mais pas dans un autre. Mon style aux échecs, toujours agressif et dynamique, s'est transféré directement à mes incursions dans le monde de la politique et du commerce, avec, il faut l'avouer, nettement moins de succès. Nombre d'experts, depuis mon entrée en politique nationale et internationale, ont émis des doutes sur l'efficacité de mon approche drastique dans un monde de négociations.

J'ai plusieurs raisons de ne pas me sentir trop concerné par ces réserves. Tout d'abord, la vie politique en Russie aujourd'hui est loin de l'idéal démocratique de concertation et de mutuelle considération. Qui que ce soit se trouvant en opposition avec l'administration de Poutine n'a absolument aucune possibilité de négociation. S'unir avec des gens est la seule méthode vraiment efficace pour tempérer la tyrannie menaçante et rassembler des gens demande une forte résolution face à la pression. C'est pourquoi ma nature combative est bien adaptée.

En second lieu, maintenant que j'ai abandonné l'arène des échecs de compétition, j'ai davantage le loisir de laisser mes instincts évoluer vers des méthodes plus en rapport avec mes nouvelles tentatives. Un mouvement de va-et-vient entre l'attaquant échiquéen et le politicien charmeur est irréalisable, si bénéfique que puisse être une telle transformation. Bien que je doute que ma nature fondamentale, en tant que personne et en tant que décideur, soit susceptible de changer radicalement, je peux néanmoins l'ajuster progressivement aux exigences de mes nouvelles activités. Ceci se fait naturellement mais est facilité par la prise de conscience de telles exigences.

La raison qui me faisait jouer aux échecs d'une manière agressive et qui faisait que je n'éprouvais pas le besoin de changer est que je gagnais. Mon style avait toujours fonctionné et je n'avais besoin que de quelques petits ajustements quand la situation l'exigeait. Je faisais ce que j'aimais et ce que j'aimais réussissait, je pouvais donc suivre ma pente naturelle. Nous essayons d'aligner notre style spontané au plus près possible de l'efficacité (et vice versa) car au bout du compte, c'est la réalité objective, le succès et le gain, qui importent le plus.

Si les pratiques qu'il me faut adopter en politique ne sont pas en pleine concordance avec mon tempérament batailleur, j'ai néanmoins appris, de ma longue pratique des échecs, que la flexibilité était tout aussi importante que le processus même de décision et qu'elle était une priorité majeure. Vous devez faire ce qu'il faut pour gagner. Vous ne pouvez gagner chaque partie avec une attaque saisissante. Vous devez être prêt à jouer une fin de partie assommante à l'occasion si c'est ce qui est requis par la position. Ma position en politique requiert de ma part un effort pour rassembler des gens et avoir une vision globale. Le style de prise de décision que j'avais, durant ma carrière échiquéenne, doit s'adapter à cette nouvelle période de ma vie.

Quel est le moment où l'information devient trop importante ?

Comment s'y prendre pour examiner nos propres processus de prise de décision et, si nécessaire, y faire des ajustements ? En premier lieu, il faut faire une distinction entre l'information et le processus. Il se peut qu'il y ait un excès dans la masse des données et de leurs analyses. Des gens intelligents et disposant d'une bonne information peuvent encore en arriver à des conclusions erronées s'ils n'appliquent pas la bonne procédure.

Il n'est pas toujours avantageux d'accumuler trop de données. Le risque n'est pas seulement de diluer la qualité de l'information en ratissant trop large, mais il faut aussi considérer le facteur temps. Toutes choses étant égales par ailleurs, la plupart des décisions gagnent à être prises rapidement.

Aux échecs, ratisser large signifie considérer un grand nombre de variantes au lieu de rétrécir son choix dès le départ. Examiner chacune des possibilités est un luxe que l'on ne peut se permettre, même dans le royaume limité des échecs où il pourrait y avoir cinq ou six coups raisonnables dans une position donnée, bien qu'habituellement, il n'y en ait que deux ou trois.

Limiter le champ de notre recherche est la première tâche à accomplir. Notre expérience et nos calculs préliminaires nous permettent d'effectuer cette réduction presque immédiatement. Ce n'est que si ces options initiales se révèlent mauvaises après un petit travail d'analyse que nous pouvons essayer de faire machine arrière et d'examiner de nouvelles options pour le premier coup. Une entreprise en quête d'un nouveau fournisseur démarre avec un petit nombre de candidats possibles et les suit de près. Après l'attention et l'évaluation requises, elle poursuivra avec l'un d'eux ou étendra sa recherche pour trouver des alternatives.

Le démarrage implique un investissement de temps significatif et représente un choix difficile psychologiquement. Nous sommes obligés d'admettre que nos suppositions initiales étaient peut-être imparfaites – et il n'y a aucune garantie pour que le nouveau faisceau d'options soit meilleur que le premier. Ceci peut conduire à l'un de ces deux modes de décision, opposés mais tout aussi destructeurs l'un que l'autre : 1) Choisir n'importe quelle voie du moment qu'elle a été amplement étudiée, simplement parce qu'elle est connue ; 2) Choisir dans la panique une option nouvelle, inexplorée, après avoir découvert que les options initiales n'étaient pas adaptées.

Le premier est semblable à la plaisanterie de l'homme qui cherche son portefeuille là où la lumière est bonne plutôt que là où il l'a perdu. Un mal familier, contrairement à un mal inconnu, dispense un certain confort. C'est parfois le seul choix possible : faute de temps pour évaluer d'autres options, il est préférable d'errer en terrain connu plutôt que de plonger à l'aveugle.

Le second piège consiste à jeter l'analyse aux orties et à se lancer en dernière minute dans une voie complètement inexplorée. Cette conduite est courante, même dans le monde discipliné des maîtres d'échecs qui valorisent tellement l'analyse. Objectivement, si les alternatives que vous avez examinées conduisent à la catastrophe, il n'y a pas grand-chose à perdre à essayer quelque chose d'inexploré. Mais notre optimisme peut nous conduire à suivre ces sursauts de foi même quand les voies analysées ne conduisent pas à une perte certaine. La nature humaine nous incite à oublier les nombreuses fois où une telle conduite a abouti au désastre au profit des rares fois où elle fut couronnée de succès.

Je ne fais pas exception à la règle. Il me revient à l'esprit plusieurs occasions où ma réflexion a brusquement quitté les rails à la dernière minute. Naturellement, le temps que nous passons à analyser d'autres coups contribue aussi à notre compréhension générale de la position, rendant plus vraisemblable le fait que nous puissions tomber sur une autre idée. Le problème est alors de décider si cette nouvelle inspiration est meilleure que les lignes que nous avons analysées.

C'est pourquoi il est si important de démarrer avec au moins deux options à l'esprit et suffisamment de temps pour examiner les deux. Plonger dans la profonde investigation d'une unique possibilité ne vous laisse pas le temps d'en examiner d'autres. Vous risquez de vous perdre dans une voie de garage et de laisser passer votre temps disponible.

Adoptez-vous une voie unique d'action et vous y tenez-vous quoi qu'il arrive ? Examinez-vous rapidement différentes options pour finir par en choisir une de façon impulsive ? Résistez-vous à la tentation de démarrer tout de suite alors que vous avez tout votre temps ? Il faut trouver un juste milieu entre une installation précipitée et aucune installation avant qu'il ne soit trop tard. Il n'est pas nécessaire de révolutionner votre façon de penser, même si cela est possible. Si vous êtes naturellement conservateur, vous aurez tendance à suivre le premier scénario. Si vous êtes impulsif, votre prise de décision penchera vers le second. Il nous faut garder en tête nos propres tendances afin de les canaliser. Si vous êtes prudent, assurez-vous d'avoir pris le temps d'examiner quelques nouvelles options avant de passer à l'action. Si vous êtes inconsidéré, obligez-vous dès le départ à limiter vos choix de réflexion à un nombre restreint. Souvenez-vous que dans les deux cas, cela vous demandera un peu de temps supplémentaire, au moins jusqu'à ce que vous y soyez accoutumé et que vous ayez commencé de développer un style plus équilibré.

Naturellement, nous pouvons tous agir d'une façon ou d'une autre selon les moments ; il n'existe pas de recette universelle ni pour le nombre d'options à considérer ni pour la profondeur d'analyse à effectuer à l'égard d'une alternative ou d'une autre. Le mieux que nous puissions faire est de nous donner le temps et l'opportunité de prendre la meilleure décision possible.

L'éventail des coups et l'élagage de l'arbre de décision

Un moyen qui peut être employé pour discipliner notre réflexion est l'usage de ce que les joueurs d'échecs appellent l'éventail des coups. Ainsi que je l'ai déjà mentionné, il se produit très rapidement, aux échecs, une multiplicité d'alternatives ; en prévoyant seulement quelques coups d'avance, on peut arriver à des centaines de milliers de positions possibles, chacune d'entre elles étant le résultat d'une chaîne de causes et d'effets qu'il convient d'examiner soigneusement. Chaque coup aura plusieurs réponses possibles qui doivent être calculées, et il y aura ensuite les réponses à ces réponses, et ainsi de suite.

Les choses sont rarement facilitées par la présence de ce que nous appelons un coup forcé, quand toutes les alternatives mènent au désastre. Par exemple, quand un joueur met en échec le roi adverse en l'attaquant directement, cela limite dramatiquement le nombre des réponses possibles puisque le roi ne peut demeurer en échec. Et même dans ce cas, il peut y avoir différentes options. On peut prendre la pièce menaçante, une pièce défensive peut s'interposer entre le roi et l'attaquant, ou encore le roi peut fuir.

Avec autant de possibilités se multipliant si rapidement, il est essentiel de limiter le nombre de coups à étudier dès le départ et à chaque étape. L'arbre de la décision de « si je fais ceci, il fera cela, si je fais cela, il fera ceci » doit être sévèrement élagué, faute de quoi nous n'aurons jamais le loisir d'approfondir suffisamment notre analyse pour parvenir à quelque chose d'utile. Comme toujours, il nous faut chercher un équilibre entre l'étendue et la profondeur. Étudier cinq options différentes en calculant deux coups d'avance n'est ni meilleur ni pire que d'étudier seulement deux options en calculant cinq coups d'avance, cela dépend du problème et de la position auxquels on est confronté.

Une situation stratégique dégagée d'une crise immédiate nous invite à élargir notre champ d'étude et à considérer une plus grande variété de situations. Une jeune fille en quête d'une université où faire ses études ne va pas se limiter à une ou deux qu'elle examinerait sous toutes les coutures. Il est beaucoup plus sensé, dans son cas, de commencer par élargir le champ de ses investigations. Par la suite, après avoir restreint la palette des possibilités, il convient de se livrer à une comparaison plus approfondie.

Mais si une grande précision s'avère nécessaire et que le temps est de la partie, il est souvent judicieux de sélectionner un choix étroit d'alternatives et de les creuser en profondeur. Nous appelons cela une position épineuse, quand le moindre faux pas peut conduire au désastre. La clé est de comprendre dans quelle sorte de position nous nous trouvons avant de commencer à sélectionner des options. De combien de temps disposons-nous pour analyser ? Jusqu'à quel point la situation est-elle précaire ? Sommes-nous dans le « tout ou rien », dans le « juste ou faux », ou au contraire pouvons-nous choisir une variété d'alternatives fondées sur le style ? Certes, nous ne pouvons parfois répondre à ces questions avant d'avoir un peu approfondi la situation, mais notre intuition connaît habituellement la réponse si nous prenons la peine de l'interroger.

Exercer notre intuition

Intuition et instinct forment les bases solides de notre prise de décision, particulièrement en ce qui concerne les décisions prises dans le feu de l'action et qui constituent notre quotidien. Nous n'avons pas besoin d'analyser pourquoi nous tournons à gauche ici et à droite là quand nous nous rendons à notre travail, nous le faisons sans réfléchir. Un joueur peut réaliser un échec et mat tout simple en trois coups, même s'il n'a jamais encore rencontré cette position dans sa vie. Nous dépendons de ces modèles de la même manière que nous dépendons des automatismes qui nous font respirer. Nous ne sommes pas comme les baleines pour qui la respiration est une option.

Nous n'aimons pas avoir à considérer chacune de nos décisions et nous nous appuyons donc sur des modèles tirés de notre expérience. Il s'agit là de raccourcis essentiels sans inconvénients tant qu'ils se limitent aux fonctions de base. Les problèmes surviennent quand nous commençons à le faire pour les décisions plus complexes de notre vie. Essayer d'appliquer de force les mêmes modèles et solutions à chaque problème différent auquel nous sommes confrontés conduit à une approche « taille unique » qui étouffe notre créativité.

Si nous faisons un travail répétitif, il peut être difficile de résoudre les problèmes de façon créative. Nos instincts s'engourdissent petit à petit quand chaque analyse retombe encore et toujours sur les mêmes réponses. Ce qui devrait être une quête de l'excellence et de la meilleure solution finit par basculer dans une mentalité de satisfaction à bon compte. Nous devons nous efforcer de conserver une fraîcheur afin de pouvoir développer notre instinct et nous appuyer sur lui plutôt que de s'enfermer dans une routine mentale. Jack Welch donna un mois de congé au directeur le plus ancien d'un secteur en perte de vitesse de la General Electric pour qu'il puisse, à son retour, « agir comme si vous n'aviez pas exercé cette fonction pendant quatre ans ». Beaucoup d'entreprises opèrent régulièrement des rotations pour les postes à responsabilités, ou bien ont des programmes qui imposent aux chefs d'appréhender de nouveaux aspects, de sorte que les problèmes puissent être vus d'un œil neuf.

Ce désir de voir les choses de l'extérieur peut sembler paradoxal quand nous pensons à l'importance des connaissances accumulées et de l'expérience. Comme toujours, nous sommes en quête de cet insaisissable juste milieu compatible avec notre instinct naturel. Nous devons nous préparer à reconnaître nos propres faiblesses dans le processus de prise de décision et à nous secouer s'il le faut. Si nous perdons notre acuité, les contours commencent à se brouiller et des différences subtiles tombent dans les oubliettes, des différences qui peuvent revêtir une importance critique à certains moments décisifs.

Avec le nombre important de décisions que nous avons à prendre quotidiennement, de minuscules améliorations et adaptations dans notre démarche peuvent, en s'ajoutant les unes aux autres, finir par représenter une différence importante. Ceci est comparable au fait d'effectuer un infime ajustement sur une chaîne d'assemblage en rognant quelques précieuses secondes sur la production de chaque automobile.

Les branches principales de l'arbre de décision demandent une attention supplémentaire. Ces embranchements ne nous permettent pas de retour en arrière. Selon une vieille maxime d'échecs, « les pions ne peuvent pas reculer », ce qui signifie bien davantage qu'un simple constat. Si je place mon fou sur une mauvaise case, je peux toujours changer d'avis et lui faire faire le mouvement inverse et il en va de même pour les autres pièces. Seuls les pions n'ont qu'une seule direction possible, avancer. On parle souvent de « coups irréversibles », généralement des prises ou des coups qui changent la position de façon irrévocable. Chaque coup d'un pion est de cette nature et doit donc être considéré avec soin.

Les règles de la vie ne sont pas aussi claires que celles des échecs ; nous ne savons pas toujours si une décision va conduire à des conséquences irréversibles. Ainsi qu'il en va pour détecter une crise, les signes sont parfois évidents tandis qu'il faut, d'autres fois, se fier à son instinct. Il est toujours bénéfique de se demander si l'on a la possibilité de faire machine arrière dans le cas où notre décision se révélerait malheureuse. Quelles seraient les alternatives si les choses tournaient mal ? Existe-t-il une autre direction qui permette de conserver plus longtemps diverses options ?

Cet état d'esprit exige que nous surmontions notre désir de relâcher la tension. Beaucoup de mauvaises décisions viennent de ce qu'on souhaite échapper à la pression d'avoir une décision à prendre. C'est la pire des impatiences, une erreur naturelle. Résistez-y ! S'il n'y a pas d'avantage à prendre la décision sur le moment et pas d'inconvénient à la retarder, prenez le temps d'améliorer votre estimation, de réunir plus d'informations et d'examiner d'autres options. Comme le dit Margaret Thatcher : « J'ai appris une chose avec la politique. Ne prenez aucune décision si ce n'est pas une nécessité absolue. »

Comme toujours, ma tendance personnelle est de me fier beaucoup trop à mon intuition et à mon optimisme. Les décisions dérivées des visions positives peuvent ne pas être meilleures que celles dérivées des visions conservatrices, mais on apprend finalement davantage de nos erreurs.

Avec le temps, au fur et à mesure que nous exerçons et affinons notre intuition, nos décisions deviennent plus performantes. La plupart d'entre nous éprouvent un certain plaisir à œuvrer pour satisfaire ce besoin humain de repousser les frontières. Scott Fitzgerald écrivait : « La vitalité ne se manifeste pas seulement dans la capacité à poursuivre, mais aussi dans la capacité à repartir à zéro. » Si nous nous sommes trompés et qu'il nous faut recommencer, recommençons. Cette vitalité ne concerne pas seulement la qualité de vie ; rester motivé et actif dans le processus de prise de décision est une clé pour progresser. Pour ce faire, l'une des meilleures voies est de prendre l'initiative, ce qui instaure une pression positive et stimule votre esprit de compétition. Je me plais à dire que l'attaquant a toujours l'avantage.

Aaron Nimzovitch (1886-1935), Lettonie/Danemark
Xavier Grigoryevich Tartacover (1887-1956), Russie/France
Richard Réti (1889-1929), Tchécoslovaquie

Les hypermodernes explorant de nouveaux horizons

Il est habituel, dans les discussions sur l'histoire des échecs, de parler des différentes « écoles d'échecs ». Chaque ère marquant un tournant dans la façon de jouer est inévitablement affublée d'un titre accrocheur, occasionnellement le nom du champion du moment. S'il est une période méritant une telle distinction, c'est bien celle qui vit naître l'école hypermoderne des années 20.

Le fondateur du mouvement hypermoderne était Aaron Nimzovitch dont la personnalité et le jeu étaient aussi difficiles que son nom, souvent abrégé en « Nimzo ». Contestataire jusqu'au bout des ongles, Nimzovitch prenait le contre-pied de l'orthodoxie à la fois dans son jeu et dans ses écrits toujours célèbres. Il remit en cause le premier principe fondamental consistant à dire que le centre de l'échiquier devait être occupé et tenu par les pions, ce qui revenait à dire que le champ de bataille devait être occupé par l'infanterie. Nimzovitch démontra que plutôt que de présenter ces cibles centrales, les cases du milieu pouvaient être attaquées à distance, par les flancs. C'était la doctrine principale de l'hypermodernisme.

L'hétérodoxie propagée par Nimzo se présenta comme une forme de résistance aux enseignements traditionnels de l'un des meilleurs joueurs de l'époque, Siegbert Tarrasch, qui venait d'Allemagne. L'un dogmatique et l'autre rebelle, ils disputèrent une bataille d'idées, de mots et de coups durant des dizaines d'années. Tarrasch qualifiait les coups inhabituels de Nimzovitch de « laids », tandis que Nimzovitch

soutenait que « la beauté d'un coup n'était pas dans son apparence mais dans la pensée qui le sous-tendait ».

Plusieurs des manuels classiques de Nimzovitch sont
encore réimprimés aujourd'hui. Le système défensif portant
son nom est resté l'un des plus connus parmi les joueurs de
tous niveaux. La « défense Nimzo-indienne » n'est que la
principale des nombreuses ouvertures auxquelles il a apporté
sa contribution.

L'efficacité et la véritable audace de ces nouvelles
méthodes attirèrent rapidement d'autres joueurs désireux de
les expérimenter. L'un d'eux était Xavier Tartacover, un
maître brillant et hors du commun, plus connu aujourd'hui
pour ses innombrables mots d'esprit à propos du jeu. (Son
immortel « Personne n'a jamais gagné une partie en renon-
çant » est toujours cité pour encourager la combativité dans
une position désespérée.) Durant sa curieuse vie, il voyagea
beaucoup et écrivit énormément. Ses contributions éclec-
tiques incluent une ouverture latérale qu'il avait surnommée
l'« Orang-outang » car il l'avait jouée après avoir visité le
zoo de New York. L'invention du terme « hypermoderne »
aux échecs est aussi attribuée à Tartacover.

D'ascendance polonaise, Tartacover emmena, dans les
années trente, l'excellente équipe polonaise dans différentes
olympiades d'échecs, bien qu'il n'ait jamais vécu en Pologne
et qu'il ne parlât pas davantage le polonais. Il s'engagea dans
la Résistance française pendant la Seconde Guerre mondiale
et joua donc pour sa patrie d'adoption, la France.

L'esprit de contradiction de Tartacover se manifestait
sur l'échiquier par sa constante expérimentation de systèmes
largement considérés comme inférieurs. C'était aussi un
aspect du credo hypermoderne que de défier le consensus.
Serait-ce trop s'avancer de dire que l'émergence, au même
moment, d'artistes expérimentaux tels que Pablo Picasso et

Marcel Duchamp sur le devant de la scène artistique n'était peut-être pas une coïncidence ?

Tartacover disait de Richard Réti qu'il « représentait Vienne sans être viennois ; [et] qu'il était né dans la vieille Hongrie bien qu'il ne connût pas les Hongrois ». Réti faisait partie des nombreux joueurs dont les origines sont difficiles à préciser dans la mesure où ils vécurent avant que la carte de l'Europe de l'Est ne fût redessinée par la Première Guerre mondiale. Il assimila les idées hypermodernes, leur donna une extension par son jeu et enrichit aussi leur développement par ses écrits.

Réti était aussi un fin compositeur des problèmes et exercices d'échecs dont plusieurs figurent parmi les plus connus de la tradition du jeu. Comme pour Tartacover, ses résultats en tournois n'ont jamais été du niveau du championnat mondial, mais il atteint une certaine immortalité en mettant un terme, en 1924, aux huit ans de victoires consécutives deJose Raul Capablanca. Réti compléta cette prouesse en donnant son nom au système hypermoderne.

Sur Nimzovitch : « Il affectionne particulièrement les coups d'ouverture inesthétiques. » Siegbert Tarrasch
Sur Tartacover : « Ce qui faisait de lui quelqu'un de véritablement exceptionnel était sa personnalité fascinante. Avec Tartacover comme participant, n'importe quel tournoi prenait couleur et vie. » Hans Kmoch
Sur Réti : « Réti est un type d'artiste brillant, qui ne se bat pas tant avec ses adversaires qu'avec lui-même, avec ses propres idéaux et ses propres doutes. » Tartacover
Nimzovitch par lui-même : « Pourquoi dois-je me faire battre par cet idiot ? » (propos attribués)
Tartacover par lui-même : « Une partie d'échecs se divise en trois étapes : la première, où vous espérez avoir

l'avantage, la deuxième, où vous croyez avoir l'avantage, et la troisième, où vous prenez conscience que vous êtes en train de perdre ! »

Réti par lui-même : « Car dans le principe des échecs et le développement de l'esprit échiquéen, nous avons une image du combat intellectuel de l'humanité. »

13. L'avantage de l'attaquant

« Même un boulet de canon craint le brave. »

Proverbe russe

Mettre sur le même plan la vie de l'échiquier et le monde réel comporte certains risques. Bien que nous puissions nous accorder sur le langage et mettre en évidence des parallèles utiles, ce qui fonctionne aux échecs peut ne pas être considéré comme approprié à d'autres domaines, même si cela est aussi efficace en dehors des soixante-quatre cases. Le meilleur exemple, très familier pour moi, d'une telle dualité est celui de l'agressivité.

Comme je l'ai indiqué, ma capacité à passer à la sphère politique fut quelque peu remise en cause par mon style agressif aux échecs. Si la propension à attaquer est innée plutôt qu'acquise, comment pourrais-je réussir dans un environnement où l'attaque est inefficace ? En premier lieu, nous avons tous la possibilité de nous adapter à de nouveaux environnements. En second lieu, est-il vraiment

aussi négatif d'être un attaquant ? Est-ce réellement inefficace ou est-il seulement impopulaire de montrer que
l'agressivité est tout aussi opérante en politique, en affaires
ou dans d'autres domaines que dans les échecs ?

Je pris progressivement conscience de ce paradoxe en
m'élevant dans les niveaux échiquéens. Les magazines
d'échecs louaient « l'agressivité de mon style » et mes
« violentes attaques ». De tels termes revêtent un sens
particulier – presque toujours positif – dans le monde
sportif. Nous aimons avoir des attaquants dans nos équipes
préférées tandis que nous n'aimerions pas les avoir comme
voisins.

Je reçus quelques sages conseils sur cette question en
1980, alors qu'à l'âge de dix-sept ans on m'attribua pour la
première fois une place dans la puissante équipe soviétique des olympiades. Nous avions voyagé à Malte pour le
tournoi et passé deux jours à Rome sur le chemin du retour
avec les médailles d'or que nous avions gagnées au cours
d'une compétition serrée contre les Hongrois. En moyenne,
notre équipe avait le double de mon âge et nous avions
des programmes très différents pour nos jours de vacances.
Les autres saisirent cette opportunité pour faire un peu de
tourisme et voir le Vatican. J'allai voir *L'Empire contre-
attaque*, que je n'aurais jamais pu voir en URSS. Je ne
peux dire quelle élévation spirituelle mes compatriotes ont
reçue du Vatican tandis que je regardais Yoda enseigner à
Luke Skywalker « la colère, la peur, l'agression qui sont la
face cachée de la Force ». Pour être honnête, je partageais
entièrement à dix-sept ans l'intolérance de Luke à l'égard
de la passivité. N'était-il pas appelé à suivre le chemin de
Darth Vader et à protéger ses amis ?

Parfois, cette dualité peut se complexifier. Il est tout à fait admis de se référer de façon positive à un P-DG dont les méthodes sont agressives. Mais ce qui est permis à Jupiter n'est pas permis à un bœuf. L'employé moyen ne peut se montrer agressif et même, selon le milieu, l'ambition peut être regardée avec suspicion. Quiconque manifeste trop clairement son désir d'occuper le devant de la scène court le risque d'être accusé de vouloir monopoliser l'attention ou, pire encore, on lui dira qu'il n'a pas l'esprit d'équipe.

En même temps, une foule d'euphémismes se répand toujours davantage. Nous avons maintenant « hyperactif » qui sonne à mon oreille comme quelque chose d'anormal, de clinique. Mon dictionnaire me propose aussi « dynamique », « passionné » et « superpuissant » ainsi que l'importation humoristique de « gung ho ». (Qui, ironiquement, signifie « travailler ensemble » en mandarin.)

Entretenir des foyers de compétition

Quel est celui qui, participant à une compétition, voudra arriver en deuxième position ? Qui voudra, en grimpant les échelons, arriver à être vice-président ? Mettre des limites à son ambition revient à limiter un accomplissement. Avoir une philosophie agressive implique aussi une agressivité vis-à-vis de soi-même. Il ne s'agit pas d'être un bon gars ou non ; il s'agit, en permanence, de maintenir un niveau d'exigence pour soi-même, pour son environnement et pour son entourage. C'est le contraire de la complaisance et du laisser-aller.

Les sportifs, hommes ou femmes, parlent toujours du défi à soi-même et de la nécessité de repousser ses propres limites, indépendamment de la question des adversaires. Il y a quelque vérité là-dedans bien qu'à mon sens, il y ait aussi une forme de tricherie. Chacun a sa manière personnelle de se motiver, mais il reste que c'est la compétition qui nous stimule et cela signifie battre un adversaire et non pas seulement se surpasser soi-même. Demandez donc à un coureur olympique qui a dépassé son propre record, ou même le record mondial, et qui finit juste derrière le gagnant comment il le vit. Pas besoin de se demander un dixième de seconde s'il hésiterait à échanger une médaille d'argent contre une médaille d'or.

Si nous sommes talonnés par quelqu'un, nous serons tous stimulés à travailler davantage, à courir plus vite. Quelques-unes de mes meilleures performances ont résulté d'une compétition serrée, incluant parfois un curieux effet statistique annexe pour certains de mes adversaires. Lors de plusieurs de mes victoires en tournoi, d'autres joueurs de très haut niveau accomplissaient les meilleures performances de leur carrière et finissaient second ou troisième. De la même façon que les chiens de course vont plus vite derrière un « lapin », nous nous surpassons encore plus avec un but vers lequel nous centrer, un concurrent dont chaque foulée, jusqu'à la ligne d'arrivée, égale la nôtre.

De 1999 à 2001, je gagnai le tournoi de Wijk aan Zee trois fois de suite. À chacun de ces tournois, la seconde place revint à Viswanathan Anand – deux fois à égalité avec d'autres joueurs. Mon premier gain, en 1999, fut l'une des meilleures performances de toute ma carrière. Je gagnai huit parties sur treize – incluant sept d'affilée presque au début et je n'en perdis qu'une seule. Anand attaqua sévèrement vers la fin de l'événement et ne termina qu'à un demi-point derrière moi, ne me laissant que la marge la plus petite possible pour la victoire.

D'un point de vue statistique, en ne regardant que les gains et les pertes et en oubliant le résultat final, c'était vraisemblablement la meilleure performance de toute la carrière d'Anand. Et pourtant, je doute qu'il inclue cet événement parmi ses meilleures réalisations. Anand a remporté beaucoup de tournois importants et, comme un vrai compétiteur, il met ces victoires au-dessus de n'importe quelle place de second, quelque exploit que celle-ci ait pu représenter.

Finir second est définitivement mieux que de finir troisième et incomparablement mieux que de finir dernier. Les platitudes consistant à dire que la « seule chose qui compte » est de gagner sont aussi banales que celles qui prétendent que le fait de gagner n'a absolument aucune importance. Ce qui nous importe est la manière de développer notre propre système de contrôle de l'agressivité afin de nous améliorer dans ce que nous faisons. L'agressivité, dans ce contexte, signifie dynamisme, innovation, amélioration, courage, prise de risque et volonté d'agir. Il nous faut apprendre l'intérêt de déséquilibrer une situation afin d'y prendre l'initiative. Si l'on veut faire du feu, il ne faut pas avoir peur de frapper quelques roches.

L'occasion de prendre l'initiative se présente rarement deux fois

Nous en arrivons au concept de l'initiative et c'est la caractéristique fondamentale de l'attaquant accompli.

Quand c'est notre tour de jouer et que nous suscitons l'action, nous contrôlons le cours de la partie au lieu de simplement réagir. Notre adversaire, lui, doit réagir, ce qui restreint l'éventail de ses coups et les rend par conséquent plus faciles à prévoir. Cette position dominante nous permet d'avoir une vue plus lointaine et de continuer à contrôler l'action. Tant que nous persistons à provoquer des menaces et une pression, nous gardons l'initiative. Aux échecs, elle peut conduire à une attaque imparable. En affaires, à une plus grande part de marché. Elle met aussi en position de force pour négocier. En politique, elle implique une montée des suffrages. Dans tous les cas, elle crée un cycle positif améliorant réellement la position. On en retire une impression de meilleur statut et de victoire imminente, bénéfices tangibles et intangibles. Tel est l'avantage de l'attaquant.

Une fois que vous avez l'initiative, vous devez l'exploiter et la nourrir constamment. Wilhelm Steinitz nous a rappelé que le joueur possédant l'avantage devait attaquer, faute de quoi il perdrait forcément son avance. Ce facteur dynamique peut disparaître à tout instant. L'avantage de l'initiative peut se convertir en gain matériel. Ou bien on peut augmenter son initiative encore et encore jusqu'à ce que l'adversaire ne puisse plus continuer et succombe à l'attaque.

Cela ne signifie pas nécessairement concentrer ses forces en une seule attaque insurmontable. Celle-ci peut marcher, mais il n'existe pas dans la vraie vie (ni dans les échecs) d'équivalent à l'Étoile Mortelle de *La Guerre des étoiles*, une arme capable de détruire toute résistance quelle qu'elle soit. Nos compétiteurs vont réagir et préparer une défense, il nous faut donc user de notre initiative avec créativité et garder une perspective sur notre propre manière de vaincre. Une attaque ne doit pas être tout ou rien, ou aussi brève qu'un éclair. Une pression soutenue peut être très efficace, affaiblir graduellement la position de notre opposant et conduire à un gain à long terme. L'une des qualités d'un grand attaquant est de tirer le maximum d'une position sans en faire trop et sans essayer d'aller au-delà de ce qui est possible.

Avoir une longueur d'avance signifie maintenir l'opposant en déséquilibre et lui imposer des mouvements suscitant des faiblesses. Se trouvant en position de défense, il se voit contraint de parer dans l'urgence à ses manques, mais sous la pression constante, ce travail devient bientôt impossible. En comblant une brèche à un endroit, il en crée une nouvelle ailleurs jusqu'à ce que quelque chose craque et que l'attaque le terrasse. Aux échecs, nous avons le « principe des deux points faibles ». Il est rare de pouvoir battre un bon joueur avec seulement un angle d'attaque. Plutôt que de rester fixé sur un seul point, nous devons exploiter notre pression pour provoquer plusieurs points faibles.

Ainsi l'initiative se traduit-elle surtout par la mobilité, la flexibilité et la diversion. Concentrer toutes nos forces sur un point unique peut nous ligoter tout autant que le défenseur. Même le jour du débarquement allié – l'opération Overlord, la plus grande invasion maritime de tous les temps – incluait quantité de tactiques de diversion pour tenir les nazis dans des conjectures et les empêcher de préparer une défense. Outre des techniques plus traditionnelles, les Alliés allèrent jusqu'à créer une unité armée entièrement fictive avec une série d'équipements dans un style très hollywoodien afin de faire croire à l'ennemi qu'ils possédaient le double de leurs capacités réelles.

L'opposant d'un joueur agressif sera vraisemblablement nerveux et hors d'état de jouer son jeu. Une menace quelconque ou la conscience d'une faiblesse suscitera des doutes dans son esprit. Quelle que soit l'apparente sécurité de sa position, il aura tendance à se centrer sur l'éventualité de la perte de matériel ou sur la probabilité d'une défaite. Ce qui conduit inévitablement à des modifications de son approche et de sa manière de réfléchir, modifications qu'on a tout lieu d'exploiter.

Être attaquant par choix

Quand je regarde mes premières parties, je peux voir mon développement en tant que joueur d'échecs. Mes amis et ma famille peuvent se reporter à mon passé et voir également mon développement en tant que personne. Avec tant de parallèles visibles entre les joueurs et le type d'échecs qu'ils jouent, il n'est pas étonnant de remarquer comment leurs vies et leurs styles de jeu se développent souvent de manière similaire.

Bien que durant toute ma carrière j'aie constamment pratiqué un jeu d'attaque, quelle que soit la définition qu'on donne à ce terme, mes parties devinrent, au fil du temps, plus concrètes et moins spéculatives. Aux alentours de la trentaine, alors que j'étais champion du monde depuis une dizaine d'années, j'étais devenu plus patient et moins enclin à m'embarquer dans un assaut incertain. Ce n'était pas seulement le conservatisme stéréotypé de l'âge ; c'était aussi le bénéfice de l'expérience. Je ne jouais pas seulement différemment, mais mieux. J'avais appris qu'une contre-attaque au moment judicieux contre un adversaire excessivement agressif pouvait être plus efficace que de croiser le fer en permanence.

Psychologiquement, je n'éprouvais plus le besoin de prouver quelque chose à chaque partie en lançant une guerre éclair. Mon approche était devenue plus scientifique et plus professionnelle. J'étais là pour gagner, pas pour faire une déclaration. Selon mes proches, cela reflétait les changements qui s'étaient produits dans ma façon d'appréhender les médias ainsi que la gestion de mes affaires. Ma rupture avec la FIDE en 1993 ainsi que l'effondrement de l'Association professionnelle d'échecs que j'avais fondée m'avaient mis en position assez difficile, me rendant plus circonspect. Cette rupture coïncidait avec la dissolution douloureuse de mon premier mariage et la séparation d'avec ma femme et ma fille Paulina.

Le retour de la stabilité sur l'échiquier coïncida avec celui de ma vie privée dans la seconde moitié des années 90. Je fondai une nouvelle famille, avec un fils, Vadim. Owen Williams se joignit à moi en tant qu'agent de mes affaires à plein temps. Par plusieurs biais, ces deux additions à ma « famille » me rendirent plus conscient des répercussions de mes actions, tant dans l'espace que dans le temps. En 1999, je lançai une société sur Internet portant mon nom, qui devint littéralement une marque mondiale. Je ne pouvais plus prétendre être un rebelle se battant contre l'establishment alors que, par bien des côtés, je représentais cet establishment. Parvenu à une telle position, il peut être difficile de garder le côté combatif dont on a besoin pour se maintenir au sommet. Il devient nécessaire de se rappeler comment on a remporté ces succès et de rester fidèle aux fondamentaux.

En dépit de ces changements, mes meilleurs résultats, aussi bien sur l'échiquier qu'ailleurs, demeuraient ceux qui procédaient de ma mentalité d'attaquant. La différence était que ce qui me venait instinctivement à l'âge de vingt-deux ans dépendait plus souvent, à l'âge de trente-cinq ans, d'une décision volontaire. Une connaissance élargie apporte son lot d'aspects à considérer, permettant aux doutes de s'insinuer peu à peu. Trop réfléchir peut engourdir notre instinct et ce qui devrait être une décision rapide peut facilement virer en délibérations infinies. La dernière chose que je pouvais supporter était d'être assis devant l'échiquier ou dans une réunion d'affaires à me demander : « Que ferait, dans ce cas, le jeune Garry Kasparov ? »

J'avais l'habitude d'attaquer car c'était la seule chose que je connaissais. Maintenant j'attaque car je sais que c'est ce qui marche le mieux. Mes nouvelles expériences en politique n'ont pas modifié cette opinion. Savoir qu'il y a un temps et une place pour la diplomatie n'a pas changé ma conviction qu'il faut, autant que possible, négocier en position de force.

La menace est plus forte que sa mise à exécution

Un concept relatif à l'initiative fut élucidé avec élégance par Aaron Nimzovitch qui écrivit que « la menace est plus forte que sa mise à exécution ». Une attaque n'a pas besoin de se réaliser pour avoir un effet dévastateur sur la position de l'ennemi. Si votre adversaire est contraint de perdre du temps pour défendre une position, cela peut ouvrir une possibilité de gagner à un autre endroit. Avant le jour J, les agents doubles des Alliés firent croire aux nazis que l'attaque principale allait se produire au Pas de Calais, amenant Hitler à envoyer Rommel et ses forces d'élite à bonne distance du lieu réel de l'invasion.

La phrase célèbre de Nimzovitch porte aussi sur la perception, quelque chose d'analogue au vieux proverbe de Wall Street : « Achetez la rumeur, vendez les nouvelles. » L'anticipation de ce qui va se produire peut être plus puissante que l'événement lui-même ou, pour le dire autrement, est inséparable de l'événement lui-même. Crier « Au feu ! » dans un théâtre bondé provoque, au moins au début, les mêmes réactions que ce soit vrai ou non.

Même sur l'échiquier, l'initiative n'est pas un concept tout à fait « à somme nulle ». Alors qu'on dit habituellement que l'initiative est d'un côté ou qu'elle est équilibrée, il est aussi possible de diviser l'initiative à travers l'échiquier. La situation où les blancs ont davantage de pièces actives sur l'aile du roi tandis que les noirs explosent l'aile opposée constitue un exemple courant. Dans un tel cas, la défense est rarement de mise ; seule l'attaque paie. Chacune des parties fait ce qu'elle peut pour exploiter le plus vite possible son avantage.

Les avantages partagés ne se réfèrent pas nécessairement à des divisions géographiques. Dans le commerce au détail, par exemple, cela peut signifier des segments du marché et des catégories de production. Si nous sommes en mesure de dominer un secteur, quelle que soit sa taille, nous pouvons prospérer et, peut-être, utiliser cette unique parcelle comme rampe de lancement.

Un mot pour la défense

La mentalité agressive conduisant à une attaque victorieuse implique une capacité et même une prédilection à bouleverser le statu quo. Prendre la tête signifie s'avancer vers l'inconnu plutôt que d'attendre, de voir et de réagir. On trouve là un niveau d'incertitude que certains trouvent inconfortable. Ce sentiment peut conduire à une approche attentiste qui limite sérieusement notre potentiel.

Pour être honnête, la défense est plus rationnelle que l'attaque par bien des côtés. Une vieille maxime militaire dit qu'une attaque victorieuse requiert trois fois plus de ressources que la défense. (Aux échecs, on se contentera d'une simple majorité.) La défense implique la conservation de ses ressources et le moins d'exposition possible, deux tendances humaines naturelles. Le défenseur a aussi moins d'angles à couvrir, ayant seulement à s'assurer de protéger ses propres faiblesses. Un génie tel que Tigran Petrossian pouvait gagner avec un style presque entièrement réactif. Mais cela se produisait dans un jeu où chacun jouait à tour de rôle. En temps réel, l'initiative s'augmente d'elle-même. À mesure que le pas du monde s'accélère, l'avantage s'accroît régulièrement du côté de l'attaquant.

L'art de la défense militaire est presque obsolète aujourd'hui, touchant à sa fin après un rapide déclin dû aux avancées technologiques. La Première Guerre mondiale fut la dernière guerre d'usure en raison de l'avènement d'une importante armée mobile. Au début de la Seconde Guerre mondiale, les tanks allemands firent une guerre éclair à travers l'Europe, occupant souvent davantage de territoire en un seul jour que l'armée allemande ne l'avait fait en plusieurs mois vingt-cinq ans auparavant.

Une avancée fulgurante nous amène aujourd'hui à avoir des bombes guidées au laser capables de détruire un bunker enterré à cent mètres en sous-sol. La défense de position est terminée. Faire la guerre de nos jours signifie frapper le premier et frapper fort. Cette tendance est reflétée par le reste de la société. Les choses bougent si vite qu'une stratégie passive, tant pour l'investissement que pour l'entreprise, est aussi obsolète que le siège d'une forteresse ou une guerre de tranchées. Faute de se tenir agressivement sur le devant, on se retrouve rapidement à la traîne. Il n'est pas nécessaire d'aller bien loin pour en trouver des exemples. Le nom d'Alta Vista vous dit-il quelque chose ? C'est l'un des nombreux moteurs de recherche mis sur la touche en premier lieu par Yahoo ! et ensuite par le poids lourd Google. Yahoo ! était suffisamment en tête au moment du tournant pour diversifier ses offres. Quand Google fit son arrivée en rendant les autres moteurs de recherche presque périmés, Yahoo ! avait déjà opéré une mutation vers la fourniture d'autres services. Alta Vista et d'autres tels que Lycos et HotBot furent absorbés par des groupes plus importants et n'existent plus aujourd'hui.

Risquer la victoire

Avec la défense en perte de vitesse, l'attaque est devenue, à l'inverse, plus payante. Auparavant, être premier signifiait l'excellence mais être second n'était pas si mal. Aujourd'hui, être second peut signifier une mise à l'écart. L'attaque est toujours risquée mais les retombées sont plus importantes dans un monde accéléré, de haute technologie, et le châtiment pour un défaut d'attaque est plus sévère. Pour en revenir à notre terminologie MTQ, le temps est plus important que jamais et l'attaque est en étroite corrélation avec le temps.

Le dernier iPod d'Apple, le « Nano », peut en témoigner. Apple a remplacé l'un de ses produits électroniques les plus populaires de l'histoire, le « Mini », alors que cet article était encore celui qui se vendait le mieux de tous. Ils n'attendent pas que d'autres sociétés entament leur marge bénéficiaire ou que les ventes se ralentissent. Ils débordent leur propre produit pour en lancer un meilleur, ce qui n'est pas un moindre risque. Par contraste, comme nous l'avons vu, Microsoft attendit deux ans pour entamer l'étude d'un nouveau navigateur, ne faisant un effort qu'au moment où leur part de marché commençait déjà à péricliter de façon significative.

Certes, à la différence de Microsoft, qui a les ressources d'absorber une chute de 10 pour cent de parts du marché et de se jeter encore dans la bataille avec un nouveau produit de développement, la plupart d'entre nous ne peuvent supporter de telles erreurs. Une faute de cet ordre causerait le renvoi de la plupart des employés. Courir sa chance lorsqu'on est en position de supériorité ne représente pas un grand risque car la position offre toujours une garantie. Mais mieux vaut risquer la victoire plutôt que de risquer qu'un autre réussisse à vos dépens.

Ce n'est qu'avec une pratique régulière qu'on s'habitue à accepter davantage de risques. Plus la compétition est dure, plus les enjeux sont importants et plus il faut prendre de risques pour emporter la victoire. Quelques joueurs d'échecs, même de très bon niveau, adoptent une approche avant tout sécuritaire et attendent que leur adversaire fasse la faute. Mikhaïl Tal, dont nous avons vu qu'il était l'un des plus grands attaquants de l'histoire du jeu, fit ce commentaire à propos d'un jeune joueur qui avait opéré une rapide ascension dans l'élite des années 80 : « Il est comme un avant, au football, qui attendrait que le gardien de but de l'équipe adverse tire à sa place. » L'agressivité créative de Tal ne laissait aucune place à un état d'esprit opportuniste.

Une petite marge, une avance infime, est encore bien loin d'un gain. Il est très courant d'avoir accompli avec succès la plus grande partie des buts stratégiques qu'on s'était fixés pour s'apercevoir qu'on ne se retrouve qu'avec un « petit plus », qui s'écrit +/= dans les notations d'échecs, à peine mieux que l'égalité. Naturellement, cela vaut mieux que d'être en position égale ou inférieure mais il peut être difficile psychologiquement de convertir +/= en avantage décisif. Cela est dû en partie à une tendance que nous appelons « être attaché à sa position ». Nous sommes si satisfaits de notre avantage que nous ne voulons pas prendre le risque de le perdre. Nous tournons autour du pot, tentant de conserver les petits plus de notre position sans oser faire quoi que ce soit de significatif. Face à une position forte, cette attitude à toutes les chances de conduire à une dissipation de notre initiative. Faute de prendre un risque réel, il est presque impossible de progresser.

Nous définissons souvent les positions d'échecs par leur facteur de risque en disant par exemple : « Maintenant, les blancs jouent pour trois résultats », signifiant par là que, selon le risque que prendra le joueur, il aboutira soit au gain, soit à la défaite, soit à l'égalité. Quand un joueur avance en territoire inconnu, il ôte le filet de protection. Jouer pour deux résultats signifie jouer en essayant de minimiser les risques, seulement pour le gain ou, au pire, l'égalité. Cela veut dire garder le filet de protection, avoir le recours du parachute si les choses ne tournent pas comme prévu. Puisqu'il est presque impossible de gagner à haut niveau sans prendre un risque significatif, jouer pour deux résultats revient souvent à un seul : l'égalité stérile ou la nullité.

Un tel comportement de prudence excessive est une autre forme de complaisance vis-à-vis de soi-même, un effet de l'attitude commune qui se contente de modestes succès. Quand nous avons de gros ennuis, nous sentons instinctivement qu'il nous faudra prendre des risques pour survivre. Mais quand nous avons de bons résultats, nous hésitons à abandonner quoi que ce soit alors que, comme nous l'avons vu, les changements sont souvent indispensables à l'optimisation de notre avantage. On doit investir de l'argent, envoyer des soldats au front, et risquer de petits avantages pour essayer d'en avoir de plus grands. Risquer la victoire signifie aussi risquer la défaite, le courage est donc l'ingrédient le plus décisif.

La magie de l'audace

« Ce que vous pouvez faire ou pensez pouvoir faire, faites-le. Car l'audace a sa propre magie, sa propre puissance, son propre génie. » Goethe

Pour attaquer, il faut s'y prendre au bon moment et garder son sang-froid. Connaître l'instant judicieux de l'attaque est autant un art qu'une science, et même pour les meilleurs, c'est souvent un exercice de divination. La fenêtre d'opportunité est généralement très petite, comme pour la plupart des facteurs dynamiques. Aucun néon ne s'allume pour nous signaler qu'il y a une grande opportunité juste au coin de la rue.

La manière courante, pour les joueurs d'échecs, d'améliorer leur attaque basique et leurs talents tactiques consiste à résoudre des problèmes. Ceux-ci peuvent être tirés de parties réelles ou de problèmes spécialement composés, analogues aux cas d'études des écoles de commerce. Il s'agit habituellement de trouver le meilleur coup dans une situation donnée. Cette méthode est amusante et se révèle utile pour apprendre rapidement une grande variété de modèles tactiques, mais elle n'est pas très réaliste. Pendant une partie réelle, rien ne vous signale qu'un coup gagnant existe. La vigilance est le prochain instrument essentiel dans la boîte à outils de l'attaquant.

Déceler les opportunités signifie abandonner les suppositions de toutes sortes. Les modèles et les automatismes sur lesquels nous nous reposons pour gagner du temps peuvent aussi nous empêcher de repérer les meilleures opportunités. Ceci se vérifie particulièrement dans les positions tranquilles, dans ces périodes de stabilité qui semblent peu propices à produire des chances d'attaquer. Nous devons aussi éviter de faire trop d'extrapolations au sujet de nos compétitions. On nous dit souvent de ne pas sous-estimer nos adversaires, mais les surestimer peu conduire aussi à manquer des occasions.

Le tournoi de qualification de championnat du monde de 1953 à Zurich vit l'un des cas parmi les plus mémorables de l'histoire des échecs de haut niveau : deux fautes commises coup sur coup ! L'Américain Sammy Reshevsky, connu comme enfant prodige dans son jeune âge et maintenant candidat au titre de champion du monde, se défendait contre le meilleur joueur hongrois, Laszlo Szabo. Szabo attaquait le roi de Reshevsky avec son cavalier, le mettant en échec en ne lui laissant que deux coups possibles : soit prendre le cavalier, soit changer son roi de place. Même avec si peu de possibilités, Reshevsky fit le mauvais choix. (Pour être honnête, Reshevsky était réputé pour être toujours en zeitnot.) Il prit le cavalier à toute vitesse, se mettant lui-même dans la situation de se retrouver obligatoirement échec et mat en seulement deux coups, une chose que n'importe quel joueur moyen aurait vu du premier coup d'œil.

Fait incroyable, Szabo ne le vit pas non plus ! Au lieu de mater son adversaire, il reprit la pièce. La partie aboutit à une nullité quelques coups plus tard et le surprenant enchaînement de fautes apparut dans toute son évidence. Après coup, Szabo dans sa confusion ne trouva rien de mieux à faire que d'incriminer son adversaire, disant qu'il n'aurait jamais pu imaginer que le grand Reshevsky fasse une faute aussi grossière.

Rester en alerte sur les occasions d'attaques implique une évaluation du moindre changement de la position, de l'environnement et de la compétition. Un changement infime pouvant paraître anodin au premier regard peut se combiner avec une transformation ultérieure pour créer une faille et une opportunité.

Même dans une position équilibrée, un joueur sur la défensive est davantage susceptible de faire une faute. Mener l'action nous donne plus de possibilités et une plus grande capacité à contrôler notre destin, ce qui crée une énergie positive et donne confiance en soi. Cette énergie que nous créons, notre adrénaline mentale, n'est pas une petite chose. Mikhaïl Tal a dit que le pire coup de sa vie fut celui qu'il ne fit pas : un sacrifice spéculatif sur lequel il réfléchit pendant quarante minutes pour finalement, contrairement à ses habitudes, y renoncer. Les attaquants peuvent parfois regretter de mauvais coups mais il est bien pire de regretter pour toujours une occasion qu'on n'a pas su saisir.

Xavier Tartacover apporta au monde des échecs autant d'aphorismes et d'histoires pittoresques qu'il y remporta de victoires, ce qui veut dire des centaines. L'un de mes « tartacovérismes » favoris est : « Ce qui importe avant tout pour l'attaque est la volonté d'attaquer. » Tous nos talents à anticiper et à évaluer restent purement académiques s'ils ne se combinent pas à l'énergie de les utiliser et de frapper quand l'occasion se présente. Ce sont les bénéfices concrets et pratiques d'une approche agressive. Si vous êtes engagé dans un combat, vous souhaitez que le premier coup soit aussi le dernier et vous avez intérêt à être celui qui le donne.

III

14. Interroger le succès

Le succès d'aujourd'hui est l'ennemi du succès de demain

Le contentement de soi est un ennemi dangereux. L'autosatisfaction peut conduire à un manque de vigilance, à des erreurs et à des occasions manquées. Généralement, nous cherchons à guérir la maladie, pas seulement à traiter les symptômes, mais dans ce cas, nous tombons dans une sorte de paradoxe. Le succès et la satisfaction sont les buts que nous nous donnons, mais ils peuvent aussi aboutir à des conduites négatives empêchant de plus grands succès et de plus grandes satisfactions ou provoquant même parfois des faillites catastrophiques.

Le 9 novembre 1985, j'avais réalisé le but que je m'étais fixé depuis bien longtemps de devenir champion du monde (si l'on peut dire « bien longtemps » pour un jeune homme qui atteint son but à vingt-deux ans). Pendant la cérémonie, je fus décontenancé par les propos de Rona Petrossian, la femme du précédent champion du monde.

« Je suis désolée pour vous, me dit-elle. Le plus beau jour de votre vie est derrière vous. » Quelle drôle de chose à dire lors d'une réunion de célébration ! Mais j'entendis souvent ces mots résonner dans ma tête dans les années qui suivirent.

La pesanteur du succès passé

Les quinze années qui suivirent furent une bataille constante pour augmenter ma puissance et éliminer mes faiblesses. J'étais toujours convaincu qu'en travaillant aussi dur que je le pouvais et en jouant à mon meilleur niveau, personne ne pourrait me battre, et je gardai cette conviction jusqu'au jour où je me retirai, en février 2005. Par conséquent, comment expliquer ma défaite contre mon compatriote Vladimir Kramnik dans notre match de championnat du monde de l'an 2000 ? Nous avons déjà pu juger de ses succès et de comment il s'était débrouillé pour choisir le terrain de bataille de notre affrontement. Quoi qu'il en soit, ce fiasco stratégique de ma part a des origines plus profondes.

J'avais toujours su que la psychologie jouait un rôle aux échecs, mais il me fallut la perte de mon titre pour que je mesure l'importance de ce rôle. L'un des points forts de mon jeu avait toujours été la capacité à m'adapter à de nouveaux défis, et la stratégie de Kramnik consistait à s'en servir contre moi. Bien que je me sentisse mal à l'aise dans les positions où il m'avait entraîné, je persistais à penser que je pouvais m'ajuster suffisamment vite à la situation pour reprendre le dessus durant le match et gagner. En réalité, le temps n'était pas suffisant dans un match de seulement seize parties. Dans mon premier match de championnat du monde contre Anatoly Karpov en 1984-1985, il n'y avait pas eu de limite au nombre de parties. J'avais eu le temps de m'adapter et de reprendre le dessus. Je n'eus pas cette chance à Londres.

Il m'était difficile d'en prendre conscience en raison de la situation de ma carrière à ce moment-là. Dans les deux années qui avaient précédé le match d'octobre 2000, j'avais réussi quelques-unes des meilleures prouesses de ma vie, réfutant les critiques qui avaient prédit la fin de mon règne lorsque j'aurais atteint le maximum du classement. Ils faisaient remarquer mon âge avancé – à trente-cinq ans, j'avais déjà une dizaine d'années de plus que mes adversaires. En 1999, j'avais poussé mon record vers de nouveaux sommets et je me retrouvais au milieu d'une série de victoires du tournoi du « Grand Chelem » quand je commençai des préparations pour mon match de championnat du monde. J'avais l'impression de pouvoir soulever des montagnes sur l'échiquier ; comment cette exaspérante Défense berlinoise de Kramnik pouvait-elle me ralentir ?

Mes années de succès m'avaient rendu en fait vulnérable à un tel piège. Face à une nouvelle menace, je pensais que mes anciennes méthodes allaient marcher. J'étais incapable d'admettre que je me trouvais en sérieuse difficulté et que mon jeune opposant s'était excellemment préparé. Quand sa stratégie me prit finalement de plein fouet, le match court était déjà bien avancé et je commençai à me persuader que j'allais de nouveau me mettre à y croire. Je réussis à provoquer un petit combat vers la fin mais ce fut insuffisant. Je perdis le match sans avoir réussi à gagner une seule partie sur les quinze alors que j'en avais quand même perdu deux.

Ma défaite résultait d'une trop grande confiance en moi et d'une autosatisfaction. Même pendant le déroulement de cette défaite, j'avais du mal à créditer celui qui avait été mon élève d'une meilleure préparation stratégique que la mienne. Peut-être n'avais-je pas prêté une attention suffisante au fait qu'il avait été l'un de mes propres assistants lors de mon championnat du monde contre Viswanathan Anand en 1995. J'avais si bien joué et gagné tant d'événements en abordant le match de l'année 2000 que je ne pouvais concevoir aucune sérieuse faiblesse dans mon jeu.

Voilà ce que j'appelle la pesanteur du succès passé. La victoire crée l'illusion que tout va pour le mieux. C'est une forte tentation que de ne considérer que le résultat positif sans examiner chemin faisant toutes les choses qui vont de travers – ou qui pourraient aller de travers – sur le chemin. Après une victoire, notre premier réflexe nous incite à la célébrer et non pas à l'analyser. Nous rejouons l'instant de triomphe dans notre esprit comme si ce moment avait été inéluctable pendant le déroulement de la partie.

Des fautes du même ordre s'accumulent dans nos tâches quotidiennes. Le vieux proverbe « Le mieux est l'ennemi du bien » doit être laissé aux plombiers et tenu à bonne distance de la conduite de notre existence tant à la maison qu'au travail. Nous devons remettre en question le statu quo à tout moment, particulièrement quand les choses marchent bien. Quand quelque chose ne fonctionne pas, nous avons le désir naturel de faire mieux la fois suivante, mais nous devons nous entraîner à chercher une amélioration même quand tout va bien. Faute de quoi, nous tombons dans la stagnation et nous courons le risque de nous effondrer.

La compétition et les tactiques contre l'autosatisfaction

L'effondrement dû à un excès de confiance en soi peut se produire sous de nombreuses formes. Dans les environnements compétitifs tels que l'armée ou le monde du travail, il surgit presque toujours de la routine du travail alors que la concurrence est en train de nous rattraper et de nous dépasser. Se reposer sur son renom et sur une expérience désuète peut avoir des conséquences tragiques.

En 1941, dans les premiers mois de l'invasion allemande, les troupes soviétiques étaient dirigées par des vétérans de l'armée rouge issue de la guerre civile, lesquels croyaient encore que la cavalerie était primordiale. Le maréchal Kliment Vorochilov – un favori de Staline – employait avec des unités regroupées de cavalerie les tactiques qui avaient été si efficaces en 1919 contre la Garde blanche. Comme on pouvait s'y attendre, elles étaient complètement inopérantes pour empêcher les divisions armées nazies d'encercler Leningrad. Et même pire, ce fut une redite de la gaffe commise par les commandants russes au tout début de la Seconde Guerre mondiale, quand un journaliste observateur écrivait : « Aujourd'hui, j'ai observé une vague de chair et de sang russes se ruant contre un mur d'acier germanique. »

Les chevaux n'étaient pas de taille face aux tanks et à l'artillerie. L'industrie automobile américaine dans les années 70 ne l'était pas non plus face aux nouvelles techniques de fabrication et de production japonaises. Une constante innovation est une nécessité dans des domaines tels que la technologie qui évolue rapidement. Ignorer ce qui se passe à la pointe de la concurrence peut nous faire ressembler à George III sur le journal de qui l'on peut lire au 4 juillet 1776 : « Rien d'important aujourd'hui. » Ce qui ne manque pas d'ironie.

La concurrence devrait être la voie royale pour garder sa motivation. Il eût été impossible pour moi d'atteindre mon potentiel sans la pression de Karpov qui me poussait à monter les marches une à une. Quand une nouvelle génération de joueurs d'échecs émergea dans les années 90 et que Karpov cessa d'être la principale menace de ma position dominante, il me fallut me remettre au point et trouver des sources d'inspiration inédites. Mon cheval de bataille fut alors de résister à la nouvelle vague de jeunes talents renommés, une chose que peu de champions du monde avaient réalisée.

D'autres joueurs ont leur propre méthode. L'étonnant Viktor Kortchnoï, à largement plus de soixante-dix ans, pratique encore les échecs de haut niveau et entretient toujours des foyers de compétition. « Viktor le Terrible » a mené une vie à la fois difficile et haute en couleurs, que ce soit devant ou en dehors de l'échiquier, désertant l'URSS en 1976 après des années de bataille contre les autorités soviétiques. Il devint leur bête noire après être parti vers l'Ouest, d'abord en Hollande puis dans sa patrie actuelle, la Suisse. Il fut alors très difficile pour les censeurs soviétiques de garder le nom du transfuge dans l'anonymat alors qu'il gagnait tant de tournois et qu'il battait les meilleurs joueurs soviétiques. À trois reprises il affronta Karpov, beaucoup plus jeune que lui, dans des matchs de championnat du monde, échouant chaque fois mais décrochant le titre amer de « meilleur joueur qui n'aura jamais le titre de champion du monde ». Kortchnoï avait eu une sorte de revanche en continuant à jouer dans les compétitions d'échecs tandis que Karpov – de vingt ans plus jeune que lui – s'était retiré depuis longtemps des rigueurs des tournois. Quand il eut atteint l'âge auquel je me retirai, Kortchnoï n'était pas encore à son sommet !

En dépit de son impressionnante carrière, Kortchnoï a toujours réussi à jouer comme s'il avait quelque chose de plus à prouver. Le défi de l'âge est loin d'être suffisant pour lui ; il ne se contente pas de réapparaître et de pousser le bois. Kortchnoï aime à montrer à des joueurs cinquante ans plus jeunes qu'ils ont encore quelque chose à apprendre de lui. Lors d'un tournoi en 2004, Kortchnoï battit le grand maître Magnus Carlsen, prodige norvégien, le triomphe d'un homme de soixante-treize ans sur un autre âgé de quatorze ans.

Kortchnoï a continué à tenir la barre en refusant de regarder en arrière vers ce qui aurait représenté pour presque tout le monde des jours de gloire. Il est toujours motivé par les échecs et poussé par le désir fervent non pas simplement de faire de son mieux, mais de battre son adversaire. Il est essentiel d'avoir ces points de référence dans notre vie pour nous tenir en alerte. Aux échecs comme dans tous les sports, nous avons des classements, des adversaires et des tournois qui semblent clarifier les choses mais ce n'est pas suffisant.

Il faut se stimuler, créer ses propres cibles et avoir toujours plus d'exigences. Cela peut être un peu paradoxal d'avoir la conviction qu'on est le meilleur et néanmoins de concourir comme si l'on était un outsider. Il est tout aussi difficile de changer une formule de travail, mais quiconque veut faire une longue carrière dans l'excellence trouvera nécessaire de le faire. Bien qu'il ait gagné huit médailles d'or sur trois participations aux Jeux olympiques, Carl Lewis, à l'âge de trente-cinq ans, voulait encore davantage. Afin de se qualifier aux Jeux olympiques d'Atlanta en 1996, il s'engagea dans un programme d'entraînement entièrement nouveau, abandonnant tout ce qui avait marché pour lui jusque-là. Il savait que son âge et ses blessures créaient de nouveaux défis. Il réussit à gagner une autre médaille d'or et une médaille d'argent à Atlanta, et tout cela parce qu'il ne craignit pas de changer ce qui avait marché auparavant.

Trouver des voies pour maintenir sa concentration et sa motivation est la clé pour combattre l'autosatisfaction. Sans doute n'avons-nous pas un système d'évaluation au travail ou à la maison, mais cela ne veut pas dire que nous ne pouvons pas en créer un. Quels critères pouvons-nous inventer pour mesurer notre performance ? À coup sûr, l'argent en est un, même s'il est un peu cynique. Peut-être un « index de bonheur » pourrait-il faire l'affaire, ou encore une liste générale et réaliste d'objectifs, analogue à celle que tant d'entre nous se fixent invariablement pour la nouvelle année. Je ne veux pas dire qu'en devenant un maniaque des listes on gagne la renommée et la fortune, mais quelques listes, qu'elles soient mentales ou écrites, sur nos motivations et sur ce à quoi nous sommes le plus attachés peuvent sans doute nous aider.

Pour pouvoir se battre, il faut d'abord savoir pour quoi nous nous battons. Chacun dit qu'il veut consacrer davantage de temps à ses enfants, mais combien de gens savent, à l'heure près, le temps qu'ils y consacrent en réalité chaque semaine, chaque mois ? Combien d'heures de travail sont gaspillées à jouer en solitaire ou à surfer sur Internet ? Quel avantage aurions-nous à le savoir ? Cela donnerait un objectif à poursuivre, une technique de soutien, à la grande majorité d'entre nous qui ne se contentent pas du fameux *Just do it.* Anticipant de deux siècles sur l'agence de publicité de Nike, Goethe écrivait : « Il ne suffit pas de savoir ; il faut mettre en application. Il ne suffit pas de vouloir ; il faut agir. »

Connaître et corriger ses défauts

Il faut déterminer les faiblesses de notre propre camp, examiner la manière dont nous fonctionnons dans notre travail et notre vie de tous les jours. En identifiant les points négatifs, les pires scénarios et les crises potentielles, nous pouvons travailler à éliminer ces faiblesses dès à présent et, ce faisant, améliorer la qualité générale de notre performance. Il ne faut pas attendre un désastre pour opérer des transformations. « Connaître et corriger » doit être notre mantra.

Ces dernières années, s'auto-observer est devenu la norme dans le domaine politique. L'équipe qui s'occupait de la campagne de Clinton avait recruté des investigateurs pour tenter de salir la réputation de leur propre candidat afin de pouvoir préventivement désamorcer les nouvelles et trouver des parades contre les futures allégations. S'ils ne pouvaient éviter le scandale, ils pouvaient au moins l'anticiper et avoir leur plan de campagne fin prêt pour riposter immédiatement.

Il est naturellement difficile de se concentrer sur ses propres défauts, de même qu'il est douloureux d'examiner nos revers et nos gaffes. Personne n'aime à se remémorer de pénibles défaites, mais nous comprenons pourtant l'intérêt capital qu'il y a à les analyser. Il est plus difficile encore de se pencher sur les erreurs qui subsistent dans nos succès. Notre ego se plaît à croire que nous avons remporté une victoire brillante sur un adversaire acharné, plutôt que de penser que nous avons eu de la chance, que notre adversaire a manqué plusieurs opportunités et que les choses auraient pu tourner tout autrement.

Nous avons déjà examiné des exemples de mauvaise stratégie gagnant grâce à de bonnes tactiques et vice versa. Savoir pourquoi on gagne est aussi important que de savoir pourquoi on perd ; en faire l'impasse revient à jeter aux orties un excellent matériau d'étude. Encore une fois, analyser un succès oblige à se poser cette question qui devrait être notre favorite : « Pourquoi ? » Il nous faut être radicalement objectif avec nos succès, faute de quoi nous nous dirigeons de façon certaine vers la stagnation.

On parle souvent de l'erreur consistant à ne pas poursuivre le travail d'analyse au-delà du résultat. Cela revient à présumer que si les blancs ont gagné, c'est qu'ils ont mieux joué et qu'ils méritent leur victoire. À l'évidence, le plan des noirs était mauvais puisqu'ils ont perdu. Il est terriblement difficile d'éviter cet écueil dans la mesure où nous connaissons déjà l'issue de la partie quand nous nous livrons à une analyse à posteriori. Chaque coup de la partie gagnante semble un peu meilleur car nous savons qu'elle a fini par l'emporter. Même les meilleurs écrits sur les échecs, tels que ceux d'Aaron Nimzovitch ou de Siegbert Tarrasch, tombent dans ce travers. Ils voulaient que les parties témoignent de leurs théories et fournissent une historiette illustrant leurs conclusions préalables.

Cinquante ans d'objectivité brutale due aux analyses informatiques protègent ma génération de ce piège et mon mentor Mikhaïl Botvinnik établit un système pour éviter d'y tomber. Il se livra à une analyse approfondie de toutes ses parties et publia ces analyses de façon à ce qu'elles soient vérifiées et critiquées par le public. La menace d'une correction publique embarrassante étant plus forte que son désir de paraître infaillible, il manifestait un sens du détachement supérieur dans ses annotations de parties.

J'avoue que j'aurais mieux fait d'avoir davantage cette idée à l'esprit quand je commençai à travailler sur ma série de livres d'échecs à la fin des années 90. Une combinaison de précipitation éditoriale et de l'assurance que nos analyses étaient meilleures que toutes celles qui nous avaient précédés conduisit à publier le premier volume de *My Great Predecessors* sans prendre assez en compte l'attention que le livre allait recevoir dans la communauté échiquéenne et ce qu'elle allait signifier.

Le premier volume parut en été 2003. Mon examen approfondi des quatre premiers champions du monde et de leurs plus proches rivaux subit à son tour un examen approfondi de la part de dizaines de milliers de joueurs d'échecs dans le monde entier. Aujourd'hui, cela signifie également que des dizaines de milliers de puissants ordinateurs d'échecs approfondissent chaque coup, chaque ligne de mes analyses. Internet permet, par une large diffusion d'analyses informatiques et les traces écrites des critiques ad hoc, de rassembler et de présenter un nombre de corrections remarquables, et humiliantes.

J'ai fait de mon mieux pour prendre en compte cette tournure des événements afin que Botvinnik puisse être fier de son ancien élève favori. Sur mon insistance, nous nous mîmes à rassembler et à effectuer nos propres analyses des corrections afin qu'elles puissent être incorporées dans des réimpressionss du livre. En fait, beaucoup de changements furent prêts à temps pour des traductions de ce livre ; ainsi, par exemple, la version portugaise qui sortit un an plus tard est nettement plus correcte que la première édition russe. Dans le même temps, nous fîmes en sorte que nos analyses et nos processus d'investigation soient plus rigoureux dans les volumes suivants et chacun d'entre eux est meilleur que le précédent de ce point de vue. La cinquième partie, sur Karpov et Kortchnoï, fut publiée au début de 2006 et je suis fier de pouvoir dire que la vaste audience des contradicteurs potentiels s'est montrée agréablement silencieuse !

Ces améliorations n'auraient jamais été faites sans une volonté d'accepter les critiques et d'y répondre. Je les pris comme un défi et non pas comme une insulte. Bien sûr, personne n'aime à être désapprouvé. Durant les vingt ans où je fus au sommet du monde des échecs, j'eus à endurer un barrage constant à la fois de critiques et de louanges, la tentation étant toujours d'ignorer les premières et d'accueillir les secondes à bras ouverts. Nous devons combattre notre propre ego et nos instincts de défense pour apprécier la justesse et le côté constructif de certaines critiques et nous en servir comme outils. Nous ne pouvons toujours gagner ce combat, mais il est vital de comprendre qu'il y là une bataille à mener.

Il y a grand danger à fuir les critiques et à se protéger en permanence de leur impact. Ce n'est pas seulement un défi lancé aux individus mais aussi aux hommes d'affaires et aux gouvernements. Une société qui ne peut répondre aux demandes de ses clients est promise à la faillite. Un test clé pour la validité d'un gouvernement est sa capacité à recevoir les critiques et à y répondre ainsi qu'à améliorer ses systèmes et ses réactions.

Une force intérieure est requise pour mettre le succès en question, pour affronter ses failles, et pour accepter d'opérer des changements. Une force supplémentaire est nécessaire pour promulguer ces changements. Churchill a dit : « Le succès n'est pas une fin, l'échec n'est pas définitif : c'est le courage de continuer qui importe. » Ce courage peut être inspiré par la compétition ou par un certain nombre de facteurs externes, mais au bout du compte, il doit venir de l'intérieur.

Vladimir Kramnik (1975), URSS/Russie

Ma némésis

Peut-être eût-il mieux valu laisser à la prochaine génération le soin d'écrire sur l'homme qui me prit le titre de champion du monde. Les émotions intenses qui entourèrent notre match de l'an 2000 à Londres et mes tentatives subséquentes pour prendre ma revanche sur mon ancien protégé me rendent difficilement objectif. Je ne peux pourtant l'ignorer car il est une figure importante de mon développement en tant que joueur d'échecs et homme de décisions.

Je fus l'un des premiers à reconnaître le talent remarquable de cet adolescent exceptionnel, à l'époque où il étudiait à l'école Botvinnik-Kasparov. Il était originaire de la petite ville de Tuapse, sur la mer Noire, mais rien n'était petit en lui, pas davantage que dans son jeu. Je pris fait et cause pour son intégration dans l'équipe prestigieuse de l'Olympiade russe d'échecs en 1992, passant outre les objections de la presse ainsi que de certains de nos co-équipiers qui disaient que Kramnik était trop jeune et inexpérimenté pour un événement d'une telle importance. Il dépassa mes plus grandes espérances en obtenant huit gains contre une seule nullité. Une nouvelle star venait de voir le jour.

Son ascension fut constante et il devint bientôt l'un des trois meilleurs joueurs du monde, un chef de file de la nouvelle génération qui supplantait mon vieil adversaire Anatoly Karpov. En 1995, je le pris dans mon équipe d'analystes pour le match de championnat du monde qui se déroulait à New York, quand j'avais battu Viswanathan Anand. Tout en m'aidant pour la préparation et pour l'analyse, Kramnik se renseignait en même temps sur mes méthodes et mes habitudes, connaissances dont il allait tirer le plus grand profit cinq ans plus tard.

En octobre 2000, Kramnik n'était plus mon assistant mais mon adversaire pour le titre. La rencontre avait lieu à Londres dans un match programmé sur seize parties. Il avait peaufiné sa préparation et prit immédiatement l'initiative. Dès la deuxième partie, il commença par démolir ma principale défense avec les noirs. Pour ses propres parties avec les noirs, Kramnik avait mis au point un brillant concept utilisant une défense ancienne et relativement peu connue mais qu'il savait être en mesure d'appuyer sur mes faiblesses. Il avait acquis une maîtrise des complications de la Défense berlinoise, ce que je n'avais pas eu le temps de faire. Il me prit deux parties, il y eut treize nullités et la dernière partie ne fut pas jouée.

Après m'avoir pris mon titre de champion du monde, Kramnik ambitionnait de me surpasser sur la liste du classement international. Mais il s'avéra que le style de jeu conservateur qu'il avait perfectionné dans le but de me battre était moins efficace dans le monde des tournois et ses résultats furent rarement à la hauteur de ses anciens succès. Il avait du mal à garder la même motivation après avoir atteint le sommet si rapidement dans sa carrière. Kramnik resta, et reste encore, un concurrent d'élite, mais il a été éclipsé par des joueurs plus jeunes ou de sa génération alors même qu'il défendait son titre, de plus en plus dévalué, en ne réalisant qu'un match nul lors du championnat du monde en 2004. Seul le temps nous dira si sa santé physique et psychologique se rétabliront suffisamment pour le ramener au sommet.

Sur Kramnik : « [À Londres] Kramnik a adopté une excellente stratégie et a réussi à la mener à bien. Il n'est pas le premier à avoir eu l'idée de contrer Kasparov de cette manière, mais c'est autre chose que d'y parvenir aussi bien. » Viswanathan Anand

Kramnik par lui-même : « Vous devez avoir une bonne santé, un système nerveux à toute épreuve, et vous devez détester perdre une partie. Voilà votre seule chance de devenir champion du monde. »

15. Le jeu intérieur

La partie peut être gagnée avant que vous soyez devant l'échiquier

Le libérateur sud-américain Simon Bolivar a dit que « seul un soldat inexpérimenté peut croire que tout est perdu après avoir subi une défaite pour la première fois ». Dans les semaines et les mois qui suivirent ma défaite à Londres, j'eus tout le loisir de méditer sur ce que Vladimir Kramnik avait réussi et sur la façon dont il s'y était pris. Je m'employais à atténuer les faiblesses qu'il avait exploitées et à inverser les rôles en cherchant les siennes. Nous fîmes une douzaine de parties après ce match, toutes se terminant par des nullités sauf une. L'unique victoire fut pour moi.

Ce qui ne manquait pas d'ironie fut que cette victoire se produisit dans la dernière ronde d'un grand tournoi, dans une partie que je devais gagner pour prendre à Kramnik la première place, et l'ouverture était justement cette même Défense berlinoise qui m'avait désarçonné dans notre match de Londres. Combiné avec le maintien de ma légère

supériorité au classement, ceci ajouta une petite consolation à l'amère défaite de Londres.

Faire la chasse aux lacunes de mon jeu ne fut qu'un
des éléments me permettant de reprendre le dessus à la
suite de la perte de mon titre de champion du monde. Dans
le même temps, il y eut une période de récupération
psychologique. Retourner sur le ring après une défaite
cuisante n'est jamais facile, surtout en sachant que nos
adversaires se sont enhardis en percevant nos faiblesses.

Peu de choses sont aussi blessantes psychologiquement que les échecs lorsqu'on y joue sérieusement. Cela
représente cinq ou six heures de concentration totale en
compétition directe avec une autre intelligence, le tic-tac
de l'horloge et nulle part où se cacher. Il n'y aucun
co-équipier pour partager ce poids, aucun arbitre à blâmer,
ni la malchance des dés ou des cartes qu'on puisse accuser.
Les échecs sont par excellence le jeu de l'information à
cent pour cent : les deux joueurs disposent à tout instant
de l'ensemble des données. Quand vous perdez, c'est parce
que l'autre vous a battu, purement et simplement. Sous cet
aspect, les échecs ont plus à voir avec la boxe qu'avec quoi
que ce soit d'autre et le temps de récupération après un
fiasco peut d'ailleurs y être plus long. Comme l'a dit une
fois dans une interview Nigel Short, mon challenger au
championnat du monde de 1993 : « Les échecs sont impi-
toyables : il faut se préparer à tuer les gens. »

Certains joueurs cherchent à minimiser le facteur
psychologique alors qu'on n'y accorde jamais assez
d'importance, aux échecs comme ailleurs. Chacun de nos
dons ou de nos talents a besoin d'une force d'âme pour se
développer et de courage pour être utilisé. Même un jeu
comme les échecs, qui a l'apparence d'un puzzle

mathématique, profite largement, à chaque étape et pas seulement devant l'échiquier, d'un état d'esprit approprié.

La tempête avant le calme

La préparation demande d'être capable de se motiver soi-même et de travailler longtemps, pendant des heures, en solitaire. Une étude constante peut parfois évoquer le travail de Sisyphe quand vous savez que peut-être seulement 10 pour cent de votre analyse vous servira. Nous n'ignorons pas que tout notre travail rapporte indirectement des dividendes, mais cela est facile à dire et néanmoins difficile à utiliser comme motivation, de même que nous avions du mal à apercevoir un profit quelconque dans l'algèbre qu'on nous enseignait à l'école.

Ensuite, nous avons l'intensité de la partie et la bataille où il faut contrôler nos nerfs, nos peurs et notre adrénaline. Certains joueurs perdent le sommeil ou l'appétit, certains font une préparation de dernière minute et se concentrent sur la partie, tandis que d'autres préfèrent regarder un film ou faire une promenade pour s'éclaircir les idées. Je savais toujours que quelque chose n'irait pas si je n'étais pas énervé avant une partie. L'énergie nerveuse rassemble les munitions dont nous avons besoin dans n'importe quelle bataille mentale. Si elle vient à manquer, notre concentration faiblit. Si elle vient en excès, les résultats peuvent être explosifs, tant pour nous que pour notre adversaire.

Plusieurs fois au cours de ma carrière, j'eus le sentiment extraordinaire avant une partie que quelque fût mon opposant et quoi qu'il fît, j'allais le mettre en pièces. J'eus cette expérience particulière en 1993 avant une partie avec Anatoly Karpov dans le grand tournoi de Linares en Espagne (un grossier équivalent du « grand chelem » au tennis ou du « major » au golf). Je jouais avec les noirs mais cela ne m'empêchait pas de ricocher sur les murs par anticipation ; j'avais le sentiment étrange que quelque chose de phénoménal allait se produire.

Ma rivalité établie avec Karpov était renforcée en cette circonstance par le fait que nous nous trouvions à égalité pour la première place avec seulement quatre rondes à jouer. Mon entraîneur de l'époque, Sergey Maka-richev, pourrait confirmer que j'étais extrêmement opti-miste avant la partie, me vantant de ce que, cette fois, j'allais pulvériser Karpov. C'est d'ailleurs ce qui arriva, bien qu'il se produisît à la fin un incident comique que personne n'aurait pu prévoir.

Après avoir sacrifié un pion et pris l'initiative, j'étais parvenu à une position dominante. Les pièces de Karpov avaient rapidement été repoussées dans la première rangée, une situation grandement inhabituelle. Au 24e coup, j'eus un pion en promotion et annonçai « dame » en levant les yeux sur l'arbitre pour avoir une seconde dame qui aurait déjà dû se trouver sur la table. Mais avant que j'aie reçu une réponse, Karpov joua son coup, ce qui était illicite ! Il déclara que dans la mesure où je n'avais pas effective-ment mis en place la nouvelle dame, il pouvait choisir de quelle pièce il s'agissait et qu'il avait choisi le fou, une pièce beaucoup plus faible que la dame. La petite farce fut rapidement réglée. J'obtins ma nouvelle dame et Karpov abandonna trois coups après, bien qu'il eût au préalable demandé et obtenu quelques minutes supplémen-taires en compensation de la supposée confusion. Ce gain était inclus dans une série de cinq parties que je considère comme l'une des meilleures séries de rondes de tournois que je fis dans ma vie, quatre gains et un match nul contre les meilleurs joueurs du monde, couronnés par la victoire du tournoi.

Il y a davantage dans de telles prémonitions et de tels résultats que le pouvoir de la pensée positive. L'énergie créatrice et compétitive est une chose tangible, et si nous pouvons la sentir, nos adversaires le peuvent aussi. Notre degré d'assurance se reflète dans nos mouvements et nos paroles, pas seulement par ce que nous disons mais par la manière dont nous le disons.

Si vous voulez qu'on vous prenne au sérieux, prenez-vous vous-même au sérieux

J'ai toujours été accusé d'exercer un terrible degré d'intimidation devant l'échiquier. On attribua le même genre de pouvoir à Bobby Fischer qui suscitait la Frayeur Fischer chez ses adversaires tandis que, dans ses meilleures années, Mikhaïl Tal était supposé hypnotiser les autres joueurs avec la fureur de son regard magnétique qui s'égarait souvent de l'échiquier vers les yeux de son opposant. L'un des opposants de Tal, l'Américano-Hongrois Pal Benkî, alla une fois jusqu'à porter une visière devant l'échiquier afin de se protéger du regard du Letton. En retour, Tal, qui avait le sens de la repartie, chaussa, au grand amusement du public et des autres joueurs, une énorme paire de lunettes de soleil qu'il avait empruntée à Tigran Petrossian. Cela fit même rire un peu Benkî, du moins jusqu'à ce qu'il abandonne la partie.

Les joueurs moins brillants ne sont jamais accusés d'intimidation ou d'hypnotisme, je le pris donc comme un compliment. Si les autres joueurs éprouvaient une grande pression à être assis en face de moi, c'est parce qu'ils connaissaient mes parties et ma réputation, ce qui s'accentua à mesure que les joueurs avec qui j'entrais en compétition devenaient de plus en plus jeunes. Avant de me retirer, j'eus le plaisir douteux de me retrouver en face d'adversaires qui n'étaient pas encore nés quand je remportai mon premier championnat du monde. Pour eux, j'étais presque une pièce d'histoire vivante, ce qui n'a pas empêché l'un d'entre eux, Teimour Radjabov, un prodige adolescent de ma propre ville natale de Bakou, de me battre en 2003 à Linares. Alors que certains critiques ont suggéré que mes opposants jouaient mal contre moi en raison de ma réputation, je suis certain qu'un nombre au moins égal de joueurs étaient au contraire motivés pour donner le meilleur d'eux-mêmes.

Si j'avais une allure menaçante devant l'échiquier, cela venait de ma conviction que les échecs étaient une chose sérieuse et que j'avais la responsabilité de montrer à mon adversaire que j'allais faire tout ce qui était en mon pouvoir pour le battre. Cela était aussi valable dans les tournois d'élite que dans les exhibitions d'amateurs où les spectateurs m'encourageaient souvent à sourire pour les photographes pendant que je jouais. J'ai tenté la chose occasionnellement, accordant par courtoisie quelques nullités à des politiciens ou des célébrités de haut rang, mais, généralement, j'avais le sentiment de tromper mes adversaires en ne jouant pas à fond et en ne montrant pas clairement que je prenais le jeu au sérieux.

Quand je jouais, disons, vingt-cinq parties en simultanée je considérais de mon devoir de faire un score net, ou un « score sec » comme nous disons en Russie : 25-0. Adopter ma « mine de jeu » lorsque j'étais devant l'échiquier était une part non négligeable de ma préparation psychologique. Je ne voulais pas déroger de l'habitude d'une concentration totale en situation de jeu.

Mon attitude de dureté dans ces circonstances a aussi une autre origine. À la différence de la haute compétition, jouer contre plusieurs adversaires en même temps fournit l'occasion de laisser libre cours à une créativité affranchie des contraintes du jeu à deux. Certains maîtres considèrent ces démonstrations uniquement comme des entraînements, mais je n'ai jamais voulu manquer une occasion d'apprendre quelque chose et d'envisager de nouvelles perspectives. Les simultanées demandent aussi des prises de décision complexes, car il faut considérer le score dans son ensemble et chaque partie risque d'affecter les autres.

En mai 1995, je fis une simultanée au légendaire Club d'échecs central de Moscou. C'était le cinquantième anniversaire de la victoire alliée en Europe et je jouais contre trente vétérans de la Seconde Guerre mondiale. Mon plus jeune opposant devait avoir soixante-treize ans ! Mais ce n'était pas pour autant une simple promenade de santé. Nombre d'entre eux étaient des joueurs d'assez bon niveau et certains avaient joué dans des clubs d'échecs dans les années trente et quarante. C'était une assemblée plutôt impressionnante, avec certains des vétérans arborant leurs médailles. Il y avait même un général en grand uniforme.

Ma partie contre le général ne tournait pas bien pour moi et cela commençait à me distraire des autres parties. J'aurais pu poursuivre cette partie, mais la position était compliquée et par conséquent, quand je vis une possibilité d'obtenir la nullité, je pris la décision pragmatique de le faire afin de pouvoir me concentrer à nouveau sur les vingt-neuf autres parties. C'était la première partie qui prenait fin et je sentis immédiatement une angoisse parmi les autres joueurs. Ils pensèrent que j'avais accordé la nullité au général en raison de son grade, ce qui n'était pas du tout le cas.

Plutôt que porter le poids de cette partie épineuse durant tout l'événement, j'avais trouvé une manière de relâcher la pression rapidement pour un coût modéré. Nous avons souvent à faire face à ce genre de situation quand un unique problème difficile, qu'il soit d'ordre personnel ou professionnel, commence à dominer nos pensées et nous empêche de nous concentrer sur d'autres choses. Si cela est possible, nous avons intérêt à le résoudre rapidement, même si cette solution n'est pas entièrement en notre faveur. Considérez-le comme la vente d'une action en train de chuter avant qu'elle ne tombe encore plus bas.

La conclusion de cette simultanée avec les vétérans fut amusante. Je fis encore quelques nullités après une grande bataille, ayant joué pendant près de cinq heures. Dans la toute dernière partie, nous arrivions en finale et j'avais un pion d'avance et de bonnes chances de gagner, mais avec encore un long chemin à parcourir. Mon adversaire était épuisé comme moi, je pensais avoir poussé suffisamment et lui proposai la nullité qu'il accepta. Il semblait très excité quand je signai la feuille de scores et déclara qu'il se souviendrait de cette nullité toute sa vie, comme il se rappelait sa nullité dans une simultanée contre Lasker en 1937 !

Le grand compétiteur Viktor Kortchnoï prend ses exhibitions encore plus au sérieux, si l'on en juge du moins sur cette histoire tirée de son répertoire de parties. En 1963, il était à Cuba pour un tournoi avec un groupe d'autres grands maîtres soviétiques, certains d'entre eux donnant des simultanées très attendues. Les adversaires de Kortchnoï comprenaient Che Guevara en personne, et avant la partie, un officiel suggéra à Viktor qu'il serait judicieux d'offrir une nullité au Che. Lorsqu'il fut de retour à l'hôtel, Mikhaïl Tal lui demanda comment s'était passé sa simultanée et il montra quelque surprise d'entendre Kortchnoï lui dire qu'il avait gagné toutes les parties. « Contre Che Guevara aussi ? » demanda Tal. « Oui, répondit Kortchnoï. Il n'a pas la moindre idée de ce qu'il faut faire contre l'Ouverture catalane ! »

Garder une attitude appropriée, à l'intérieur comme à l'extérieur, fait une différence radicale quant à la réussite. Ce n'est pas aussi simpliste que de se convaincre soi-même qu'on est un génie ou qu'on est invincible. Nous devons donner le meilleur de nous-mêmes à tout instant et savoir que ménager ses efforts constitue la véritable défaite. Les platitudes et les directives de travail incitant à « donner 110 pour cent » ne peuvent nous inspirer si nous ne pouvons d'abord nous motiver à donner 100 pour cent. Ce proverbial 10 pour cent supplémentaire vient de la conscience que nous sommes prêts à faire tout ce qui est en notre pouvoir. Quand cela se produit, nous sommes souvent surpris de constater que nous sommes capables de plus que nous ne pensions.

La manière dont nous nous percevons est aussi un élément décisif de la manière dont nous sommes perçus par les autres. Un beau costume et une poignée de main ferme doivent être confirmés par votre regard et le timbre de votre voix. Des sociologues ont prétendu que les femmes, sans en avoir conscience, pouvaient trouver les hommes mariés plus séduisants car il émane d'eux une sorte d'assurance et de sécurité qui manque à beaucoup d'hommes célibataires (ainsi, faire croire qu'on est marié n'avance à rien). Ceux qui conduisent les entretiens d'embauche ou d'admission dans les universités se souviennent bien davantage du comportement des candidats plutôt que de ce qui s'est dit.

Quel souvenir laissez-vous aux autres ? Chacun est conscient de soi-même jusqu'à un certain degré. Comme l'écrivait Mark Twain : « La vanité est sans mesure, seule peut se mesurer l'habileté à la dissimuler. » Le triste résultat est que plus nous nous soucions de ce que les autres pensent de nous, plus nous nous présentons mal. Pour prendre Twain au pied de la lettre, nous « la dissimulons » d'autant mieux que nous restons centrés sur notre qualité, notre préparation et nos réalisations. C'est une saine fierté que celle qui découle d'une victoire durement gagnée et d'une conviction sincère que d'autres succès restent à venir.

Ne vous laissez pas distraire lorsque vous cherchez à distraire

Comme à peu près tout le monde sur cette terre, les vrais joueurs d'échecs peuvent tomber dans les caricatures littéraires de l'ultra rationnel Bond, du scélérat Kronsteen ou du psychotique de Vladimir Nabokov, Loujine. Mon impression est qu'ils se situent dans une bonne moyenne mais il existe des exceptions notables. Les histoires incroyables autour du match de championnat du monde de 1978 de Viktor Kortchnoï contre Anatoly Karpov aux Philippines sont suffisantes pour que tout un chacun se pose la question de savoir si les joueurs d'échecs ne sont pas vraiment fous.

Les tensions entre les deux camps lors du match avaient déjà atteint des sommets. L'« horrible dissident » Kortchnoï défiait la toute-puissance de la machine soviétique et son champion Karpov. Quantité de protestations mesquines étaient émises par chaque camp avant même que le match ait commencé. Ils discutaient des drapeaux qui étaient sur la table, de la hauteur et du style des chaises, ainsi que de la couleur du yaourt que Karpov avait apporté pendant les parties. Mais la plus bizarre d'entre elles fut l'histoire du Dr Vladimir Zoukhar, un professeur de psychologie qui vint à Baguio City car il faisait partie de l'entourage de Karpov.

Zoukhar s'assit dans le public et fixa directement Kortchnoï pendant les parties du championnat. Son association avec Karpov et son apparence déconcertante conduisirent le superstitieux Kortchnoï et son équipe surprotectrice à suspecter un jeu déloyal d'un genre surnaturel. Zoukhar fut accusé de s'adonner à la parapsychologie pour tenter de brouiller les pensées de Kortchnoï. L'équipe de Kortchnoï demanda que Zoukhar ne soit pas autorisé à s'asseoir aussi près de l'estrade, tandis que les Soviétiques se battaient sur chaque requête et ripostaient avec leurs propres demandes. Il s'engagea donc une surprenante épopée où l'on put voir Zoukhar changer chaque jour de siège, souvent flanqué de membres de la délégation de Kortchnoï. Avant la dix-septième partie,

Kortchnoï alla même jusqu'à refuser de jouer si Zoukhar ne reculait pas, une protestation qui lui coûta onze minutes de pendule, temps qu'il aurait pu utiliser quand il fit la faute lui valant de perdre la partie, après qu'il eut aussi manqué plusieurs variantes victorieuses, toujours à cause de ce sévère zeitnot dans lequel il s'était mis. Par la suite, Kortchnoï fit venir son propre « parapsychologue, neurologue et hypnotiseur » pour combattre les pouvoirs de Zoukhar.

La saga se poursuivit sur le même mode durant tout le match. Tout cela était-il de la comédie ou est-il réellement possible que les deux plus grands joueurs d'échecs de la planète, et/ou leurs associés, se laissent distraire par de tels détails pendant le match le plus important de leur carrière ? Karpov gagna le match en trente-deux parties par un seul point d'avance, remportant la dernière partie (avec Zoukhar revenu au premier rang). On peut se demander dans quelle mesure Kortchnoï n'aurait pas fait un meilleur score s'il n'avait pas investi tant d'énergie pour répondre aux provocations de Karpov et supputer si oui ou non Karpov recevait des messages secrets dans son yaourt. Incidemment, la première victoire de Karpov se produisit à la huitième partie, quand il choqua son opposant et les supporters en refusant de serrer la main de Kortchnoï avant la partie.

L'importance de prendre le contrôle

La baisse d'énergie mentale est reflétée par le physique autant que l'inverse. La dépression et le manque de concentration peuvent affaiblir tout autant que de courir un kilomètre. La prise de contrôle est peut-être une notion dont on abuse ces temps-ci, mais c'est un concept crucial pour notre vie personnelle et professionnelle. Quand nous contrôlons les choses, nous sommes incontestablement plus forts. Un exemple macabre nous en est donné par une expérimentation dont j'ai lu le compte rendu. On envoyait un choc électrique à intervalles réguliers dans le sol de deux cages voisines avec une souris dans chacune d'elles. Dans l'une des cages se trouvait un levier qui, lorsqu'il était abaissé, stoppait le courant. Les deux souris recevaient la même quantité de courant, mais la souris qui se trouvait dans la cage munie du levier survécut de beaucoup à la souris qui se trouvait dans la cage sans levier. Face à des événements aléatoires incontrôlables, même les souris perdent ce désir de vivre sans lequel le corps seul ne dure pas longtemps.

Dernièrement, on pouvait lire des choses au sujet des « substances produites par le stress » et d'autres phénomènes du même genre montrant ce que nous avions toujours soupçonné, que l'esprit contrôle réellement la matière. Sentir que l'on contrôle son destin devant l'échiquier, chez soi, à l'école, au travail, a des répercussions tant pour le bien-être physique que mental. Cela signifie une meilleure performance sur une grande échelle. La révolution organisationnelle qui débuta dans les années 1970 allégea considérablement le management et décentralisa le processus de prise de décision professionnelle. Des petites unités plus proches des sources d'information pouvaient prendre des décisions plus adaptées avec davantage de rapidité et avaient aussi un bien meilleur moral.

Nous entendons souvent des plaintes au sujet d'un excès de responsabilités, mais l'excès inverse est bien pire. L'instant de soulagement que nous pouvons éprouver lorsqu'on prend des décisions à notre place ne dure jamais bien longtemps, surtout si cela concerne des choses qui ont un impact direct sur notre qualité de vie – même s'il ne s'agit pas de chocs électriques. Trop souvent, notre instinct est de laisser les choses aller autour de nous plutôt que de les prendre en main. C'est choisir la mauvaise voie qui revient à la limite à se demander : « Que va-t-il se passer si je ne fais rien ? » plutôt que de s'investir. Fuir les responsabilités de la sorte peut apparaître d'abord comme un moyen de s'épargner de l'énergie mais s'avère finalement nous éloigner inéluctablement de nos objectifs.

Rompre la spirale de la pression

Des années de compétition m'ont habitué à la tension qui accompagne chaque partie et chaque événement. Cela n'a cependant pas été si facile au début de ma carrière. En janvier 1978, à l'âge de quatorze ans – un prodige de jeunesse – je participai au tournoi du Memorial Sokolsky à Minsk avec l'espoir de faire un score me permettant de me qualifier pour le titre de Maître. J'avais aussi besoin de tirer parti de mes succès junior. Après avoir remporté, au niveau national, deux titres junior consécutifs, j'avais échoué dans les championnats du monde de moins de seize ans de 1976 et 1977. Pendant ce temps, mon plus proche rival, Artur Youssoupov, venait de gagner le titre mondial des moins de vingt ans. C'était tout à fait inusité pour un junior que d'être invité à participer à un événement de grande importance dans une autre république soviétique – en l'occurrence d'Azerbaïdjan pour se rendre en Biélorussie. J'étais autorisé à jouer grâce à l'insistance de mon mentor, Mikhaïl Botvinnik, et le succès était donc décisif pour nos réputations respectives. Par conséquent, j'avais de multiples raisons d'être nerveux concernant l'éventualité de perdre ; j'avais aussi très peur de certains de mes adversaires expérimentés.

Ma mère me proposa une idée. « Garik, me dit-elle le jour précédent la première ronde, tu as des chances de bien jouer ici, mais avant chaque partie, je voudrais que tu te souviennes de quelques lignes du poème de Pouchkine *Eugène Onéguine*. Cela aiguisera tes sens. » Je suivis ses instructions et mon anxiété étant distraite par cette « plume magique », je gagnai mes premières parties et repris confiance en moi. Je terminai non seulement avec suffisamment de points pour me qualifier pour le titre de Maître mais je gagnai également le tournoi – grâce au petit coup de pouce de notre poète national.

Se sentir mal à l'aise quand on est sous pression est parfaitement naturel ; c'est quand nous nous sentons nonchalants à l'occasion de nouveaux défis qu'il faut commencer à s'inquiéter. Si tout semble facile, c'est que nous ne faisons pas suffisamment d'efforts ou que nous manquons de stimulations extérieures. Si nous ne gardons pas une force psychologique, nous serons incapables de bien réagir face aux revers. Les muscles psychologiques s'atrophient s'ils ne sont pas utilisés, exactement comme les muscles physiques ou intellectuels. Si cela fait un bon moment que vous n'avez pas expérimenté la tension nerveuse qu'on a lorsqu'on tente quelque chose de nouveau ou d'inconnu, peut-être est-ce parce que vous

vous arrangez pour l'éviter. Nous avons besoin d'un régime régulier de changements et de saine énergie nerveuse pour maintenir nos défenses.

Ces défenses doivent être en bon état de fonctionnement quand surgissent les difficultés. Il est presque impossible de sortir d'un coup dur et de continuer à croire, le jour suivant, qu'on est toujours le meilleur. Seul un mental très fort peut faire la part des choses dans toutes ces péripéties quelque peu contradictoires, surtout après une défaite particulièrement cuisante. Notre thèse de l'esprit dominant la matière peut aussi jouer contre nous si nous sommes persuadés qu'il n'y a plus rien à espérer. Une défaite en amène rapidement une autre, puis une autre encore. Ceci peut se produire au cours d'un seul tournoi ou durant une carrière tout entière.

Rester objectif dans les moments cruciaux

Lors de mon match de championnat du monde contre Karpov à Leningrad, j'étais nettement en tête quand je perdis soudainement trois parties de suite, mettant le jeu à égalité avec cinq parties restantes. Après la troisième défaite dans la partie 19, j'eus une session d'urgence avec mes entraîneurs afin de décider ce qu'il fallait faire avec les blancs dans la partie 20. Fallait-il que je force un nul rapide pour me stabiliser et récupérer mon énergie ou que je me batte selon mon habitude ? « Pourquoi ne pas me battre, dis-je, je viens de perdre trois parties, comment pourrais-je en perdre quatre d'affilée ? » Le grand maître Mikhaïl Gurevitch, qui a beaucoup d'expérience tant aux échecs que dans les casinos, répondit : « Tenter sa chance ne fonctionne pas comme ça. Quand vous jouez à la roulette, vous pouvez perdre beaucoup de fois de suite en pariant à chaque fois sur le noir. » C'est triste mais c'est vrai ; cela n'a pas de sens de croire que si vous ratez maintenant, cela signifie que vous ferez mieux la prochaine fois. Il n'y a pas de balance cosmique pour finalement équilibrer les gains et les pertes. Je suivis son conseil et fit un rapide nul dans la partie 20, un nul dans la 21, après quoi, ayant bien récupéré, j'obtins une victoire écrasante dans la partie 22, repris la tête et pus conserver mon titre.

Les casinos affichent souvent, à côté de la roulette, les derniers douze numéros gagnants, incitant ainsi les gens à croire qu'ils peuvent tirer un avantage de cette information alors qu'en réalité, elle n'est absolument d'aucune utilité. La roue ignore ce qu'a donné le dernier tour. Il est très dangereux de nous leurrer nous-mêmes en nous imaginant que quelque chose doit se produire quand il n'y a aucune relation entre le passé et le présent. Si nous n'arrivons pas à nous débarrasser de ces fausses pistes nous faisons pire encore que de suivre des superstitions.

Le concept d'une némésis personnelle est très discuté dans le monde des échecs, où le principe transitif se vérifie rarement. Le joueur A peut battre le joueur B, qui bat le joueur C, qui bat le joueur A. Certains joueurs sont ce qu'on appelle de « bons clients » ; nous les battons apparemment quoi qu'ils fassent. J'arrivais à maintenir de très bons scores contre la plupart de mes principaux compétiteurs, mais Alexei Shirov était sans aucun doute mon meilleur client. Durant plus de douze ans de rencontres comprenant pas loin d'une trentaine de parties, il subit quinze défaites sévères – sans compter les nullités – sans jamais parvenir à gagner une seule partie contre moi.

(Pourtant, Shirov a un bon score contre ma némésis, Kramnik.)

Un tel degré de domination sur l'un des joueurs les plus talentueux parmi l'élite doit trouver une explication quelque part au-delà de l'échiquier. Après tant de défaites, nous commençons à douter qu'il soit seulement possible de rêver un gain et par conséquent, nous scellons notre destin pour perdre à nouveau. Après sa treizième défaite, Shirov plaisanta bravement en disant que puisque treize était mon nombre fétiche, le glas de cette série avait clairement sonné. Ce pari psychologique n'était pas une mauvaise idée, mais malheureusement pour lui, les choses n'allèrent pas dans ce sens.

Quand le meilleur ne suffit pas

Une défaite peut être doublement humiliante quand nous sentons que nous avons fait notre maximum et que nous n'avons pas réussi à atteindre notre objectif. C'est le contraire des paroles de consolation prodiguées par les parents à leurs enfants dont l'équipe de football a perdu : « Vous avez fait du mieux que vous pouviez. » Nous sommes supposés être réconfortés de savoir que nous avons fait notre maximum, même si l'issue n'était pas positive. Et pourtant, quelqu'un qui aspire à devenir champion du monde ne veut pas entendre qu'il a donné le meilleur de lui-même alors qu'il a été sévèrement battu. En vérité, y a-t-il quelque chose de pire ?

Le Soviétique Andrei Sokolov et l'Américain d'origine russe Gata Kamsky eurent tous deux à affronter cette horrible réalité dans des matchs contre Karpov et dans les deux cas, l'effet fut dévastateur. Sokolov, âgé de vingt-trois ans, jouait mieux que jamais en 1985-1986 et opérait une ascension impressionnante vers le titre de champion du monde. Après deux victoires en match de qualification, il affronta Karpov dans le match final des candidats en 1987 ; le gagnant était appelé à se mesurer à moi dans le championnat du monde. Mais il n'est rien de dire que Sokolov eut à faire à forte partie ; il fut incapable de gagner une seule partie, tandis que Karpov emporta quatre gains. À la suite de cette débâcle, Sokolov ne fut plus jamais le même. Le soleil lui avait brûlé les ailes et il tomba brutalement sur le sol. Ses résultats furent médiocres dans les années qui suivirent. Plus jamais il ne s'approcha du titre de champion du monde ni ne réalisa de bons scores dans des événements d'importance. Pour conclure sur une note plus optimiste, Sokolov continue actuellement à jouer aux échecs à un bon niveau dans le cadre agréable de sa vie en France.

L'histoire du dernier joueur américain à avoir atteint le niveau du championnat mondial est à la fois plus et moins tragique. Gata Kamsky monta encore beaucoup plus haut, mais son potentiel et son record de réussite rendirent la chute finale d'autant plus dure. Il fut amené aux États-Unis par son père en 1989 et connut, adolescent, une ascension fulgurante dans les niveaux d'échecs. En 1996, il arriva en finale du championnat mondial de la FIDE où il se mesura à Karpov. (Ainsi que je l'ai mentionné précédemment, mon challenger Nigel Short et moi-même avions fait scission d'avec la Fédération internationale d'échecs, entraînant ainsi l'existence de deux titres de champions du monde : le titre « classique » qui était le mien et le « titre officiel » avalisé par la Fédération, qui fut brièvement celui de Karpov.)

Nous ne saurons jamais ce que Kamsky, qui n'avait alors que vingt-deux ans, aurait pu accomplir s'il avait continué les échecs après l'écrasante défaite que Karpov lui eut administrée dans le match qui les opposa. Mais il décida, ou peut-être son père notoirement irascible, que s'il ne pouvait pas être le premier, il fallait qu'il fasse autre chose. Il se retira donc des échecs pour prendre finalement la profession de juriste comme l'avait fait son prédécesseur Paul Morphy.

Dans le même temps, Karpov à son sommet constituait l'exemple parfait de celui qui pouvait conserver une totale objectivité à la fois pendant et entre les parties. Son pragmatisme tranquille lui permettait de jouer chaque coup comme s'il regardait l'échiquier pour la première fois. Il ne se laissait jamais distraire par un mauvais coup, une partie perdue ou un mauvais résultat. Demain était toujours un autre jour pour Karpov.

Mon style, beaucoup plus émotionnel, n'a jamais fait place à un tel opportunisme pragmatique. Je me déchirais dans chaque partie et payais un lourd tribut psychologique dans une défaite. Je m'appuyais sur une extraordinaire quantité d'énergie pour revenir à la charge dans la partie suivante, évacuant ma fureur et mon regret dans une explosion avant de me recharger à nouveau. Chacun d'entre nous doit trouver la meilleure voie pour se relever d'une défaite, en tirer les leçons et retourner au combat en se battant avec deux fois plus d'énergie. S'efforcer d'oublier entièrement un fiasco est une recette qui ne sert qu'à répéter des erreurs dont nous refusons de tirer un enseignement.

Prétendants à la couronne et défauts fatals

Outre l'éternel débat de « qui est le plus grand de tous les temps », l'une des discussions les plus répandues dans n'importe quel club d'échecs – ou, actuellement, sur Internet – est de savoir qui mérite le titre douteux de « meilleur joueur qui ne sera jamais champion du monde ». À travers l'histoire des échecs, nous tombons sur de grands joueurs qui approchèrent de très près mais ne conquirent jamais l'Olympe des échecs. Ces personnages légendaires figurent parmi les talents échiquéens et, en vérité, ils ont créé quantité de chefs-d'œuvre durables.

Quand nous demandons pourquoi ces grands joueurs ne parvinrent jamais au sommet, il faut passer outre le haussement d'épaules et l'accusation du destin. Chaque cas est différent et, lors même qu'il est impossible d'en déceler la cause exacte, il offre une plongée dans la psychologie de l'échec.

Les supporters du dynamique joueur russe Mikhaïl Chigorin ne peuvent dire qu'il n'a pas eu ses chances. Vers la fin du XIXᵉ siècle, il disputa deux fois le titre de champion du monde contre Wilhelm Steinitz et perdit à chaque fois. Tout au long de sa carrière, Chigorin a combattu la prudence conventionnelle, parfois jusqu'à l'excès. Il fut toujours incapable de mener à bien sa créativité débridée dans une direction pratique. Ce manque de pragmatisme compétitif l'avait empêché d'arriver au sommet et il avait ainsi démontré qu'il était plus important pour lui d'avoir raison que de gagner.

Chigorin nous enseigne qu'il ne faut pas sacrifier les résultats à une croyance aveugle dans nos méthodes, si innovantes puissent-elles être. Il existe une forte tendance, pas nécessairement malsaine, à réagir à un fiasco en nous disant que nous n'avons pas suffisamment poussé notre idée, que si seulement nous avions poursuivi plus loin dans la même direction, les choses auraient mieux tourné. Nous devons nous appuyer sur notre esprit d'observation pour examiner les résultats sans passion, mettre notre ego de côté le temps qu'il faut pour examiner notre approche. Si Chigorin avait pu dominer sa fantaisie ne serait-ce que quelques fois, le monde aurait pu avoir son premier champion russe des dizaines d'années avant Alexandre Alekhine.

S'il a jamais existé un joueur d'échecs qui puisse être pardonné d'avoir couru après le destin, c'est bien Akiba Rubinstein. Aujourd'hui, presque un siècle après qu'il eut rejoint l'élite, la qualité de son jeu est encore au-dessus de tout reproche. Un certain manque de sens pratique dans le sport lui coûta très cher en plus d'une circonstance. Rubinstein ne voulait ou ne pouvait pas prendre en considération le cours du tournoi ou la partie qu'il avait à portée de main, perdant ainsi la vue d'ensemble et prenant des risques inutiles. Mais ses erreurs les plus graves furent en dehors de l'échiquier, alors qu'au début du XXe siècle un candidat au championnat du monde avait besoin, autant que de talent échiquéen, de charisme et d'habileté pour cultiver le mécénat.

En dépit de ses nombreux succès en tournois, Rubinstein ne trouva jamais le financement suffisant pour se mesurer à Emmanuel Lasker. L'attitude et la posture mondaine requises par de telles négociations n'étaient tout simplement pas dans le registre du timide Polonais. Jose Raul Capablanca le dépassa bientôt en tant que candidat numéro un, ce que l'intrépide Cubain ne mit pas longtemps à proclamer.

Il est facile de dire que, dans un monde parfait, seul le talent aux échecs devrait compter et pas le talent pour trouver de l'argent ni celui pour faire de la politique. Les candidats les plus compétents gagneraient toujours aux élections et le logiciel le plus élégant se vendrait mieux que les autres. Ce monde rêvé d'objectivité présumée ignore la complexité de tout environnement compétitif. Le moment où nous pensons que nous devrions être investis d'une fonction est exactement celui où nous sommes mûrs pour la perdre au profit de quelqu'un d'autre qui se bat plus ardemment pour l'avoir.

Rubinstein n'est pas le seul joueur d'élite à n'avoir jamais eu sa chance de participer au championnat du monde. Paul Kérès en fut un autre qui, durant des dizaines d'années avant et pendant la Seconde Guerre mondiale, avait été parmi les meilleurs joueurs. Le Soviétique d'origine estonienne fut entravé par des facteurs politiques et historiques aussi vastes qu'étroits. Sa meilleure chance de disputer le titre fut interrompue par le début de guerre. Plus tard, le « bon Russe » Mikhaïl Botvinnik fut préféré par les autorités soviétiques.

Néanmoins, destin mis à part, Kérès eut de multiples chances de se qualifier pour le championnat du monde et il les manqua toujours de peu. J'hésite à imputer un défaut particulier à son jeu, mais je suis fort sceptique sur le fait qu'il aurait pu être de taille contre Botvinnik sous les projecteurs de la scène du championnat du monde.

David Bronstein eut lui sa chance contre Botvinnik. Leur match de 1951 se termina par un match nul, ce qui veut dire que Botvinnik gardait sa couronne de champion du monde en titre. (Selon la tradition, le tenant du titre gardait sa couronne en cas de match nul et le challenger devait donc clairement le battre pour lui ravir le titre.) Bronstein se plaisait à répéter à ses élèves que s'il n'avait pas perdu l'avant-dernière partie du match, ils l'écouteraient avec davantage de respect, « comme l'Oracle de Delphes » !

Le jeune Bronstein arriva à son match contre la légende vivante, Botvinnik, après avoir accompli ce qui était pour lui une grande victoire. S'étant donné comme objectif d'arriver au match, il lui fut impossible d'élever cet objectif jusqu'au fait même de le gagner. Tirer de l'orgueil de nos réalisations ne doit pas nous distraire de nos buts ultimes. Un marathonien qui réalise un bon score sur quarante-deux kilomètres n'en tirera aucun bénéfice s'il ne finit pas les derniers cent quatre-vingt-quinze mètres.

Thomas Szasz, le soi-disant « anti-psychiatre », écrivait : « Il n'y a pas de psychologie ; il n'y a que de la biographie et de l'autobiographie. » On ne vit pas sa vie en se motivant avec des astuces et des stratagèmes ; on ne peut se mentir à soi-même pendant très longtemps. Vivre sa propre vie par procuration en refusant de se confronter à de nouveaux défis et en fuyant ses responsabilités n'est pas une bonne chose. Le jeu intime est le jeu. Ce n'est pas de la psychologie. C'est la vie telle qu'elle devrait être vécue, une autobiographie en progrès.

Les prétendants au trône

Mikhaïl Chigorin, Russie (1850-1908). Le père des échecs russes, Chigorin était l'un des meilleurs joueurs du monde jusqu'au tournant du siècle. Il tenta par deux fois de prendre la couronne à Wilhelm Steinitz dans les matchs de 1889 et 1892, et perdit à chaque fois. Son jeu était dynamique et créatif mais trop inconsistant et son caractère trop indiscipliné pour la rigueur de la compétition. Chigorin s'opposait aussi aux théories dogmatiques de Steinitz et insistait sur la richesse des échecs qui ne pouvaient se résumer à des règles concises.

Outre ses succès en tournois nationaux et internationaux, Chigorin fit beaucoup pour populariser les échecs en Russie. Il fonda un club à Saint-Pétersbourg où il vit le jour, voyagea et écrivit abondamment dans son pays natal.

Akiba Rubinstein, Pologne (1882-1961). Dernier né d'une famille de douze enfants dans une petite ville de Pologne qui faisait alors partie de la Russie, Rubinstein fut l'un des meilleurs joueurs du monde pendant quinze ans. Apparemment, son jeu n'avait aucun défaut ; nombre de ses parties figurent aujourd'hui parmi les plus beaux chefs-d'œuvre des échecs.

Jusqu'à ce que la Fédération internationale des échecs prenne le contrôle en 1948, les matchs de championnat du monde étaient organisés par le champion et son challenger qui devaient par conséquent trouver des fonds importants. En dépit d'excellents résultats qui s'étalèrent sur de nombreuses années, Rubinstein ne fut jamais en mesure de réunir la somme pour un match contre Emmanuel Lasker. Ses années les plus brillantes furent interrompues par la Première Guerre mondiale. Au moment où il reprit sa carrière, Rubinstein eut à faire face à plusieurs autres candidats, y compris le grand Jose Raul Capablanca.

Rubinstein était un personnage fragile et émotif, tendances qui devinrent plus tard dans sa vie de sérieux handicaps. Il arriva un moment où, après avoir joué son coup, il allait se blottir dans un coin de la salle en attendant la réplique de son adversaire.

Paul Kérès, URSS (1916-1975). « Paul le Second » fut le surnom tragique acquis par celui qui fut peut-être le plus grand nom et la plus grande figure internationale jamais produite par l'État balte d'Estonie. Kérès est certainement le seul joueur d'échecs à orner la monnaie de son pays – son portrait figure sur le billet de cinq couronnes. Ayant été également interrompu par une guerre mondiale dans les meilleures années de sa carrière, Kérès approcha pourtant de très près la qualification pour un match de championnat à de nombreuses reprises, terminant second quatre fois d'affilée. La seule fois où il parvint en première place, dans le légendaire tournoi AVRO de 1938 en Hollande, les négociations pour organiser sa confrontation avec Alexandre Alekhine furent interrompues par le déclenchement des hostilités en Europe.

L'Estonie a partagé avec les autres nations de la Baltique le destin de servir de monnaie d'échange entre les grandes puissances. Elle fut d'abord occupée par les Soviétiques, puis tomba aux mains des nazis. Quand elle fut finalement récupérée par le pouvoir soviétique en 1944, Kérès fut puni par les autorités pour ce qu'ils estimèrent avoir été une collusion pendant la guerre, du fait qu'il avait joué dans des tournois allemands. Il fut sommé de ne pas intervenir dans les tentatives de Mikhaïl Botvinnik pour arranger un match de championnat avec Alekhine. Quand fut organisé le tournoi pour le championnat du monde de 1948 après la mort d'Alekhine qui détenait le titre, Kérès était un des cinq participants. Ses résultats déplorables contre Botvinnik lors de cet événement conduisirent certains à penser qu'il avait subi des pressions officielles pour assurer Botvinnik du titre.

David Bronstein, URSS (1924). Tandis que Rubinstein et Kérès n'eurent jamais leur chance de jouer pour le titre, Bronstein s'approcha aussi près que possible du titre de champion. Non seulement il disputa un match contre Botvinnik en 1951, mais il réussit à égaliser avec le « Patriarche », avec cinq gains chacun et quatorze nulles – à un gain du titre et, pourrait-on même dire, à un seul coup car il perdit une partie décisive vers la fin du match avec une manœuvre imprudente. Bronstein ne participa plus jamais à un match de championnat du monde.

Bronstein a toujours été un joueur incroyablement créatif et il parvint souvent, durant le match contre Botvinnik, à des positions supérieures. C'est son manque de préparation technique qui lui coûta cher, encore que des facteurs psychologiques aient pu jouer à part égale. Il écrivit plus tard que le simple fait de se retrouver en match contre le « dieu » Botvinnik représentait pour lui un tel triomphe qu'il avait du mal à tenir une ligne de conduite. Quand Botvinnik gagna pour la première fois le championnat national soviétique, Bronstein était un petit garçon de sept ans, et de 1931 à 1951, Botvinnik régna sans partage. Il est bien rare de pouvoir conserver sa fermeté quand on est confronté en direct avec un héros de son enfance.

Viktor Kortchnoï, URSS/Suisse (1931). Comment se fait-il qu'un joueur soit resté dans l'élite pendant trente ans sans être jamais devenu champion du monde ? Viktor le Terrible a conduit sa vie comme un défi. Il survécut au siège de Leningrad, se battit contre les autorités soviétiques jusqu'à son exil en 1976 et continue, en défiant son âge de soixante-quinze ans, à jouer aux échecs professionnels de haut niveau.

À la différence de certains autres de cette liste, Kortchnoï a eu ses chances. Il affronta Anatoly Karpov en match de championnat du monde trois fois de suite, en 1974, 1978 et 1981. (Le premier devint de facto un match de championnat du monde rétroactivement dans la mesure où Bobby Fischer refusa de défendre son titre contre Karpov.) Il perdit le match de 1978 à une partie près. Ce match fut marqué par une grande tension et de nombreuses distractions très éloignées des échecs. Les Soviétiques étaient prêts à tout pour s'assurer que l'« horrible dissident » ne prendrait pas le titre et Kortchnoï n'était pas du genre à se soustraire à la provocation.

Ses dizaines d'années d'excellence permirent à Kortchnoï de recevoir le titre de plus grand joueur parmi ceux qui n'avaient jamais eu le titre de champion du monde. Il eut la malchance, si l'on peut dire, d'atteindre son plus haut niveau au moment exact où la nouvelle star Anatoly Karpov prit le devant de la scène.

Sur Chigorin : « Un génie du pragmatisme qui considère que c'est un privilège, à chaque opportunité qui se présente, de défier les principes de la théorie contemporaine des échecs. » Wilhelm Steinitz

Rubinstein par lui-même : « Soixante jours par an je fais des tournois, cinq jours je me repose, et trois cents jours je travaille mon jeu. »

Bronstein par lui-même : « C'est mon style que d'entraîner mon adversaire et moi-même sur des terrains inconnus. Une partie d'échecs n'est pas un examen de connaissances ; c'est une bataille des nerfs. »

Kortchnoï par lui-même : « Je n'étudie pas ; j'invente. »

16. Homme, femme, machine

> *« Les gens bien élevés contredisent les autres. Les gens sages se contredisent eux-mêmes. »*
>
> Oscar Wilde

S'engager vis-à-vis de soi-même

Comme avec la plupart des platitudes, on nous ressort « l'attirance des contraires » pour les quelques cas où elle semble se vérifier et on l'oublie le reste du temps. L'attraction découle habituellement des goûts et des affinités. En dehors des inébranlables dépressifs, nous avons tous besoin de nous aimer nous-mêmes pour survivre et quand nous nous aimons nous-mêmes, nous avons tendance à aimer nos propres caractéristiques chez les autres aussi. Un homme timide aurait sans doute intérêt à se doter d'une femme extravertie, mais nous avons tendance à nous associer à des compagnons avec qui nous avons beaucoup en commun. Peut-être est-ce simplement que le « qui se ressemble s'assemble » paraît un peu trop redondant.

Cela ne se produit pas que dans la vie sentimentale. On va rechercher des amis et des associés parmi ceux qui nous ressemblent et il est rare qu'un patron ne s'entoure pas de gens qui pensent comme lui. C'est pourtant ce leader d'exception, à savoir celui qui introduit des contradicteurs pour le mettre au défi, qui a le meilleur potentiel de succès.

De tels individus sont hors du commun car personne n'aime à être contredit ou corrigé. Cela suppose une grande volonté et une grande confiance en soi que de choisir un entourage dont on sait qu'il nous remettra en question. À moins d'un bon encadrement, cela peut conduire à une perte d'autorité ou à l'anarchie de directives contradictoires. Il nous faut croire en notre aptitude à utiliser une opposition pour devenir plus fort et pour avoir une information plus complète. La terreur d'être défié est très proche de la peur enfantine d'avoir simplement tort. Ces deux peurs peuvent paralyser notre développement et notre réussite.

Ralph Waldo Emerson écrivait : « Ne me laissez jamais tomber dans l'erreur commune qui consiste à s'imaginer qu'on est persécuté dès lors qu'on est contredit. » Ainsi qu'une entreprise monopolistique tend vers l'inefficacité et la léthargie après des années sans compétition, nous devenons trop sûrs de nous et moins lucides si nous ne sommes pas régulièrement nourris par un régime sévère de nouveaux challengers, d'attitudes et d'informations contradictoires.

Quand quelqu'un est d'accord avec nous et soutient notre point de vue, cela nous donne de l'assurance, ce qui n'est pas une mauvaise chose. Personne ne survivrait à être battu chaque jour et ce ne serait évidemment pas une manière de nous forger le caractère. Voilà encore un autre exemple des équilibres, des fusions, des synthèses qui sont si déterminantes pour réussir aux plus hauts niveaux. Le fait que nous apprenions davantage de nos défaites que de nos victoires ne signifie pas que nous serions bien servis en perdant à chaque fois.

Le système féodal et le système de castes peuvent bien être en voie de disparition un peu partout, ils restent vivants, et bien vivants, dans le monde des échecs. Les fédérations nationales et internationales ont des classes et des catégories fondées sur une évaluation permettant aux joueurs de concourir pour des prix contre des opposants de même niveau. Les joueurs de la première catégorie ne sont pas autorisés à participer à des compétitions de seconde catégorie, pas davantage que quelqu'un de vingt ans n'a le droit de participer au championnat des moins de douze ans. Naturellement, il n'y a pas de restrictions dans le sens inverse. Un novice ambitieux est autorisé à se faire tuer dans la section « open » où se trouvent les joueurs de plus haut niveau. Personne n'a pu dire qu'il n'était pas réglementaire que je gagne à l'âge de douze ans le tournoi national soviétique des moins de dix-huit ans.

Si ce sont les défis qui nous font progresser, pourquoi alors – en dehors de l'intérêt financier du prix – chacun ne voudrait-il pas jouer dans la section « open » du tournoi ? N'apprendrions-nous pas davantage de neuf défaites contre des adversaires très forts que de six gains et trois défaites contre des joueurs à peu près de notre niveau ? Cette question est devenue pertinente même avec des joueurs qui ne viennent pas aux tournois, grâce aux logiciels d'échecs. Un programme de PC au maximum de sa capacité va balayer sans rémission n'importe quel joueur moyen. Ironiquement, la tâche principale des sociétés de logiciels d'échecs aujourd'hui est de trouver des manières d'affaiblir les programmes plutôt que de les renforcer. L'utilisateur peut essayer différents niveaux et la machine essaiera de faire suffisamment de fautes pour vous laisser une chance. Aussi, quel degré de chances devons-nous demander ?

Trouver le bon équilibre entre le besoin de confiance en soi et le besoin d'être corrigé est très personnel. « Perdez aussi souvent que vous pouvez le supporter » est une bonne règle générale. Jouer dans la section ouverte et prendre 0/9 à chaque fois va nous détruire le moral bien avant que nous ayons le temps de nous améliorer suffisamment pour faire un score décent. À moins d'avoir un ego surhumain, ou de ne pas en avoir du tout, subir un flot continu de négativité nous laissera trop déprimé ou trop contrarié pour opérer les changements nécessaires.

Tout autant que le plaisir de gagner – et gagner chaque fois qu'on le peut serait objectivement idéal – il est important de savoir que les revers sont à la fois inévitables et nécessaires si nous voulons progresser. Tout l'art consiste à éviter les défaites catastrophiques dans les batailles clé. Cette conscience est plus importante encore dans la vie réelle car si nous sommes bien protégés par nos admirateurs, nous pouvons avoir virtuellement raison en permanence. Et ce n'est pas seulement le cas pour les dictateurs et les pharaons. Les politiciens et les P-DG tendent naturellement à attirer et à recueillir l'assentiment. Ils tirent une énergie des échanges avec leurs fervents supporters et quand les choses vont mal, ils tombent souvent dans cette facilité d'en blâmer les esprits critiques, accusés de ne pas les avoir soutenus. D'une réussite imputable à une bonne stratégie, on risque fort de glisser vers une dangereuse glorification de soi-même.

La différence entre meilleur et différent

Si nous pouvons apprendre à accepter les critiques et à admettre les informations contradictoires, nous pouvons également commencer à assimiler de nouvelles méthodes. Une grande part de notre propos a porté sur la manière spécifique qu'a chacun de résoudre les problèmes. Notre méthode est le produit de notre expérience, valorisée par une consciente prise en compte de ce qui est efficace et de ce qui ne l'est pas. Nous courons le risque de stagner si nous adhérons avec trop de force à nos propres méthodes aux dépens de manières d'agir différentes et pourtant tout aussi valables. En apprenant à estimer la valeur des autres méthodes, nous pouvons en tirer des éléments pour améliorer – et non remplacer – la nôtre.

En mai 2005, j'étais à Bogota, Colombie, pour faire une intervention dans une conférence sur la stratégie commerciale. Consultant réputé et écrivain, Tom Peters, souvent invité dans ce genre d'événements, avait parlé la veille. Plusieurs diagrammes PowerPoint à l'appui, Peters avait raconté une anecdote amusante sur la différence entre un homme et une femme à l'occasion de l'achat d'un pantalon. La première illustration montrait le plan d'un magasin avec le trajet supposé de l'homme. Quelques lignes montraient l'homme entrant, se rendant à l'emplacement des pantalons, allant à la caisse, puis sortant.

Le diagramme suivant montrait le trajet féminin dans le même magasin. Cela ressemblait à une toile d'araignée, montrant la femme allant dans chaque coin du magasin et achetant finalement une douzaine d'articles différents. Je ne vais pas me lancer dans la critique – politique ou autre – du stéréotype sur les sexes qui nous était exposé ; ce qui m'intéresse ici est la manière dont une des deux méthodes, celle de l'homme, était présentée comme nettement supérieure.

Pour prolonger l'anecdote de Peters bien au-delà de son intention, je me suis demandé ce qui arrivait après que les acheteurs avaient quitté le magasin. Lors de mon intervention le jour suivant, devant le même public, je m'amusai à imaginer que l'homme était directement allé du magasin au pub local avec des amis et qu'il avait dépensé le reste de son argent à parier sur les matchs de football du jour, alors qu'au moins la femme avait dépensé l'argent à des choses utiles. Humour mis à part, il convient également de se poser ici quelques vraies questions. La méthode masculine telle que décrite est-elle vraiment supérieure ? Peut-être la femme a-t-elle gagné du temps en achetant toutes ces autres choses dans le même déplacement plutôt que de s'en tenir fermement à son unique article et d'avoir à y retourner plus tard. Ou bien, plutôt que de chercher à se débarrasser de sa tâche le plus vite possible, peut-être a-t-elle fait plusieurs magasins et trouvé des pantalons moins chers.

Flattant un peu les nombreuses femmes d'affaires présentes, je demandai à l'assistance de Bogota si l'histoire de Peters ne pouvait pas être une illustration du fait que les femmes avaient davantage une vision d'ensemble. Au lieu d'être étroitement centrées sur une seule chose, l'achat d'un pantalon, elles ne considéraient cette tâche que comme une partie de leur journée. Au XXᵉ siècle, quatre

nations sélectionnèrent des leaders femmes dans des
moments de crise et de transition : Margaret Thatcher au
Royaume-Uni, Golda Meir en Israël, Indira Gandhi en Inde
et Corazón Aquino aux Philippines. Toutes parvinrent à
diriger leur pays dans des périodes de troubles et de
réformes, périodes où la créativité et la faculté d'adaptation
sont essentielles. Le système « mâle » de pensée rigoureuse
et linéaire décrit par M. Peters n'est pas obligatoirement
le meilleur, pas plus que n'importe quelle méthode de
conduite ne peut toujours être la meilleure.

Au XXe siècle, parler d'un style féminin est en train
de devenir aussi rapidement obsolète que la nouveauté des
femmes leaders. Il n'existe pas de règles fixes ou simples
concernant les styles de résolution des problèmes, pas plus
qu'il n'y a de règles sur les sexes. L'Allemagne, qui avait
un besoin urgent de réformes, vient d'élire sa première
femme chancelier, Angela Merkel, réputée pour sa recti-
tude et son pragmatisme. Et n'oublions pas qu'il a été dit
un jour à propos de Margaret Thatcher qu'elle était « le
seul vrai homme du gouvernement » !

Créer un style universel

Aux échecs, on parle souvent de joueur complet ou
d'avoir un style universel. Cela ne veut pas dire être parfaitement équilibré ni avoir une compétence égale dans tous
les aspects du jeu. Comme nous l'avons vu, chaque joueur
a ses forces et ses faiblesses, pour parler de manière relative. Cela se réfère plutôt à la capacité à détecter et à appliquer la méthode appropriée à la position, à savoir à quel

moment il est judicieux d'attaquer ou bien quand il faut défendre.

Avoir un style universel rend très difficile à nos adversaires l'utilisation d'un stratagème quelconque fondé sur nos préférences. Un joueur connu comme attaquant peut chercher à éviter une continuation objectivement supérieure au profit d'une position où il se sentira plus à l'aise, une tendance que l'adversaire peut exploiter. Un joueur qui se sent à l'aise sur tout terrain d'échecs est capable d'être plus objectif et devient donc par là même moins prévisible.

Personnellement bien sûr, j'ai toujours eu une inclination pour les positions complexes, extravagantes, et celui qui fut longtemps mon entraîneur, Alexandre Nikitin, combattait cette propension à compliquer les parties à chaque occasion. Dès le début de mon adolescence, il me disait : « Garry, tu dois apprendre à exceller dans les positions simples. Si tu les joues avec assurance, tes adversaires vont essayer de compliquer les choses et ils iront directement sur ton terrain de prédilection. » En évitant de forcer le jeu dans mes positions préférées, je posais un piège à mes opposants et en même temps, comblais les lacunes de mon jeu.

La liste des joueurs d'échecs qui ont fait partie de l'élite en n'ayant développé qu'une ou deux dimensions du jeu est étonnamment longue et inclut beaucoup de joueurs parmi les plus divertissants de l'histoire du jeu. La maîtrise d'une ou deux phases du jeu peut suffire à exceller, bien que ce soit rarement suffisant pour atteindre vraiment le sommet. L'Autrichien Rudolf Spielmann nous ramenait à l'âge romantique des échecs. Il était appelé « le dernier cavalier du gambit du roi » en raison de sa dévotion pour cette ouverture des plus romantiques datant d'une ère révolue de sacrifices sauvages. Spielmann était un terrible attaquant dont les plus grands succès se produisirent entre les deux guerres mondiales et qui, dans son meilleur jour, pouvait battre n'importe qui dans le monde – mais seulement dans son meilleur jour. Dans un moment d'introspection, il se lamenta une fois du fait qu'il pouvait trouver des combinaisons d'attaque aussi bonnes que celles du champion du monde d'alors, Alexandre Alekhine, mais en revanche, il ne pouvait parvenir à la position qui permettait à Alekhine de réaliser cette attaque. C'est bien le problème. Être formidable pour appliquer les touches finales ne sert à rien si on n'a plus le matériel pour le faire.

Même dans le jeu moderne, où l'équilibre et la souplesse sont primordiaux, il y a largement la place pour le style. Des joueurs tels qu'Alexei Shirov et Judit Polgar arrivèrent dans les dix meilleurs avant tout par la vertu de leur excellence dans la conduite des attaques directes. Personne ne s'élève aussi haut sans être fort dans chaque phase du jeu, mais leurs préférences sur l'échiquier demeuraient facilement visibles.

Polgar en particulier s'est fait une réputation pour son jeu d'attaque étincelant. Si, en se fondant sur les parties de Polgar, cela voulait dire quelque chose que de parler de « style féminin » aux échecs – un sport qui compte bien peu de femmes parmi ses adeptes – cela signifierait agression implacable. (Polgar est la seule femme parmi les trois cents meilleurs joueurs sur la liste du classement, reflétant largement l'infime fraction de femmes, même si elle progresse, dans les échecs de compétition.) Un tel talent dans l'initiative peut malheureusement être compensé par le fait de se sentir mal à l'aise lorsqu'on en est privé. Il est bien rare que Polgar fasse des fautes dans ses attaques, mais ses défaites montrent qu'elle est prête à aller très loin, même à jouer des coups médiocres, pour éviter de se retrouver en position de défense. Quand notre inclination prend trop le dessus sur l'objectivité, cela nous empêche d'avancer.

Naturellement, les parties et le style de Polgar sont l'objet d'une attention particulière dans la mesure où elle est la seule femme à appartenir à l'élite, la seule femme qui soit jamais parvenue à être dans les dix meilleurs mondiaux. Si vous pensez que c'est remarquable aujourd'hui, imaginez ce que ça a pu être quand elle survint sur la scène internationale à l'âge de dix ans. À douze ans, elle gagnait des tournois open internationaux et en 1991, elle battit le record que Bobby Fischer avait établit à l'âge de trente ans pour devenir la plus jeune Grand Maître qui ait jamais existé à l'âge de quinze ans.

(Ce record est devenu un objectif répandu et, grâce à la prolifération du titre de GM, jadis rare, battu de nombreuses fois depuis lors. Il est actuellement détenu par l'Ukrainien Sergey Karjakin qui devint en 2002 un GM à l'âge de douze ans sept mois. Le vétéran GM Walter Browne, six fois champion des États-Unis, aime à dire par plaisanterie que lorsque le congrès de la FIDE lui décerna son titre de Grand Maître en 1970 en accord avec le règlement, « nous n'étions que deux cette fois-là à obtenir le titre, et ils n'en étaient pas bien sûrs pour l'autre. L'autre type était Karpov ! ». De nos jours, des douzaines de joueurs reçoivent le titre chaque année, bien que peu d'entre eux atteignent jamais le top 100.)

La grandeur est-elle innée ou acquise ?

L'ascension de Judit Polgar jusqu'à l'élite mondiale n'est qu'une partie d'une histoire remarquable. Elle a deux sœurs plus âgées également joueuses d'échecs, Zsusza et Sofia. Zsusza, l'aînée, fut la première femme à participer régulièrement aux tournois masculins de haut niveau et fut l'une des premières femmes à recevoir le titre masculin de Grand Maître. Après sa plus jeune sœur, elle est actuellement la seconde femme du monde dans le classement. La sœur du milieu, Sofia, fut aussi une joueuse de haut niveau international pendant de nombreuses années. À l'âge de quatorze ans, à Rome, elle réussit l'un des scores les plus étonnants qu'on ait répertoriés dans les tournois, battant toute une série de Grands Maîtres. Leur père Laszlo avait donné à ses trois filles une éducation familiale expérimentale afin de prouver sa théorie selon laquelle « les génies peuvent se fabriquer ». Le vecteur fut les échecs et le résultat est indiscutable.

La question de la nature et de la culture a toujours été un thème très débattu aux échecs. Je suppose que, puisque les trois sœurs Polgar ont beaucoup de gènes en commun, elles ne résolvent pas le débat d'une manière ou d'une autre, mais leur éducation et leur développement présentent incontestablement un bon exemple de « culture ». Dans l'histoire du jeu, les quelques femmes qui ont montré des compétences aux échecs étaient regardées comme des curiosités. Des enclaves telles que l'ancienne république soviétique de Géorgie, où le jeu d'échecs était une tradition pour les femmes, ont produit quelques joueuses de très haut niveau. Deux des premières femmes à avoir fait une percée dans le monde des échecs internationaux dans les années 60 et 70 étaient toutes deux géorgiennes : Nona Gaprindashvili et Maya Chiburdanidze. Mais elles concentrèrent leurs efforts sur des tournois féminins, surtout dans les décisives premières années de leur développement, ce qui les mit à couvert et limita leurs progrès.

Les Polgar révolutionnèrent tout cela. Zsusza fut propulsée dès l'adolescence dans l'univers mouvementé des tournois d'échecs internationaux. Avec quelques exceptions pour des événements officiels tels que l'Olympiade d'échecs féminins – où les trois sœurs occupaient les trois premiers échiquiers de l'équipe hongroise gagnante –, elles évitaient les compétitions exclusivement féminines et recherchaient celles de meilleur niveau. Zsusza, qui vit actuellement à New York, finit seconde ex-aequo en 1986 du championnat masculin hongrois, un événement gagné ultérieurement haut la main par Judit. Après avoir gagné le championnat national en 1991 à l'âge de quinze ans, Judit déclara qu'elle ne jouerait plus que dans l'équipe masculine d'échecs de l'Olympiade. Que pouvait dire la fédération hongroise ? Grâce aux Polgar, l'adjectif « masculin » attaché à des événements et les titres féminins de discrimination positive tels que « femme Grand Maître » sont devenus des anachronismes, bien qu'ils soient encore utilisés. Judit fit aussi remarquer un jour que ses sœurs et elle-même furent également à l'origine d'un autre changement, à savoir que maintenant, les hommes ne peuvent plus se servir des toilettes des femmes dans les tournois.

La rapide ascension des Polgar a dissipé la plupart des vieux mythes au sujet des femmes joueuses d'échecs. Que ce soit par tempérament ou par éducation, peu de femmes

sont attirées par les échecs de compétition, à quelque
niveau que ce soit, mais les Polgar ont montré qu'il n'y
avait aucune limitation constitutive à cette aptitude – une
idée que beaucoup se plaisaient à avancer jusqu'au
moment où ils eurent à craindre de se faire écraser par une
fillette de douze ans avec une queue-de-cheval. Peut-être
le dernier mythe a-t-il perduré jusqu'en 2005, quand Judit
se remit aux échecs après avoir pris une année sabbatique
pour avoir un enfant. Le grand tournoi de Corus en
Hollande, son premier tournoi après son retour, était ardu
et elle termina avec un score positif qui lui donna des
points supplémentaires au classement. Sur la liste des classements d'octobre 2005, Judit Polgar, âgée de vingt-neuf
ans, était classée huitième du monde, juste quatre points
derrière Vladimir Kramnik. Néanmoins, en raison du
défaut d'universalité de son style, il est grandement improbable que Polgar bénéficie d'une autre vague la portant
jusqu'au titre de championne du monde.

Il serait précipité d'affirmer que le succès d'une seule
personne, si impressionnant soit-il, a entièrement dissipé
les nombreuses et intéressantes questions sur l'apparte-
nance sexuelle et le succès aux échecs. Les hommes et les
femmes ont une manière très différente de résoudre les
problèmes depuis un âge incroyablement reculé. Avec tant
de différences biologiques évidentes entre les sexes, il est
impossible d'affirmer avec certitude que la disparité de
comportement dans de multiples situations, les échecs
inclus, soit imputable uniquement à l'éducation et à la
tradition.

J'admets n'avoir pas toujours abordé le problème
avec sensibilité dans les nombreuses occasions où les journalistes m'ont demandé pour quelle raison il y avait si peu

de joueuses femmes à haut niveau dans les échecs. Mais bien que je regrette d'avoir parfois manqué de délicatesse dans la formulation, mes opinions sur la question n'ont pas changé. Que ce soit dû à la physiologie, à la psychologie ou à l'éducation, la vérité tout entière est que très peu de femmes semblent posséder les pulsions combatives tenaces qui sont requises pour devenir un joueur d'échecs de haut niveau. En fait, ces motivations sont même requises de prime abord pour se sentir fortement attiré par ce sport. Ceci dit, je reconnais qu'elles ont sans doute trouvé de meilleurs dérivatifs à leur énergie !

L'arrivée des machines

De toutes les oppositions, peu ont reçu autant d'attention et provoqué autant de débats que celle de l'« homme contre la machine ». Mon match en six parties contre le super ordinateur IBM Deep Blue en 1996 et 1997 a suscité un intérêt sans précédent dans le monde entier. Le site Internet officiel de la revanche de 1997 fut le siège d'un encombrement similaire à celui du site internet des Jeux Olympiques d'Atlanta, un événement qui dura trois fois plus longtemps. *Time* et *Newsweek* firent des articles importants et un millier d'intrigues secondaires furent développées. Deep Blue était-il vraiment une intelligence artificielle ? Étais-je le défenseur de l'humanité ? Quelles étaient les implications de ma victoire en 1996 à Philadelphie, de ma défaite en 1997 à New York, et du refus d'IBM de faire un troisième match décisif ?

Étant humain, je ne pouvais ignorer tous ces à-côtés, chose dont mon opposant en silicone ne se souciait nullement. Pire que la défaite finale de la partie décisive de 1997 fut la claque que porta IBM à la communauté scientifique et échiquéenne en décidant d'arrêter immédiatement le projet Deep Blue. Pendant la moitié d'un siècle, les échecs avaient été considérés comme un champ d'investigation unique pour comparer les capacités intellectuelles de l'homme et de la machine, intuition contre calcul. À ce jour, les six parties que j'ai jouées contre une machine valant plusieurs millions de dollars sont les seules qui aient jamais été rendues publiques. C'est un peu comme s'ils étaient allés sur la lune sans prendre de photos.

La tragédie du démantèlement précipité du Deep Blue d'IBM obscurcit de façon décevante un comportement problématique de leur part durant le match. IBM ne s'était pas contenté d'être mon adversaire sur l'échiquier lors de la revanche de 1997, car il était aussi l'organisateur de l'événement. Il y avait un tel antagonisme et tellement de questions sans réponse sur ce qui se passait en coulisses qu'il était facile de se demander jusqu'où ils iraient pour gagner.

Avant qu'on m'accuse d'être un mauvais perdant, je plaide coupable de l'accusation. Je déteste perdre, surtout quand je ne comprends pas pourquoi j'ai perdu. En analysant ces six parties aujourd'hui, nous voyons que, dans l'ensemble, Deep Blue n'était pas supérieur aux logiciels actuels. Ce n'est qu'à quelques moments clés que l'ordinateur IBM avait joué des coups subtils inhabituels, des coups qui, encore aujourd'hui, posent la question de savoir comment ils ont pu sortir de la même machine qui avait perdu la première partie.

La nature fermée du combat avait créé le potentiel pour une interférence humaine, bien qu'à l'ère pré-Enron, il pouvait sembler follement paranoïaque de suggérer qu'un géant de l'entreprise ait pu recourir à un subterfuge pour gagner des milliards dans une publicité gratuite et une hausse fantastique de la valeur de ses actions. En dépit de ces sentiments aigres, je fus surpris de l'énorme intérêt que le match avait clairement suscité dans le grand public. Je savais que j'étais prêt à continuer l'aventure, à ceci près que la suite devrait se dérouler avec davantage d'ouverture et de rigueur scientifique.

S'ils sont les plus forts, faites-en des alliés

Mon enthousiasme pour trouver de nouvelles manières d'utiliser les ordinateurs afin de promouvoir le jeu d'échecs ne s'évanouit pas sous prétexte qu'IBM avait truqué la grande expérimentation et avait débranché Deep Blue. Ainsi que je l'ai mentionné plus haut, je tentai une nouvelle expérience, des humains se battant l'un contre l'autre avec l'aide de machines plutôt que de se battre contre elles.

Les Grands Maîtres jouent aux échecs en combinant l'expérience à l'intuition, soutenues par le calcul et l'étude. Les ordinateurs jouent aux échecs avec le calcul à l'état brut et l'étude simultanée par l'accès à une gigantesque base de données de coups d'ouverture. Aujourd'hui, il y a un équilibre grossier entre ces méthodes ; les meilleurs ordinateurs jouent à peu près au même niveau que les meilleurs humains. Comme les microprocesseurs vont plus vite, les humains ont appris de nouveaux stratagèmes pour mettre à nu les faiblesses du jeu de l'ordinateur. Inéluctablement les machines doivent gagner mais il reste un long chemin à parcourir avant qu'un humain (homme ou femme) dans ses meilleurs jours soit incapable de battre le meilleur ordinateur.

Le concept des échecs avancés, brièvement mentionné dans le chapitre 5, est une illustration effective des coûts et des bénéfices de la collaboration humain + ordinateur. Que pourrait donner une combinaison d'intuition humaine et de calcul informatique sur l'échiquier ? Cela composerait-il un invincible centaure ou un monstre à la Frankenstein sans coordination ? Dans les échecs avancés, deux grands maîtres munis chacun d'un puissant ordinateur se sont affrontés sur l'échiquier. En juin 1998, quand je me battis contre Veselin Topalov en Espagne, c'était la première fois qu'on faisait un tel match.

Bien que je me fusse un peu préparé pour cette expérience, notre match en six parties fut rempli d'étranges sensations. Nous utilisons tous des programmes informatiques pour l'analyse et pour l'entraînement, nous savons donc de quoi ils sont capables et nous connaissons aussi leurs faiblesses. Mais en avoir un à portée de main pendant qu'on jouait était tout à la fois excitant et dérangeant. En premier lieu, être capable d'accéder à une base de données de quelques millions de parties signifiait qu'il n'était plus nécessaire de se torturer la mémoire dans l'ouverture. Mais dans la mesure où nous disposions tous deux de la même base de données, il fallait pourtant trouver un avantage en inventant un nouveau coup à un moment donné et s'assurer qu'il était meilleur que ce qui avait été joué précédemment.

En milieu de partie, disposer du travail de l'ordinateur signifiait ne plus avoir à s'inquiéter de faire une faute tactique. Avec ce souci en moins, nous pouvions nous concentrer davantage sur un plan à long terme que sur les calculs précis qui prennent tellement de temps dans les parties habituelles. Encore une fois, puisque nous utilisions tous deux un ordinateur, la question était de savoir qui l'utiliserait au mieux pour vérifier ses plans et quel était le plan le plus efficace. Comme quand j'avais joué contre Deep Blue, il n'y avait pas de retour en arrière possible en cas d'erreur. La machine ne pardonnerait aucune faute en en commettant une à son tour.

Il était difficile de trouver la meilleure voie pour se servir des capacités de la machine. Pour moi, c'était une course de vérifier la validité de l'évaluation de l'ordinateur. Il donne son avis instantanément mais ses recommandations changent à mesure que son analyse s'approfondit. Comme un chauffeur de Formule 1 qui connaît sa propre voiture, vous devez apprendre comment travaille le programme. On éprouve une forte propension à suivre automatiquement l'évaluation de la machine si elle semble maîtriser la procédure qu'elle indique – propension dangereuse et j'aurais plutôt tendance, personnellement, à ne pas suivre ses injonctions quand elles contredisent le bon sens.

Cette métaphore s'étend à chaque chose que nous faisons, maintenant que presque toutes nos activités quotidiennes demandent l'usage d'outils de plus en plus sophistiqués. La plupart d'entre nous apprennent juste assez, concernant les mécanismes que nous utilisons, pour s'en sortir et se contentent, quand ils rencontrent une difficulté, de consulter le mode d'emploi ou de poser une question. D'ordinaire, cela fait de nous des gens très inefficaces. Ne nous arrive-t-il pas souvent de dire : « Il y a probablement une meilleure manière de procéder pour cela », et de continuer pourtant à procéder de la même manière ?

En dépit de la formule humain + machine, mes parties avec Topalov furent loin d'être parfaites, notamment à cause du bref temps de contrôle qui ne nous laissait plus, vers la fin, que quelques secondes à la pendule pour consulter les machines. Ce défaut mis à part, les parties étaient très intéressantes et l'expérience a continué à Leon quelques années plus tard avec d'autres joueurs. Le résultat était également remarquable. À peine un mois plus tôt, j'avais battu le Bulgare 4-0 dans un match normal d'échecs rapides. Notre match d'échecs avancés se termina à 3 partout.

Autre bénéfice de cette expérience, l'ordinateur intégra dans son système chaque variante que les joueurs avaient examinée durant la partie. Ceci a constitué le journal de bord des réflexions des joueurs, ce qui était tout à fait fascinant pour les spectateurs et fort utile comme outil d'entraînement. Normalement, il est interdit de prendre des notes pendant la partie, mais les échecs avancés offraient une carte complète des trajets que prit la partie dans l'esprit des joueurs.

En 2005, la philosophie des échecs avancés trouvait son vrai foyer sur Internet. Le site de jeu Playchess.com accueillait ce qu'il nommait un « freestyle » de tournoi d'échecs. Les joueurs pouvaient concourir en équipes avec d'autres joueurs, des ordinateurs, tout ce qu'ils voulaient. Attirés par le montant substantiel de la dotation, des groupes de Grands Maîtres travaillant avec plusieurs ordinateurs en même temps entrèrent dans la compétition.

D'abord, les résultats semblèrent prévisibles. Même les ordinateurs les plus puissants étaient entièrement dominés par l'homme plus la machine. Le plus fort de tous, Hydra, de mêmes composants que Deep Blue, n'était pas de taille pour un joueur de bon niveau utilisant un ordinateur portable relativement faible. La direction stratégique donnée par l'être humain se combinant à l'acuité tactique d'un ordinateur était invincible.

La surprise survint à la fin de l'événement, quand le gagnant se révéla être une paire de joueurs amateurs américains utilisant trois ordinateurs simultanément. Leur talent à piloter et à « guider » leurs ordinateurs pour étudier à fond les positions avait réussi à contrebalancer la compréhension supérieure de leurs opposants Grands Maîtres. L'être humain faible + la machine + une coordination forte étaient supérieurs à un ordinateur puissant et, de façon remarquable, à un être humain de très bon niveau + une machine dotée d'une coordination inférieure.

Les gagnants du « style libre » avaient pris avantage de la coordination supérieure de méthodes contrastées. Ils avaient compris leurs instruments et comment en tirer le meilleur parti. Un cadre supérieur dirait qu'ils avaient construit une équipe efficace à partir d'un assemblage disparate d'individus dotés de talents variés. Un commandant militaire n'ignore pas qu'une force bien coordonnée triomphera sur un ennemi supérieur en nombre mais manquant d'organisation.

Se tenir en dehors de la zone de confort

Les couples complémentaires travaillant en synergie ont souvent fait leur apparition dans notre quête de l'amélioration du processus de décision. Calcul et estimation, patience et opportunisme, intuition et analyse, style et objectivité. À l'étape suivante, nous trouvons l'organisation et la vision, la stratégie et les tactiques, le plan et la réaction. Plutôt que de les dresser l'un contre l'autre, nous devons les équilibrer afin qu'ils travaillent tous deux en tandem.

La seule méthode valable pour accomplir un tel dosage est de chercher constamment à éviter la zone de confort. Les déséquilibres fâcheux et les mauvaises habitudes se développent quand nous nous appuyons de manière excessive sur un domaine, généralement parce qu'il a été celui de nos succès. Nous refusons de nous décoller de ce que nous connaissons le mieux plutôt que de chercher des voies meilleures. La nervosité qui accompagne les nouvelles tentatives est une indication certaine que nous arrivons en terrain inconnu, même si ce n'est qu'une manière inaccoutumée de résoudre un problème routinier. Si vous voulez une illustration de l'importance de nos habitudes, essayez de vous brosser les dents de la main gauche, ou de commencer par la jambe gauche pour enfiler votre pantalon. Nos routines mentales ne sont pas moins enracinées et ont des conséquences autrement plus sérieuses.

S'attaquer aux points les plus faibles de notre jeu est aussi la meilleure et la plus rapide manière de progresser. Travailler à devenir un joueur universel ne produit pas toujours un bénéfice objectif immédiat, particulièrement si nous sommes dans un domaine très spécialisé. Mais selon mon expérience, il s'agit de vases communicants. Acquérir de l'expérience dans un domaine améliore nos capacités d'ensemble par des voies inattendues et souvent impénétrables.

J'ai eu la chance d'avoir été virtuellement contraint par Anatoly Karpov à devenir un joueur plus positionnel, plus stratégique. Pour moi, c'était nager ou couler : soit j'élargissais mon style et ma compréhension, soit je n'étais pas en mesure de le battre. La situation n'est pas aussi limpide pour la plupart des gens. Nous pouvons avancer dans notre vie de tous les jours sans changer nos habitudes et rien de terrible ne va nous arriver. Le problème est qu'il est aussi très peu probable que quoi que ce soit nous arrive. Parvenir à fuir les défis n'est pas une réussite dont on puisse se vanter.

Quand j'étais en sixième, le plus grand mystère que je rencontrais à l'école était le cours de dessin. Cela m'apparaissait comme une science occulte ; j'étais strictement incapable de dessiner et je le suis encore aujourd'hui. Plutôt que d'y travailler comme je le faisais pour les autres matières, je réussis à convaincre ma mère – me croyant très malin – d'exécuter à ma place les dessins qu'on me demandait de faire à la maison. Elle se débrouillait bien, suffisamment bien pour retenir un jour l'attention de mon professeur avec une jolie représentation d'un oiseau dans un arbre, que je n'aurais pas réussi davantage à réaliser que je n'aurais pu peindre la Joconde. Le professeur me demanda si cela m'intéressait de participer à une compétition de dessin, une compétition où je devrais travailler en présence de mes juges, et non pas à la maison. Si vous pensez que c'est la fin de l'histoire, vous n'avez pas compris à quel point j'étais, déjà à l'époque, orgueilleux et compétitif.

Plutôt que de tout avouer, je passai les semaines suivantes à m'exercer à la maison à reproduire le dessin de l'oiseau exactement comme l'avait fait ma mère. Je passai des heures là-dessus, recopiant ligne par ligne comme si je voulais mémoriser une formule de chimie. Cela ne remplaçait pas l'aptitude à dessiner, mais je pourrais éventuellement faire une imitation raisonnable. Transpirant nerveusement, j'exécutai un oiseau presque identique à l'original de ma mère. Cet oiseau fut incontestablement l'unique chose au monde que je parvins à dessiner.

Naturellement, je regrette maintenant de ne pas avoir fait ces devoirs de dessin moi-même car j'ai vraiment appris à apprécier les talents que cela demande. Pendant longtemps, il était à la mode de parler des activités relatives au lobe droit et au lobe gauche du cerveau et on parlait même de gens qui avaient les aptitudes de l'un ou l'autre. Il n'est pas nécessaire d'avoir un débat sur la biologie pour voir que favoriser notre côté créatif et laisser notre esprit vagabonder dans des directions artistiques constitue une aide précieuse pour rompre avec notre façon routinière de résoudre les problèmes.

Le grand physicien Richard Feynman est le parfait exemple d'un homme brillant qui a refusé de se cantonner à ses propres réalisations. Quand Robert Oppenheimer était en charge du projet Manhattan qui a produit la bombe atomique, il décrivait Feynman comme « le plus brillant jeune physicien ici ». C'était aussi le plus grand trublion. Il voyait tout comme un défi, un puzzle à résoudre. Feynman adorait crocheter les serrures des bureaux ultra confidentiels de Los Alamos juste pour voir s'il y arriverait. Il devint un amateur sérieux en peinture et en musique et adorait se produire au bongo dans les célébrations du carnaval brésilien.

Il n'y a aucun doute que la liberté d'esprit et la mentalité ludique de Feynman représentaient des atouts pour son travail scientifique et non pas des handicaps. Dans ses livres de vulgarisation, il insistait sur le fait que la science était un domaine vivant, pas seulement un corpus figé de formules. Il excellait à combiner les techniques et à transformer un problème difficile en un autre, comparable mais plus facile à résoudre. Ce talent était directement relié à la manière qu'il avait eu de rester ouvert aux nouvelles idées pour chaque aspect de sa vie.

Aujourd'hui, on valorise énormément la spécialisation et la focalisation. Jadis, les étudiants fréquentaient l'université avec l'idée de s'élargir l'esprit ; maintenant, c'est devenu avant tout une manière de réaliser une vocation. Nous mettons un tel stress à obtenir de bons résultats que nous ne voyons pas que cette excellence s'accomplirait bien davantage par une progression dans des domaines tout autres.

Il semble étrange à dire qu'en m'améliorant dans le domaine artistique, je deviendrais un meilleur joueur d'échecs ou qu'en écoutant de la musique classique, on peut devenir un patron plus performant. Et pourtant, c'est exactement le genre de choses que Feynman avait en tête quand il disait que le bongo faisait de lui un meilleur physicien. Quand nous nous donnons régulièrement de nouveaux défis à nous-mêmes, nous développons des « muscles » cognitifs et émotionnels qui nous rendent plus efficaces dans tous les domaines. Si nous arrivons à surmonter notre peur de parler en public, ou de soumettre un poème à un magazine, ou d'apprendre une nouvelle langue, cette confiance en soi va s'insuffler dans tous les domaines de notre vie. Il n'est pas bon pour nous de s'absorber dans « ce que nous faisons » au point d'en perdre notre curiosité d'êtres humains. Notre plus grande force est la capacité à assimiler et à synthétiser des modèles, des méthodes et des informations. Inhiber volontairement cette capacité en se centrant trop étroitement sur quelque chose n'est pas seulement un crime, c'est aussi un crime qui ne paie pas.

Les échecs par ordinateur

Dès que l'homme invente une machine, on dirait que l'étape suivante consiste à transformer cette création en joueur d'échecs. À travers toute l'histoire de la mécanique et de l'informatique, les échecs se sont toujours trouvé en ligne de mire. Que tant d'esprits légendaires se soient aussi trouvé être des joueurs d'échecs – bien que pas forcément de bon niveau – est incontestablement l'une des explications. Une autre est que les échecs ont maintenu une position, pour reprendre les mots de Goethe, de « pierre de touche de l'intelligence ». À peu près tous ceux qui ont créé une « machine pensante » firent bien vite l'essai de voir si elle pouvait maîtriser le jeu le plus respecté du monde.

Cette image des échecs en tant que sommet de l'intelligence humaine ne se limite pas aux techniciens. Elle est aussi largement répandue dans le grand public, ce qui a fait la renommée du premier automate joueur d'échecs, le Turc mécanique. En 1769, le baron Wolfgang von Kempelen, ingénieur hongrois, fabriqua une machine à jouer aux échecs pour amuser l'impératrice Marie-Thérèse de Habsbourg. L'apparence d'un majestueux mannequin habillé en Turc dissimulait un simple mécanisme. Naturellement sa puissance de jeu exceptionnelle était en fait exercée par un maître d'échecs ingénieusement caché à l'intérieur du mécanisme. La machine était un leurre.

Le problème principal de la programmation des échecs est le gigantesque nombre de variantes possibles. Dans une position moyenne, il y a environ quarante coups réglementairement possibles. Aussi, si vous considérez chaque réponse à chacun de ces coups, vous avez 1 600 positions possibles. Cette séquence représente deux coups (un coup pour les blancs et un pour les noirs). Après deux séquences, il y a 2,5 millions de positions, après trois séquences 4,1 milliards. Une partie moyenne comprend une quarantaine de séquences, conduisant à des chiffres qui sont au-delà de l'astronomique.

De façon remarquable, le premier programme informatique fut rédigé avant que les ordinateurs d'usage aient fait leur apparition. Son créateur était le mathématicien britannique Alan Turing, largement considéré comme le père de la science informatique moderne et chef du groupe qui mit au jour le code allemand « Enigma » pendant la Seconde Guerre mondiale. Il développa une série d'instructions pour un automatisme jouant aux échecs, mais comme jusque-là aucune machine n'existait qui puisse exécuter le premier code d'échecs, il le nota lui-même sur un papier. Vers cette époque aux États-Unis, un autre grand mathématicien, Claude Shannon, donna un aperçu de plusieurs stratégies que les ordinateurs pouvaient utiliser pour jouer aux échecs.

En 1950, le laboratoire nucléaire de Los Alamos était l'improbable site d'une nouvelle avancée en matière d'échecs informatiques. Quand la gigantesque machine « MANIAC 1 » fut prête, les scientifiques la mirent à l'essai en rédigeant un programme d'échecs. Après avoir joué contre elle-même et perdu ensuite contre un bon joueur (bien qu'on lui ait accordé une dame supplémentaire), la machine battit une jeune femme qui venait d'apprendre à jouer. C'était la première fois qu'un être humain perdait contre un ordinateur dans un jeu où le talent intellectuel est déterminant.

Les avancées suivantes furent au niveau de la programmation : apprendre à l'ordinateur comment éviter de perdre du temps à étudier des options dont les coups étaient inférieurs. L'algorithme d'échecs mathématiques « alpha-beta » s'était développé, permettant au programme d'éliminer rapidement les coups faibles et d'avancer ainsi plus vite. C'est une méthode impitoyable dans laquelle le programme arrête d'étudier chaque coup inférieur au coup sélectionné dans le moment présent. Tous les programmes sont basés sur cette méthode de recherche autour de laquelle les programmeurs construisent la fonction d'évaluation des échecs. Les premiers programmes basés sur cette méthode et fonctionnant sur les ordinateurs les plus rapides de l'époque atteignirent une puissance de jeu respectable. Vers les années 1970, les premiers ordinateurs personnels pouvaient battre la plupart des amateurs.

Le bond suivant provint des fameux laboratoires Bell. Ken Thompson, créateur du système d'exploitation Unix, élabora un logiciel d'échecs dans un but particulier avec des centaines de puces. Son logiciel « Belle » était capable d'étudier près de 180 000 positions par seconde alors que les super ordinateurs ne pouvaient en étudier que 5 000. Prévoyant jusqu'à neuf coups d'avance pendant une partie, Belle pouvait jouer au niveau d'un maître et beaucoup mieux que n'importe quel autre logiciel d'échecs. Il sortit vainqueur de presque tous les événements d'échecs informatiques de 1980 à 1983, avant qu'il ne soit finalement surpassé par le géant des superordinateurs Cray.

Les programmes d'échecs grand public tels que Sargon, ChessMaster et Fritz continuèrent à progresser en profitant de la rapide augmentation de vitesse des processeurs fournis par Intel. Des machines spécialisées apparurent de nouveau grâce à une génération de machines d'échecs conçues à l'université Carnegie-Mellon. Le professeur Hans Berliner était un scientifique informaticien ainsi qu'un champion du monde des échecs par correspondance (joués par mail). Sa machine HiTech fut par la suite surpassée par les créations de ses étudiants gradés Murray Campbell et Feng-Hsuing Hsu. Ils prirent leur ordinateur champion « Deep Thought » et rejoignirent IBM où leur projet fut rebaptisé « Deep Blue ».

L'ordinateur Deep Blue auquel je fus confronté en match en 1996 et 1997 consistait en un serveur IBM SP/2 équipé d'un grand nombre de puces spéciales pour les échecs. Cette combinaison pouvait étudier 200 millions de positions par seconde. Comme toutes les machines modernes, Deep Blue avait aussi accès à une vaste banque de données d'ouvertures sélectionnées dans le jeu des Grands Maîtres. Pouvant contenir des millions de positions préprogrammées, ces banques de données imitaient et surpassaient évidemment la connaissance et la mémoire humaines de ces ouvertures. Souvent, un logiciel jouera bien sur une douzaine de coups avant de consulter cette banque de données pour la première fois. Sans le bénéfice de ce savoir humain sur les ouvertures, les logiciels seraient considérablement moins forts.

Il existe aussi des banques de données qui n'opèrent qu'à la fin de la partie. Ces « tables de finales », une autre création de Ken Thompson, ont répertorié chaque position possible avec six pièces ou moins. (Certains programmes vont maintenant jusqu'à sept.) Une mémoire de plusieurs centaines de gigabits permet aux machines de jouer ces positions à la perfection. Avec l'aide de ces oracles, nous avons découvert des positions qui demandent plus de 200 coups précis pour forcer le gain, un niveau de complexité jamais rêvé auparavant – et toujours impossible à maîtriser pour n'importe quel humain.

Heureusement, les deux extrémités – recherche des ouvertures et banques de données de finales – ne se rencontreront pas. Il est hautement improbable que qui que ce soit puisse jamais voir un ordinateur jouer comme premier coup 1.e4 et annoncer un mat en 33 520 coups.

« Les échecs reposent de 30 à 40 pour cent sur la psychologie. Celle-ci n'existe pas dans l'ordinateur. Aucune confusion possible. » Judit Polgar

« Quand deux jugements s'affrontent sur l'échiquier, l'ingénuité d'un individu dont le talent est suprême va se mesurer au travail de générations de mathématiciens, d'ingénieurs et de scientifiques en informatique. Nous pensons que le résultat ne va pas révéler si les machines peuvent penser mais plutôt si un effort humain collectif peut éclipser les meilleures performances des humains les plus compétents. » D'après une déclaration de Feng-Hsiung Hsu et d'autres membres de l'équipe Deep Thought/Deep Blue

« La dernière résistance du cerveau. » Titre de couverture de *Newsweek* sur le match Kasparov-Deep Blue en 1997

17. La vision globale

Voir l'échiquier dans son ensemble

Il existe deux écoles opposées sur la question de savoir si c'est Dieu ou le Diable qui se trouve dans les détails. Le jeune Albert Einstein montrait sa prodigieuse ambition quand il disait qu'il voulait laisser tomber les simples détails pour connaître les « pensées de Dieu ». Plus nos connaissances sont vastes, plus vaste sera le potentiel d'envergure de notre intelligence. En commençant à apercevoir des connections qui n'étaient pas visibles au premier abord, nous voyons aussi chaque élément avec davantage de relief. Repousser ces limites dépasse l'exercice d'amélioration personnelle. Imaginez quelqu'un qui essaierait de saisir ce qui se passe dans une partie d'échecs en ne regardant que quatre des soixante-quatre cases de l'échiquier. Pour réussir, pour pouvoir simplement définir ce qu'est la réussite, nous devons regarder l'ensemble.

Pratiquement tout un chacun a fait usage, au moins une fois dans sa vie, d'une liste de choses à faire.

Beaucoup de gens s'en servent constamment et imagine-raient difficilement pouvoir s'en passer. Il s'agit habituel-lement de courtes listes ou de pense-bêtes concernant les tâches basiques du quotidien qu'on risquerait, sans cela, d'oublier. On peut en faire une chaque jour, en barrant chaque ligne après accomplissement, comme sur une liste de courses. Au travail, ce sont des impératifs bien déli-mités. La liste d'un patron peut inclure des coups de télé-phone à donner et des papiers à signer. Un dirigeant de haut niveau pourrait avoir une liste de décisions nécessitant d'être prises dans un délai de temps imparti.

Il est rare qu'on mette les choses importantes sur des listes. Personne n'écrit « évaluer sa stratégie » sur une liste de choses à faire. Les décisions à long terme ou les occu-pations qui vont prendre un temps indéfini ne se notent pas sur les listes de choses à faire. Nous ne trouverons pas sur un pense-bête les implications à long terme de nos décisions ou un post-it disant « examiner les répercus-sions » collé sur une proposition de projet.

La tendance habituelle consiste à avoir une première phase de planification, puis à passer à la phase d'exécu-tion comme si les deux étaient entièrement déconnectées. Même en supposant qu'il y ait un bon niveau de réflexion stratégique et d'estimation à long terme, tout cela est souvent oublié dès les premiers pas de la mise en œuvre. Cela entraîne souvent à dévier de sa route. Tout le soin qu'on avait mis dans la construction du Titanic n'a été d'aucune aide quand il s'est retrouvé en mer.

Établir les connexions

Avoir une vue d'ensemble signifie bien plus qu'acquérir simplement davantage d'informations. Nous devons voir comment sont reliées les informations tout autant que la manière dont nos propres actions sont reliées entre elles. Aujourd'hui, il est plus important que jamais d'améliorer l'efficacité de notre prise de décision. Nous sommes inondés par toujours plus d'informations, leur diffusion a pris une extension plus rapide que notre capacité d'absorption. Les adolescents cliquent intuitivement sur des milliers de pages et de canaux à une vitesse qui dépasse celle de l'œil. Surfer sur des données sélectionnées est leur langue natale et elle est en train de devenir rapidement la principale langue internationale. Nous autres devons l'apprendre comme n'importe quelle langue étrangère, au prix d'un grand effort.

Pour conduire sur une autoroute, il suffit de savoir conduire, mais quand vous arrivez à un croisement, il vous faut des indications – et une direction générale. La plupart du temps, il est très utile de savoir s'organiser dans le détail, mais à certains moments du parcours, il faut prendre du recul par rapport aux détails et au quotidien et regarder à la fois plus loin et plus en profondeur. Cela est nécessaire afin de rester en phase du point de vue stratégique et afin de voir les icebergs qui pourraient se trouver sur notre chemin avant qu'il ne soit trop tard. Il ne sert à rien de se focaliser avec l'intensité d'un laser si l'on n'est pas certain de l'objet de cette focalisation. Les petites choses peuvent se dérouler à la perfection pendant que les grandes vont très mal.

Une vision trop étroite ne favorise pas un bon diagnostic des problèmes même si nous sentons que quelque chose va de travers. Il y a tant d'interconnexions dans presque chaque chose que nous effectuons que, pour bien réussir à résoudre les problèmes, il faut allier largeur de vue et vision précise. Trop souvent quand une chose va de travers, nous nous précipitons pour arranger cette seule chose sans nous demander si elle n'est pas la petite partie d'un problème plus vaste.

Considérez-le comme le zoom d'un appareil photo. Il nous faut apprendre à jouer sur le grand angle et sur le macro focus en conciliant les deux, dedans et dehors. Il n'existe ni distance parfaite ni perspective idéale ; il faut suivre le mouvement. Avoir une vue d'ensemble ne veut pas dire rester assis à un bureau loin derrière les lignes de front en regardant une carte. Il nous faut à la fois être sur les lignes de front et regarder les images satellite. De même que nos évaluations doivent prendre en compte le matériel, le temps et la qualité, notre champ de vision doit pouvoir répondre à toutes les questions depuis le « Quoi ? » jusqu'au « Pourquoi ? » sans jamais perdre de vue le « Comment ? ».

C'est maintenant la routine que de parler de l'accroissement actuel du niveau des interconnexions et de la mondialisation, particulièrement en économie et en affaires. Nos ordinateurs sont composés de pièces provenant d'une douzaine de pays différents, et une récolte gâchée en Floride affecte le prix des agrumes dans des endroits très éloignés des lieux où sont vendues les oranges de Floride. La compagnie Ford a récemment été obligée de retarder le lancement américain d'une nouvelle gamme de voitures en raison de troubles dans une usine au Mexique.

Le pour et le contre de la spécialisation

Avec le rôle croissant de la technologie dans toutes les branches, de la médecine à la banque et à l'investissement, il y a chaque jour davantage de dépendance à l'égard des moindres détails et des moindres contingences. La théorie qui inspire cette méthode est que la plus petite parcelle d'information peut nous renseigner et nous guider pour des questions plus vastes.

L'une des métaphores les plus anciennes et les plus citées dans le monde des affaires est tirée d'une vieille fable à propos de six aveugles touchant chacun un éléphant à différents endroits. L'un touche la défense et dit que l'éléphant est comme une lance, celui qui touche la trompe dit qu'il est comme un serpent, etc. Cette histoire est racontée pour montrer que nous devons avoir une vue d'ensemble pour comprendre vraiment quelque chose. Mais cette ancienne fable est obsolète. Après tout, de nos jours, il suffit de faire un test ADN et on peut déterminer, à partir de quelques cellules, que l'animal est un éléphant.

Avec autant de données, on a tendance à attribuer une très grande signification à l'information simplement parce qu'elle existe. La microanalyse peut indubitablement produire des résultats positifs, bien qu'ils tendent à rester marginaux. Le problème est que cette tendance fait de plus en plus son chemin dans les salles de conseil et les bureaux de P-DG. L'usage croissant de la polarisation étroite peut conduire à la disparition des visionnaires, des vrais leaders. Le mathématicien philosophe Alfred North Whitehead, un collaborateur de Bertrand Russel, avait fait une mise en garde contre le danger de l'attention croissante aux détails au détriment de la coordination entre les spécialités. Dans une série de conférences à Harvard en 1925, Whitehead exposait le risque du nouveau professionnalisme à l'œuvre dans l'éducation. Permettez-moi de citer sa prédiction prophétique : « Les dangers soulevés par cet aspect du professionnalisme sont immenses, particulièrement dans nos sociétés démocratiques. La force directrice de la raison est affaiblie. Les intelligences dirigeantes n'ont pas le sens de l'équilibre. Elles voient une série de circonstances, ou une autre ; mais pas les deux ensemble. Le travail de coordination est abandonné à ceux qui manquent soit de force soit de caractère pour réussir dans une carrière définie. »

Les paroles de Whitehead, signifiant que lorsque nos esprits les plus éminents deviennent des spécialistes, le travail de coordination est livré aux gens les plus médiocres, se vérifient aujourd'hui, quatre-vingts ans plus tard, à propos des politiciens ou des P-DG. Où sont les grands esprits qui deviennent de grands dirigeants ? Diriger n'est pas une spécialité, c'est une synthèse et une coordination. Mais aujourd'hui, nous dépendons de centaines de spécialistes différents créant et absorbant un flux gigantesque de données.

Une confiance excessive dans cette masse de données nous rend également vulnérables. Nous devons rester vigilants sur les sources d'une information autant que sur ses conséquences potentielles. Le même événement rapporté par Fox News apparaît complètement différent quand il est rapporté par CNN. Mais comme nous savons qu'il y a quantité de données, nous voulons attendre pour en avoir davantage, dans l'espoir d'atteindre une perfection et une objectivité qui sont impossibles. Nous disposons tous de ces merveilleux nouveaux outils pour réunir et analyser l'information mais ils ne peuvent prendre les décisions à notre place. Les moyens ne sont pas les solutions, et d'ailleurs, ils peuvent représenter une distraction qui interfère avec notre capacité à voir les trames les plus vastes et à développer notre intuition.

La pensée mondiale et la guerre mondiale

Les événements actuels nous fournissent d'excellents cas d'école pour une réflexion synthétique. Si l'on admet que l'économie est mondiale, il semble logique que les décisions politiques aient, elles aussi, un impact mondial. Quand les États-Unis envahirent l'Irak en 2003, les conséquences se firent bientôt sentir dans le monde entier, à la surprise, apparemment, de beaucoup de politiciens. Cette campagne iraquienne était-elle une manière pour les États-Unis d'exercer leur influence, à titre préventif, sur les gouvernements des pays à forte proportion de musulmans ? Quoi qu'il en soit, ils étaient déjà bien engagés dans ce bourbier lorsqu'ils tentèrent de s'en extirper.

N'importe quel changement dans le statu quo fait des vagues, et plus le pavé jeté dans la mare sera gros, plus grosses seront les vagues. Avec la télévision instantanée et l'accès à Internet, la mare a maintenant la taille de la planète et l'invasion en Irak était un énorme pavé. On prit en considération des réactions de colère dans la région immédiate, mais qu'en était-il de l'Indonésie, la plus grande nation islamique du monde ? Sa distance géographique avec le golfe Persique n'empêcha aucunement d'immenses protestations ainsi que des explosions de violence et de terrorisme.

S'attaquer à un problème par un bout sans l'appréhender dans son ensemble peut réellement aggraver les
choses. Une clé du terrorisme islamiste est qu'il est largement financé par l'argent du pétrole. Ce serait un argu-
ment de poids que de faire observer que si tout l'argent
du pétrole ne va pas au terrorisme, presque tout l'argent
du terrorisme en revanche vient du pétrole. D'ailleurs, le
financement des gouvernements autoritaires de toute la
planète est une conséquence de la dépendance mondiale à
l'égard du pétrole. Les appels à l'indépendance énergétique font rarement état de cette connexion ; cela offense-
rait trop d'amis importants du réseau commercial de
l'énergie et des nations productrices de pétrole. Le monde
ne peut stopper l'utilisation du pétrole du jour au lendemain, mais il existe des niveaux d'hypocrisie tragiques et
une inconséquence dans l'action de promouvoir la démocratie dans des pays où les consommateurs des pays occidentaux financent eux-mêmes les forces anti-démocrates.

Si nous acceptons cette analyse, cesser notre dépendance à l'égard du pétrole devient crucial, pas seulement
pour la sécurité financière et environnementale, mais aussi
pour notre sécurité physique. Lénine et Trotski lancèrent
le Komintern, l'Internationale communiste, en 1919.
Aujourd'hui, nous voyons se profiler un « Petrolintern » et
un « Gazintern » qui se révèlent tout aussi menaçants.
L'Iran, l'Arabie Saoudite, le Soudan, le Venezuela,
l'Algérie… et, à mon grand dam, la Russie.

On dit à propos de la guérilla que si vous n'êtes pas
en train de gagner, vous êtes en train de perdre. Il ne peut y
avoir de statu quo satisfaisant. Cette guerre contre les terroristes est devenue une guerre d'usure, et nos ennemis
possèdent maintenant des ressources presque illimitées.

Privés du revenu du pétrole, les réseaux terroristes ne pourraient survivre. L'Islande, terre minuscule et reculée, n'est pas exactement au premier rang de ce qu'on appelle « la guerre du terrorisme », elle pourrait fournir néanmoins l'un des meilleurs exemples de la manière de combattre dans une guerre stratégique à long terme. L'Islande a annoncé récemment que le pays tout entier se passerait du pétrole à partir de 2050. La Suède a suivi cette année avec une déclaration similaire, prévoyant d'éliminer presque entièrement l'usage du pétrole à partir de 2020. Imaginez maintenant le Congrès des États-Unis approuvant une requête du président pour faire de ce programme une priorité nationale. De telles déclarations, soutenues par une volonté politique et un engagement financier, provoqueraient davantage d'inquiétude parmi les terroristes et leurs appuis que toutes les troupes américaines du monde.

Même dans les meilleurs cas de figure où l'argent du pétrole ne va pas directement financer le terrorisme et l'instabilité, il peut retarder l'innovation. Il n'y a pas grande motivation à investir dans l'éducation et la technologie quand les besoins sont satisfaits par les ressources naturelles telles que le pétrole et le gaz. La Norvège, riche en ressources pétrolières, nous offre un exemple de ce meilleur cas et elle ne souffre certes pas d'un manque de démocratie. Concernant son produit intérieur brut par tête, elle est troisième au niveau mondial grâce à l'entreprise Statoil et n'a cependant ni un Nokia ni un Ericsson comme ses voisins scandinaves dépourvus de pétrole naturel.

Laissons les discussions plus obscures sur l'« effet papillon » aux professeurs d'économie. Il ne manque pas d'exemples concrets, au niveau mondial, sur les causes et les effets illustrant l'importance de garder une vision d'ensemble. Il nous faut porter nos regards à grande distance, tant dans le temps que dans l'espace, car, pour comprendre comment nous avons pu aller aussi loin, nous devons aussi, à l'occasion, savoir regarder en arrière. Quels ont donc été les effets de nos récentes décisions ? Jusqu'à quel point nos évaluations se sont-elles montrées appropriées ? La vision rétrospective doit servir à autre chose qu'à regretter.

Jouer sur tout l'échiquier

Pendant presque trente ans, se distinguer dans le travail signifiait pour moi se distinguer sur l'échiquier. Tournois, matchs, préparation... tout tournait autour du prochain événement, du prochain adversaire, du prochain coup. Il y a soixante-quatre cases sur l'échiquier. Cela constitue un plan simple, un champ de bataille à deux dimensions pour les seize pièces et les seize pions. Il n'y a pas de force aérienne pour ajouter une troisième dimension physique, bien qu'il y ait lieu d'ajouter le temps comme facteur déterminant à prendre en compte.

Mais les échecs ont leur propre version d'une vision globale ; nous parlons de vue d'ensemble de l'échiquier. Précédemment, nous parlions du fait qu'un coup dans une zone de l'échiquier pouvait avoir des répercussions dans une zone complètement opposée, mais notre propos était centré sur les modalités concrètes pour créer des brèches et se déplacer rapidement d'une zone à une autre. C'est incontestablement une part de la vue d'ensemble de l'échiquier et tous les grands joueurs l'ont maîtrisé. En fait, je le verrais comme l'une des marques des champions du monde.

Alexandre Alekhine était ma première idole aux échecs. Le répertoire de ses parties me tenait toujours compagnie et je rêvais d'imiter ses fantastiques combinaisons et ses attaques dévastatrices. Il nous a légué des concepts originaux et une puissance de jeu considérée comme surhumaine par ses pairs. L'un d'eux, le maître soviétique d'origine estonienne Paul Kérès, a dit par la suite : « Il était impossible de gagner contre Capablanca ; contre Alekhine, il était impossible de jouer. »

Le jeu d'Alekhine est souvent qualifié d'original et de surprenant, mots qui ne sont pas employés à la légère dans notre jeu traditionnel. L'originalité est habituellement forcée par l'intensité de la préparation, et comment pouvons-nous espérer surprendre un joueur de niveau international ? Alekhine y parvenait en ne perdant jamais de vue aucun coin de l'échiquier. Vous devez penser qu'il est impossible de lancer une embuscade sur un échiquier, mais Alekhine le faisait tout le temps. Il avait la capacité d'envisager chaque pièce de l'échiquier comme un tout et de découvrir un potentiel là où personne d'autre n'aurait pu le voir.

De ce point de vue, deux de ses parties se détachent à mes yeux. L'une a été jouée en 1921 à Budapest contre Karoly Sterk, un joueur hongrois méconnu. L'autre eut lieu en 1922 contre un joueur allemand qui devait plus tard essayer sans succès de ravir son titre à Alekhine en 1929 et 1934, Efim Bogoljubov. Les deux parties montraient Alekhine au meilleur de sa vision globale de l'échiquier, mettant la pression sur une aile seulement, pour changer brusquement et passer de l'autre côté avec un effet dévastateur. Le pauvre Sterk se retrouva avec toutes ses pièces entassées d'un côté de l'échiquier, pour assister soudain à une attaque surprise lancée par Alekhine sur l'autre flanc. Les pièces d'Alekhine se matérialisèrent comme par magie juste devant le roi noir et la partie fut réglée en un instant.

Si le Hongrois était surclassé, il fallut l'une des parties les plus brillantes de toute la carrière d'Alekhine pour achever Bogoljubov au tournoi classique d'Hastings en 1922. Alekhine battit deux fois l'Allemand d'origine russe « Bogo » au tournoi de la station balnéaire et sa victoire avec les noirs est devenue l'un des joyaux de la littérature échiquéenne. La combinaison suprême est si légendaire qu'on néglige souvent la manière dont Alekhine domina son opposant sur pratiquement chaque case de l'échiquier avant de lui administrer le coup de grâce. Son initiative sur l'aile roi étant bloquée, il opéra une percée sur l'aile dame par un rapide redéploiement alors que la plupart des pièces de Bogoljubov étaient toujours groupées autour de son roi, loin du nouveau front. Elles arrivèrent juste à temps pour assister à l'une des exécutions les plus immortelles de toute l'histoire des échecs.

Vers la fin de la partie, aucune des pièces blanches ne pouvait bouger sans provoquer un dommage dans sa propre position, une situation étrange connue sous le nom de « zugzwang », un terme d'échecs d'origine allemande qui pourrait se traduire approximativement par « la défavorable obligation de bouger » (« movicide » fut une tentative ingénieuse de trouver un équivalent anglais mais cela n'a jamais pris). En règle générale, le temps est un avantage, mais dans quelques situations très spécifiques, cela peut représenter en réalité un inconvénient de devoir bouger.

La plupart des joueurs ont du mal à abandonner un léger avantage dans une zone de l'échiquier, surtout s'ils préparent une attaque. Alekhine avait la capacité de transférer l'énergie de ses pièces avec une fluidité remarquable, ne faisant aucune fixation, ni sur une action ni sur une zone. Même ses plus grands rivaux ne pouvaient résister au don unique d'Alekhine pour mener un jeu dynamique sur l'ensemble de l'échiquier. Si tous les grands joueurs jouent sur l'ensemble de l'échiquier, il existe une lignée de joueurs qui utilisent cette aptitude avec davantage de dynamisme, une lignée dans laquelle je m'inscris. (Ce vieux livre répertoriant les parties d'Alekhine m'a bien servi.) Les joueurs positionnels tels que Tigran Petrossian et Anatoly Karpov regardent l'ensemble de l'échiquier, détectant les faiblesses et la possibilité de les exploiter sur le long terme. Les joueurs tels qu'Alekhine, Mikhaïl Tal et moi-même sommes plus intéressés par les projets immédiats.

Développer cette vision demande à la fois de la pratique et un certain degré de détachement. L'une des premières choses qui puissent aider lorsqu'on est obsédé par un problème est la capacité à le replacer dans son contexte. Il faut éviter de s'absorber dans les détails au point d'être incapable de changer de perspective. Nous ne voyons plus le bois que nous pouvons tirer des arbres si nous sommes continuellement inquiets à l'idée qu'un de ces arbres pourrait nous tomber sur la tête.

Avoir une vue d'ensemble dans l'existence implique une vision des éléments, de la façon dont ils sont connectés et de la manière dont ces connexions pourraient évoluer au fil du temps. Être capable d'accepter une perte à court terme pour gagner à long terme est l'un des signes de la maîtrise. L'environnement politique d'aujourd'hui a presque entièrement oublié ceci. Les annonces de dix secondes et les chiffres du scrutin du lendemain sont considérés comme plus importants que la réalisation d'objectifs sérieux qui pourrait prendre du temps et demander des sacrifices.

L'un des politiciens les plus circonspects qui aient jamais existé, Benjamin Disraeli, comprit la différence entre gagner pour perdre et perdre pour gagner. Ses manœuvres pour promouvoir à la fois le bien-être du pays et son propre parti conservateur aboutirent souvent à des succès à long terme, bien que ce fût au prix d'une défaite à court terme. Il faut aussi reconnaître qu'il avait l'obsession de frustrer son antagoniste, William Gladstone, mais généralement Disraeli s'arrangeait pour combiner avec succès ces objectifs. Durant des années, ces deux poids lourds puisaient leur énergie l'un de l'autre dans ce premier grand duel de la politique moderne.

En 1866, le parti conservateur prit le pouvoir quand le gouvernement whig démissionna après avoir échoué à faire passer un second acte de réforme, largement sabordé par les machinations de Disraeli. Une fois au pouvoir, Disraeli fit promptement passer son propre acte de réforme, encore plus radical que celui qui venait d'être rejeté. Il étendait la franchise à un million et demi de nouveaux votants, doublant quasiment l'électorat. Cette réforme horrifia la base tory et les conservateurs furent éjectés à une écrasante majorité durant les élections de 1868, portant Gladstone et son parti au pouvoir.

Mais Disraeli avait vu plus loin. Il avait compris que sans l'intégration de nouveaux votants, les conservateurs resteraient pour toujours un parti minoritaire de lords et de la haute société. Bien que l'acte de réforme de 1867 ait coûté aux tories une élection, cela fit d'eux un parti viable sur le long terme. L'élection de 1874 était la première dans laquelle les électeurs novices des classes populaires seraient autorisés à se rendre aux urnes et Disraeli avait calculé qu'ils voteraient conservateur par gratitude. Cette gratitude allait persister, jetant un pont entre la haute société traditionnelle tory et la classe laborieuse ainsi que les syndicats. Il démontra la justesse de son calcul quand, en 1874, il reprit le pouvoir avec un plein mandat grâce à la liste étendue des électeurs. Le gouvernement Disraeli promulgua rapidement, dans les domaines du travail et de la santé, de nombreuses réformes qui transformèrent la nation. Il se montra un peu moins compétent à diriger les affaires extérieures de l'Empire – ou du moins à en donner une bonne impression à l'intérieur – et des difficultés en Afghanistan et en Afrique du Sud furent largement responsables de la défaite des conservateurs en 1880.

Les Disraeli ont disparu de la scène politique actuelle. Les têtes pensantes de la politique d'aujourd'hui sont dominées par les objectifs et les intérêts à brève échéance. Les budgets sont entièrement consacrés à des projets qui ne servent qu'à satisfaire quelques partisans du jour au prix d'une future faillite de l'économie. Il en est souvent de même pour les entreprises qui se soucient davantage des valeurs boursières du jour que des revenus du lendemain. Incontestablement, cette attitude s'étend également au niveau individuel, celui qui nous touche de plus près car il est à notre portée.

En nous centrant exclusivement sur les avantages à court terme et sur les symptômes de nos problèmes, nous nous maintenons sur une voie de lutte constante et n'obtenons que très peu de vraies satisfactions. Il nous faudrait prendre une décision volontaire pour arrêter, pour revenir en arrière et développer nos sens. Plutôt que de tant nous inquiéter de ce qui est juste sous notre nez, il nous faudrait regarder alentour. Ce n'est qu'en nous obligeant de temps en temps à prendre une distance avec l'information, le calcul et l'analyse que nous trouverons la capacité de découvrir les causes, les connexions et de développer notre intuition.

Une vision d'ensemble ne peut s'acquérir par la simple analyse, si profonde soit-elle. Seules l'expérience et l'intuition peuvent combiner tous les facteurs en une vision globale nous permettant d'appréhender, au-delà du fonctionnement des choses, les raisons qui les font fonctionner ainsi. L'intuition apporte davantage qu'une connaissance : une compréhension. Nos souvenirs, nos talents et nos savoir-faire se rassemblent pour produire ce que le dictionnaire définit comme une « connaissance sans l'aide du raisonnement ». Agatha Christie disait de l'intuition qu'on ne pouvait « ni l'ignorer ni l'expliquer ». Mais il suffit de reconnaître à quel point elle est importante et de chercher les moyens de la développer au maximum.

Le combat aujourd'hui en Russie

Le 10 mars 2005, j'ai joué ma dernière partie d'échecs en tant que professionnel. Trente ans après avoir participé à mon premier grand événement national, presque vingt ans après être devenu champion du monde, je me suis retiré à l'âge de quarante et un ans. J'abandonnai après avoir gagné mon dernier tournoi dans la ville de Linares que j'aime tant et toujours au meilleur classement, suscitant inévitablement une quantité de « Pourquoi ? » arrivant de tous côtés.

Fidèle à mon credo, j'ai réfléchi en profondeur sur cet arrêt décisif. Une part importante de la réponse est qu'il ne s'agissait pas d'un acte irréfléchi, mais bien d'une étape logique pour moi. Ma conversion en membre à plein temps du mouvement d'opposition politique russe reflète à la fois les besoins de mon pays et mon propre désir de modifier le monde autour de moi. Dans le monde des échecs, j'avais eu la chance d'avoir atteint la plupart des buts ambitieux que je m'étais fixés. De nouveaux défis et de nouvelles formes d'action m'attendaient en politique et, je l'espère, dans l'écriture.

L'un des thèmes récurrents de ce livre a porté sur la valeur du défi permanent à soi-même. La seule façon de progresser est de s'aventurer dans l'inconnu, de prendre des risques et d'apprendre de nouvelles choses. Nous devons nous forcer à sortir de notre zone de confort et croire en notre capacité d'adaptation et de développement. Tout ce que j'ai écrit ici explique les raisons de mon retrait. J'avais soif de nouveaux défis et je voulais être là où je sentais qu'on souhaitait ma présence et qu'on avait besoin de moi. Dans le combat pour la survie de la fragile démocratie russe, je trouvai une cause qui en valait la peine, un défi de taille, et une nouvelle voie pour canaliser mon énergie.

Cette décision ne relevait pas de l'arrivisme, ni d'une vengeance personnelle contre Vladimir Poutine ou qui que ce soit d'autre. Il s'agissait d'une mission pour un changement positif. Poutine n'est que le symbole de ce contre quoi nous luttons. Je ne souhaite pas que mon fils de dix ans ait à s'inquiéter de devoir faire son service militaire dans une guerre injuste telle que celle de la Tchétchénie ni à craindre la répression d'une dictature. Je veux tenter la chance de mettre ma vision, ma pensée stratégique et ma combativité au service de la prévention contre de telles choses.

Beaucoup se posent des questions sur les dangers que comporte cette opposition au régime du Kremlin et si ce n'est pas téméraire de ma part. Après tout, si son père est attaqué ou emprisonné, ce ne sera pas non plus bénéfique pour mon fils. Je ne peux que répondre que certaines choses doivent simplement être faites. Qu'il se termine en victoire ou en défaite, ce combat doit être mené. Selon la formule bien connue des dissidents soviétiques : « Fais ce que tu dois et advienne que pourra. » Nous sommes des millions en Russie à vouloir une presse libre, la régulation par la loi, la justice sociale et des élections libres et équitables. Ma nouvelle mission consiste à me battre pour ces gens et à lutter pour ces droits fondamentaux.

Pour réaliser ces objectifs, mes compagnons et moi avons formé une vaste coalition de groupes et d'activistes de réelle opposition. Je travaille, tant à l'intérieur de la Russie qu'à l'extérieur, à attirer l'attention sur le démantèlement des institutions démocratiques russes. La réputation que j'ai acquise aux échecs ainsi que les talents que j'ai pu y développer se montrent tout aussi vitaux pour cette tâche.

« Pas libre. » Statut de la Russie dans le rapport de *Freedom House* « Liberté dans le monde, 2005 »

« Je me tiens debout. Je ne peux faire autrement. Que Dieu soit avec moi. Amen. » Martin Luther devant l'empereur Charles V à la Diète de Worms en 1519

Ce qui suit est un passage moins connu du grand discours de Churchill à Fulton, Missouri, le 5 mars 1946. Si le Rideau de Fer qui faisait l'objet de ce discours n'existe plus, la mission qu'il décrit ici est restée primordiale. « Quand les militaires américains sont confrontés à une situation sérieuse, ils ont coutume d'écrire en tête de leurs directives : "le concept stratégique avant tout". Il y a là une sagesse qui invite à clarifier les idées. Quel est donc le concept stratégique que nous devrions inscrire aujourd'hui ? Ce n'est rien de moins que la sécurité et le bien-être, la liberté et le progrès, pour tous les foyers et familles de tous les hommes et les femmes de tous les pays. »

18. Intuition

Notre connaissance dépasse notre compréhension

En dépit des plus grands efforts des psychologues et des neurologues, la pensée humaine est toujours mieux décrite par la métaphore, la poésie et les autres moyens dont on se sert pour exprimer ce que nous ne comprenons pas complètement. N'étant pas un poète, je vais me limiter à la mission pratique de ce que nous pourrions appeler la gestion de la pensée volontaire.

Aldous Huxley, ignorant Freud et écrivant longtemps avant l'invention des scanners du cerveau, souscrivait à cette approche et définissait l'expérience comme « une question de sensibilité et d'intuition, de vision et d'audition des éléments significatifs, d'attention aux moments décisifs, de compréhension et de capacité de coordination. L'expérience n'est pas ce qui arrive à un être humain ; c'est ce qu'un être humain fait de ce qui lui arrive ».

Nous avons définitivement un rôle actif à jouer. Nous ne pouvons nous contenter de rester assis en cercle et d'attendre que la sagesse nous vienne avec les cheveux blancs. Tirer les leçons de nos erreurs est le moins que nous devions attendre de notre expérience. Pour obtenir davantage, il faut le vouloir, le cultiver, et le rechercher.

L'intuition est le point de convergence de tout – de notre expérience, de notre connaissance et de notre volonté. Contrairement à la croyance populaire, nous ne pouvons avoir d'intuition dans un domaine dont nous n'avons presque aucune connaissance pratique. Même les pressentiments les plus vagues sont basés sur quelque chose de tangible. Une impression positive sur un nouveau collègue peut découler du souvenir profondément enfoui d'une autre voix, d'un autre visage ou d'un autre nom. Le fait que nous ne puissions ni l'expliquer ni le comprendre ne signifie pas pour autant que cette force puissante n'existe pas.

En discutant de l'intuition humaine, on risque de tomber dans le dilemme résumé par celui qui fut pendant un temps le chef de la maison royale espagnole, Sabino Fernandez Campo, qui disait : « Ce que je peux vous dire n'a pas d'intérêt et ce qui est intéressant, je ne peux vous le dire. » Plutôt que de théoriser, je ferais mieux de m'en tenir à des exemples qui pourraient vous convaincre de faire davantage confiance à vos propres instincts. C'est l'élément déterminant qui ne peut être mesuré par aucune analyse ni aucun procédé.

Intuition contre analyse

Durant mon travail sur *My Great Predecessors*, je n'ai pas seulement acquis un respect accru pour les réalisations des champions du monde mais aussi davantage d'admiration pour les joueurs d'échecs en général et pour la façon dont ce jeu peut stimuler le meilleur de l'esprit. Peu d'activités sont aussi exigeantes pour nos facultés qu'un tournoi d'échecs professionnel. La mémoire est démultipliée, le calcul rapide est essentiel, chaque coup est lourd de conséquences, et ceci se poursuit heure après heure, jour après jour, le tout sous le regard du monde. C'est le scénario idéal pour un effondrement physique et mental.

Quand j'ai commencé à analyser les parties des champions du monde qui m'avaient précédé, je m'étais préparé à avoir une certaine indulgence. Pas dans mes analyses mais dans mon attitude à l'égard de leurs erreurs. Je me trouvais au XXIᵉ siècle, dressé sur les épaules de géants avec à portée de mes doigts une puissance de jeu échiquéen de l'ordre des gigahertz. Doté de ces avantages et de l'objectivité du recul, je ne devais pas juger mes prédécesseurs trop sévèrement, me disais-je à moi-même, outre que j'aurais souhaité bénéficier aussi de quelques excuses pour les erreurs que j'avais pu commettre dans le feu de la compétition.

Une part importante du projet était de rassembler toutes les analyses valables qui avaient été effectuées auparavant sur ces parties, en particulier les analyses publiées des joueurs eux-mêmes et de leurs contemporains. Le thème principal de cette anthologie était d'illustrer l'évolution du jeu, les commentaires de l'époque étant donc, par divers aspects, aussi propres que les parties elles-mêmes à révéler l'état d'esprit des joueurs.

D'aucuns supposeraient que l'analyste, travaillant dans le calme de son bureau et sans limite de temps, aurait la tâche grandement facilitée par rapport aux joueurs eux-mêmes. Le recul est déterminant après tout. L'une de mes premières découvertes fut que, concernant l'analyse des échecs dans l'âge qui précède l'ordinateur (grossièrement, avant 1995), le recul manquait gravement de double vue.

Paradoxalement, quand d'autres joueurs de haut niveau écrivaient sur les parties dans les magazines et les colonnes de journaux, ils faisaient souvent davantage de fautes dans leurs annotations que les joueurs n'en avaient fait sur l'échiquier. Et même quand les joueurs publiaient les analyses de leurs propres parties, ils étaient souvent moins convaincants que quand ils se trouvaient réellement en situation de jeu.

La partie 7 fut la rencontre décisive du championnat du monde de 1894 entre le champion de cinquante-sept ans Wilhelm Steinitz et son challenger allemand, Emmanuel Lasker, âgé de vingt-cinq ans. La première phase du match eut lieu à New York avant de se déplacer à Philadelphie et enfin à Montréal. Les quatre premières parties s'étaient départagées à deux gains chacun, suivies de deux nulles. Puis arriva le numéro 7 porte-bonheur, c'est du moins ainsi qu'il fut décrit par les commentateurs de l'époque. Mais jusqu'à quel point la chance jouait-elle réellement un rôle dans cette bataille décisive ?

Lasker fit un mauvais début avec les blancs et Steinitz exploita en effet ses chances en se retrouvant avec deux bons pions supplémentaires quand le brouillard s'éclaircit au 20e coup. Si un grand maître renonçait aujourd'hui dans une telle position, cela ne surprendrait pas beaucoup les spectateurs. Le jeu était beaucoup moins scientifique il y a un siècle et, bien sûr, Lasker n'avait rien à perdre à aller jusqu'au bout, ne serait-ce que pour fatiguer son adversaire plus âgé avant la prochaine rencontre. Déjà fin psychologue de l'échiquier, il est aussi vraisemblable que Lasker ait pensé troubler le vétéran dogmatique avec cette pure bravade.

L'histoire de la partie telle qu'elle se racontait à l'époque est à peu près la suivante : Steiniz, avec les noirs, avait une position clairement gagnante. Lasker lança une attaque désespérée contre le roi noir en sacrifiant une pièce. Sous pression bien que toujours en position gagnante, Steinitz commit une gaffe suicidaire qui lui coûta la partie. Le choc d'avoir fait une telle erreur affecta si fort Steinitz qu'il perdit les quatre parties suivantes d'affilée et enfin son titre.

Ainsi l'histoire s'est-elle colportée selon la plupart des analyses du XIXᵉ siècle, et largement répercutée depuis lors. L'histoire revue et corrigée pourrait se raconter à peu près comme suit. Steinitz avait une position objectivement gagnante mais il fit quelques erreurs qui permirent à Lasker de lancer une dangereuse attaque, compliquant ainsi la position. Le jeu subséquent du challenger et son sacrifice de pièce posèrent aux noirs beaucoup de problèmes pratiques. Steinitz échoua à se défendre avec efficacité sous la pression constante et finit par perdre. La faute finale de Steinitz se produisit alors qu'il était déjà en position perdante. Le choc psychologique d'avoir été mis hors jeu à partir d'une position gagnante et superficiellement simple laissa Steinitz abasourdi et il fut incapable de reprendre le dessus au cours du match. C'était plus que sa confiance en lui-même qui avait été ébranlée par cette défaite. Les principes des échecs sérieux et logiques qui tenaient tant à cœur à Steinitz l'avaient apparemment trahi.

Il avait eu la conviction qu'il allait gagner et il avait joué en accord avec sa philosophie, et pourtant, il avait perdu.

Comment se pouvait-il que tant de joueurs de haut niveau aient ignoré dans leurs analyses ce que Lasker avait éprouvé durant la partie ? Lasker lui-même n'avait jamais contré la version officielle dans ses observations ulté-rieures, mais son intuition l'avait guidé correctement pendant la partie ! Il apparaît que ce phénomène est loin d'être rare, même un siècle plus tard et y compris pour mes propres analyses. Il est impossible, pour commencer, de réitérer le niveau de concentration atteint durant une partie. Bouger les pièces en tous sens peut être une béquille qui nous incite à utiliser nos yeux plutôt que notre esprit. Quand on est assis devant l'échiquier, on n'a pas le choix.

Je ne sais combien de fois ces figures légendaires, dans les moments cruciaux de leur carrière, ont trouvé intuitivement les meilleurs coups. La pression de la compé-tition les a stimulés à aller plus loin ; quand nous ne sommes pas sous pression, certains de nos sens sont endormis. Exercer la faculté d'analyse s'apparente à apprendre le Braille pour quelqu'un qui a une bonne vue. Les choses que nous estimons être des avantages – le temps, l'information – peuvent parfois court-circuiter ce qui a encore plus d'importance : notre intuition.

Quel est le temps nécessaire ?

Cet exemple ne vise pas à encourager un état d'esprit basé sur un simple instinct viscéral mais à illustrer le pouvoir de la concentration et de l'instinct. Le problème majeur que nous rencontrons est de ne pas faire suffisamment confiance à cet instinct. Trop souvent, nous attendons d'avoir toute l'information pour faire ensuite ce que l'information nous dicte. Cette attitude nous réduit en réalité à jouer le rôle d'un microprocesseur et assure le blocage de notre intuition.

Tout a un coût. Se donner des défis à soi-même en empruntant des voies inconnues conduit inévitablement à certaines erreurs. Plus d'une fois, il arrivera que nos pressentiments convergent vers une impasse. Ainsi nous nous trompons, nous apprenons, nous faisons encore de nouvelles erreurs, nous prenons de l'assurance, nous suivons plus volontiers notre instinct et nous poursuivons le cycle. Les conséquences des essais de toute nature sont les échecs et les succès ; ils sont inséparables. Si nous voulons réussir, il nous faut affronter le risque de l'échec.

Quand la petite bulle du marché des actions des start-up commença à prendre la taille d'un ballon dans les années 1990, les sonnettes d'alarme se mirent à tinter aux oreilles de presque tous les analystes de la « vieille économie ». Assurément, cela ne pouvait pas être vrai ; des entreprises sans revenu ne pouvaient valoir des milliards de dollars sur le marché de la Bourse. Cinq ans plus tard, après que les marchés eurent dégringolé et que des milliers d'entreprises eurent fait faillite, il était facile de dire que ces sobres analystes avaient eu raison du début à la fin. Ils avaient fait confiance à leur intuition et étaient restés à bonne distance du terrain déchaîné du marché des nouvelles technologies. D'autres, bien qu'avertis de ce que la tendance du marché des start-up allait à l'encontre d'à peu près tout ce qu'ils avaient expérimenté, prirent le train en marche n'importe où et n'importe comment et ne manquèrent pas de se faire très mal.

Mais ces conservateurs pessimistes avaient-ils pour autant entièrement raison ? Il peut être difficile de résister à sauter dans le bassin quand tous les autres gosses le font, mais au bout d'un moment, cela devient une habitude et vous n'y sautez plus jamais. On devrait accorder davantage de crédit au petit nombre de ceux qui ont bien joué, qui ont eu l'intuition de sauter et qui ont senti exactement combien de temps il fallait y rester. À côté de toutes les histoires désastreuses – et ma propre aventure avec le web est quelque part sur la liste –, certains investisseurs ont couru dans l'immeuble en flammes, se sont rempli les poches avec l'or d'Internet et sont ressortis avant l'effondrement.

Il y a un élément intuitif important dans n'importe quelle discipline où les données sont limitées et le temps un facteur essentiel. Les analystes du marché boursier cherchent des modèles visuels dans les diagrammes d'actions, des formes telles que des « tasses à thé » ou des « pics », de la même façon que les joueurs d'échecs cherchent des modèles pour faire un mat. L'intuition ne se contente pas de nous dire le quoi et le comment, mais aussi le quand. Au fur et à mesure qu'il se développe, notre instinct devient un moyen d'économiser du temps et de l'énergie, supprimant la durée nécessaire pour faire une bonne évaluation et raccourcissant le moment qui précède l'action. Nous pouvons rassembler et analyser de nouvelles informations éternellement, sans jamais prendre de décision. Quelque chose doit nous alerter quand la loi des rendements décroissants entre en action et qu'il faut appuyer sur la gâchette.

Je peux retarder mon coup de dix secondes, dix minutes ou une heure – lequel choisir ? Une intuition bien développée nous maintient dans une conduite pragmatique tout en nous prévenant du moment critique qui demande une attention particulière et davantage de temps. La fonction de reconnaissance des modèles, sur laquelle s'appuient les joueurs d'échecs, est essentielle pour tous les chemins de l'existence. Dans chaque situation, nous devons nous demander si oui ou non ce dans quoi nous nous engageons est une tendance ou un parcours unique. Mettre à jour des tendances, de préférence avant les autres, est souvent fondé sur l'intuition et sur des éléments intangibles. Cela s'est-il produit avant ? Aura-t-il cette fois-ci le même développement ?

Ce qu'on risque à ignorer une tendance

Il est essentiel dans la vie politique d'arriver à comprendre si un événement est exceptionnel ou s'il correspond à une nouvelle tendance ou encore à une nouvelle manière d'envisager une ancienne tendance. Si l'on en croit les médias, chaque période électorale apporte avec elle de « nouveaux paradigmes », bien que très peu d'entre eux se révèlent à la fois nouveaux et appropriés. Dans les élections présidentielles américaines de 2004, les démocrates se reportèrent à la défaite d'Al Gore en 2000 et se trompèrent dans leurs prévisions quand vint le moment de la sélection décisive du vice-président de John Kerry.

Le choix de John Edwards aurait pu avoir un sens au siège de campagne de Kerry mais il s'avéra qu'il n'avait aucun sens sur la carte électorale. Bush avait dominé le Sud dans les élections de l'année 2000 et il n'y avait aucune raison de croire qu'Edwards pourrait apporter ne serait-ce qu'un seul État du Sud aux démocrates. Le jour de l'élection 2004, les démocrates se firent avoir comme des « bleus[1] » et perdirent encore une fois la totalité du Sud, y compris l'État natal d'Edwards, la Caroline du Nord, par les mêmes treize points qui avaient marqué la défaite de Gore en l'an 2000. Pour remuer le couteau dans la plaie, les démocrates avaient fait un gros investissement en Caroline du Nord afin qu'Edwards ne perde pas la face et que la défaite ne soit pas trop sévère.

Les démocrates avaient espéré que l'échec de Gore dans le Sud était un cas à part. Ce qui les conduisit à suivre une voie désastreuse au regard d'une analyse de « matériel, temps, qualité ». Ils furent pénalisés pour leur choix erroné du terrain de bataille, leur gaspillage de ressources, et pour n'avoir pas senti la tendance. S'ils avaient vu que leur fiasco de l'an 2000 dans le Sud tout entier représentait une véritable tendance, ils auraient pu choisir Dick Gephardt plutôt qu'Edwards. L'adjonction de ce fidèle pilier du Middle West aurait eu une bonne chance de faire basculer l'Iowa et le Missouri, avec leurs 18 mandats électoraux, des républicains aux démocrates, portant Kerry à une victoire sur Bush par 269 contre 268 en dépit de la perte de l'Ohio.

Les données et les sondages ne peuvent suffire à faire la distinction entre une anomalie et une tendance. Il nous faut porter attention à chaque événement nouveau et élargir la perception de tous nos sens. En quoi réside exactement la nouveauté ? Dans quelle mesure ce phénomène ressemble-t-il à ce que nous connaissons déjà ? Comment

---

1. Les démocrates sont dits « bleus » et les républicains « rouges ». L'auteur fait ici un jeu de mots. *(N.d.T.)*

l'environnement s'est-il modifié ? Si nous pouvons répondre à ces questions nous aurons de bonnes chances de savoir si oui ou non cet unique flocon de neige est sur le point de se transformer en blizzard.

19. Le point de crise

> « *Tout est concentré en un seul instant. Il décide de votre vie.* »

Franz Kafka

Qu'est-ce qui vous intimiderait davantage, entre ces deux questions : « Résolvez ce problème » ou « Trouvez s'il y a un problème » ? Le fait de résoudre des problèmes pourrait presque être considéré comme facile comparé à l'impératif de découvrir de prime abord si nous avons un problème. On ne peut pas dire qu'on ait de la chance d'avoir à faire face à une crise, pour autant, savoir qu'une action est nécessaire est déjà un peu rassurant.

Quiconque a passé un questionnaire à choix multiples n'ignore pas que l'option la plus redoutée est « aucune des réponses ci-dessus ». Soudain la question reste ouverte. Peut-être n'y a-t-il absolument aucune solution, qui sait ? Essayez ce petit test mathématique qui peut se faire sans calculette.

13 x 63 = ?
a) 109
b) 819
c) 8,109

Aucune hésitation, bien sûr. On trouve la réponse par un simple processus d'élimination. Notre intuition nous dit instantanément que nous n'avons pas besoin de calculer quoi que ce soit. Mais si nous ajoutons « d) aucune des réponses ci-dessus », nous devons effectuer le calcul et résoudre l'équation malgré l'évidence de la fausseté des réponses a) et c).

Précédemment, nous avions touché cette question en abordant les problèmes d'échecs inventés. On vous présente une position et des impératifs. « Les blancs doivent faire un mat en trois coups » est tout à fait strict. « Les blancs doivent gagner » est plus ouvert, mais dans les deux cas, nous savons avant de commencer qu'il y a quelque chose à trouver. Nous portons la question dans la section du cerveau dévolue à la résolution des problèmes et fermons celle de l'évaluation en profondeur et des fonctions de vigilance.

Dans de tels cas, n'étant plus ralentis par le doute, nous pouvons venir à bout de notre tâche avec une remarquable efficacité. En 1987, j'étais invité à Francfort dans une réception spéciale tenue par Atari. Tous leurs directeurs étaient là et le maître de cérémonie était le chef de la division allemande, Alwin Stumpf. C'était une soirée informelle et divertissante où nous discutions politique mais aussi échecs ou ordinateurs. En fait, on m'a souvent rappelé depuis lors qu'au cours de cette soirée j'avais provoqué la condescendance amicale de presque toute l'assemblée en prédisant qu'en conséquence des changements en URSS, le mur de Berlin allait bientôt tomber, peut-être dans pas plus de cinq ans. « Un excellent joueur d'échecs, mais il ne connaît rien à la politique ! » fut sans doute le consensus. Ma prédiction se réalisa deux ans plus tôt que je ne l'avais prévu.

Après le banquet, M. Stumpf prit le micro et annonça solennellement que nous allions assister à un événement extraordinaire. Je n'avais aucune idée de ce dont il parlait quand il poursuivit en disant qu'il m'avait vu réaliser cette étonnante prouesse à la télévision et que j'allais maintenant la faire en direct. Il désigna, de l'autre côté de la pièce, une longue table que nous avions dépassée en entrant, sur laquelle des échiquiers présentaient des positions. Stumpf nous expliqua que chacune d'entre elles était tirée d'une partie historique d'échecs, un joueur d'échecs local et un journaliste ayant opéré cette sélection sur une durée de cent cinquante ans de parties. En face de chaque échiquier, il y avait un carton à l'envers portant la date, le lieu et le nom des joueurs. On allait me tester pour voir si je pouvais identifier chaque partie simplement en regardant la position sur l'échiquier. Stumpf se dirigea vers les échiquiers et m'invita à le rejoindre afin de commencer le challenge.

Il fut déconcerté de voir que je restais assis. Il ne m'avait pas prévenu à l'avance de cet exercice et il eut peur que j'aie pris ombrage de cette petite surprise. Je dis : « Je suis honoré de votre intérêt pour l'esprit humain, mais j'espère que vous m'excuserez de rester assis. » Stumpf se décomposa. J'allais faire tomber à l'eau le clou de la soirée ! Je poursuivis en disant que je n'avais pu m'empêcher de jeter un coup d'œil aux échiquiers en passant pour pénétrer dans le hall et que j'avais envie d'essayer de nommer les positions depuis ma chaise à travers la pièce.

Un par un, je nommai les joueurs, les tournois et même le coup qui suivait dans chacune des parties représentées sur les dix échiquiers.

À ma grande satisfaction, les invités furent stupéfaits et, en regardant en arrière, j'essaie de me trouver des excuses pour cet étalage infantile et cette mise en scène. Ce que je ne pus expliquer, et auquel probablement je ne prêtai moi-même aucune attention sur le moment, était ce qui m'avait rendu les choses si faciles. Cela ne venait pas de la sélection des parties, car toutes les positions n'étaient pas tirées de rencontres internationales connues. Mais bien sûr, chaque position choisie se situait au moment critique de chaque partie. Après tout, sans de tels moments, les parties ne deviendraient pas aussi renommées. Aucun fan d'échecs ne choisirait une position quelconque tirée d'une partie tombée dans les oubliettes alors qu'il existe un tel choix de positions fascinantes et célèbres.

Puisque la première position était le moment clé d'une partie connue dans l'histoire, cela suffisait à indiquer qu'il en était de même pour les autres. Si les positions s'étaient montrées inintéressantes ou triviales, peut-être aurais-je pensé que les participants avaient fait quelques parties ordinaires avant mon arrivée. En jetant un coup d'œil sur les échiquiers, je reconnus rapidement que je n'avais pas besoin d'évaluer les positions, il suffisait que je fasse revenir ce que j'avais engrangé dans ma mémoire.

Savoir qu'il y a une solution à trouver est un immense avantage ; c'est comme si l'on n'avait pas l'option « aucune de celles ci-dessus ». N'importe qui doté de compétences raisonnables et de ressources adéquates peut résoudre un problème quand il est présenté de cette façon. Nous pouvons sauter les évaluations subtiles et en arriver directement à envisager différentes solutions jusqu'à ce que nous trouvions la bonne. L'incertitude est beaucoup plus difficile.

Crise à Séville, un cas d'école

Après avoir remporté le championnat du monde de 1985, j'eus très peu de temps pour savourer le goût de la victoire. Le cycle traditionnel exigeait une défense du titre tous les trois ans. Pendant ce temps, le challenger émergerait à l'issue d'un rigoureux processus de qualification incluant des tournois régionaux, des tournois géants « interzones » et finalement, des séries de matchs entre les candidats. Le processus était si éreintant que sa durée offrait une garantie concernant la valeur du challenger arrivé au bout. En fait, depuis 1950, quand débuta le système de qualification – qui n'était à l'époque qu'un seul tournoi –, il n'y eut que deux joueurs qui soient parvenus jusqu'au match de championnat du monde sans jamais réussir à décrocher le titre.

Le processus s'interrompit néanmoins dans mon cas grâce à une vieille règle que la FIDE remit en vigueur dans les années 70 sous la pression soviétique pour favoriser Karpov : la clause de revanche. En cas de défaite, le champion a droit, un an après, à une revanche automatique sans processus de qualification. Cette règle a été abolie après que Mikhaïl Botvinnik en eut fait bon usage pour battre Vassily Smyslov en 1958, puis Mikhaïl Tal en 1961. Botvinnik ne faisait pas de bons scores en matchs de championnat du monde mais était dévastateur dans les matchs de revanche, un talent qui lui permit de revenir deux fois et de limiter le règne de son vainqueur à un an.

Pour éviter le même destin, il me fallait battre à nouveau Anatoly Karpov en 1986. N'oubliez pas que nous avions déjà joué le match de championnat du monde le plus long de l'histoire des échecs en 84-85, avant que je décroche le titre dans notre second match de 1985. Je gagnai tout juste le match de revanche en 1986, mais le supplice n'était pas terminé encore. Le cycle de la qualification avait entamé son programme en 1985 en dépit de l'annulation de notre match marathon, du match reprogrammé et du match revanche. Ceci signifiait que j'étais tenu d'affronter le challenger programmé en 1987, exactement un an après avoir battu Karpov. Et qui allait être mon adversaire cette fois ? Karpov.

Échappant en grande partie au processus de qualification, ma némésis avait été parachutée dans une « super finale » et avait dûment écrasé le principal concurrent, Andrei Sokolov. En octobre 1987, nous prîmes place à Séville, en Espagne, pour entamer notre quatrième championnat du monde depuis trois ans. Si j'avais pensé en 1984 être fatigué de voir Karpov, j'étais cette fois-ci complètement écœuré par lui. Au moins cette fois, il n'y avait plus d'entourloupe. Si je gagnais ce match, je n'aurais plus à le revoir, ni aucun autre challenger, pendant trois ans.

Détecter la crise avant qu'elle n'arrive

Détecter une crise est un talent à part. Je ne me réfère pas ici à la crise en tant que catastrophe. Il n'est pas nécessaire d'avoir un talent particulier ni de l'intuition pour s'apercevoir que les choses vont horriblement mal. Dans un discours fait en 1959 à Indianapolis, John F. Kennedy fit observer, non sans retentissement, que le mot chinois pour « crise » est composé de deux caractères, l'un signifiant danger et l'autre signifiant opportunité. Au bout du compte, ce n'est pas littéralement exact, bien que ce soit une façon poétique et mémorable d'illustrer un concept fort utile.

La définition anglaise du mot est suffisamment bonne par elle-même, j'eus la surprise de m'en apercevoir. D'après son usage habituel, nous pourrions supposer que cela signifie quelque chose comme « désastre » qui n'a pas besoin d'autres synonymes. « Crise » signifie en réalité un tournant, un moment critique, quand les enchères sont élevées et le bénéfice incertain. Cela implique aussi un point de non-retour. Cette notion inclut bien à la fois un danger et une opportunité, le discours de Kennedy avait donc souligné l'essentiel.

Le plus grand danger consiste souvent à essayer d'éviter entièrement les crises, ce qui veut dire généralement les retarder. Il serait plaisant, bien que peut-être ennuyeux, de pouvoir conduire sa barque sur un long fleuve tranquille sans jamais rencontrer de rapides ni de coudes. Le maximum de succès avec le minimum de risques est l'objectif de nombre de gens, surtout dans les milieux de la politique moderne et du commerce. Cela peut être à la limite faisable si nous avons beaucoup d'avantages dès le départ, à l'image de l'héritier d'une grande fortune qui se lancerait dans les affaires. Mais pour la grande majorité d'entre nous, le succès dépend de notre capacité à détecter, évaluer et contrôler le risque. De ces trois choses, la détection est souvent la plus importante et toujours la plus difficile. Importante car sans elle, au lieu de contrôler le risque, nous finissons par lutter pour la survie quand la crise a éclaté. Difficile car cela demande une attention aux changements les plus subtils.

Le champion du monde Boris Spassky fit observer une fois que « le meilleur indicateur de la forme d'un joueur d'échecs est sa capacité à sentir le point culminant d'une partie ». Il est virtuellement impossible de toujours jouer les meilleurs coups car l'exactitude exige une dépense de temps. Mais si nous pouvons détecter les moments clés, nous pouvons prendre les meilleures décisions à l'instant vraiment important. Les coups que nous faisons sur l'échiquier sont loin d'être d'égale importance et nous devons suivre notre intuition qui nous dira que là, à cet instant précis, il nous faut prendre davantage de temps car le jeu peut basculer sur cette décision.

En dehors d'être un indicateur de bonne ou de mauvaise forme, la capacité à détecter ces moments de crise est une jauge de la puissance générale d'un joueur d'échecs – comme d'un décideur – et les plus grands joueurs se distinguent par leur capacité à reconnaître les instants cruciaux. Les analyses des parties anciennes illustrent bien cela, en dépit des difficultés déjà mentionnées à pénétrer aujourd'hui ce qui se passait dans la tête de quelqu'un qui vivait il y a cent ans. L'une des beautés des échecs est que nous pouvons les utiliser comme un laboratoire cognitif. Nous ne pouvons affirmer avec certitude qu'Emmanuel Lasker savait qu'un certain coup était le point culminant, mais nous pouvons dire, en analysant son jeu, quand il trouva les meilleurs coups et quand ses coups étaient plus faibles. Habituellement, nous savons aussi combien de temps les joueurs ont investi pour chaque coup.

La stratégie de la victoire à tout prix

Peut-être est-ce en raison de mon désir d'avoir trois ans devant moi sans avoir à disputer un autre match contre Karpov que notre match de Séville commença de manière aussi fiévreuse. Après huit parties, chacun comptait deux victoires et il y avait quatre parties nulles. J'étais déçu par mon jeu irrégulier et mon incapacité à mettre une distance entre nous. Après une terrible gaffe de Karpov, je remportai la onzième partie à partir d'une position très douteuse, prenant pour la première fois la tête du match programmé pour vingt-quatre parties. Après quatre nulles, Karpov gagna la seizième partie en égalisant au score. À ce moment-là, je commençai à ne plus penser qu'à mon titre et au score de 12-12 dont j'avais besoin pour le conserver. Je me mis en mode défensif et cessai de lui mettre la pression. Après tout, une égalité de score dans ce match me laissait trois ans de tranquillité. Une période de six nulles tout à fait dépourvue de péripéties s'ensuivit, aboutissant à une épreuve de force dans les deux dernières parties.

Si le match se terminait ainsi, avec l'égalité, je gardais mon titre. Ce n'était pas exactement la victoire écrasante dont j'aurais rêvé pour terminer notre marathon, mais nécessité fait loi. Je ne voulais pas attaquer et Karpov n'avait pas l'énergie de le faire. Deux nulles supplémentaires semblaient le résultat le plus logique. Il s'avéra que des membres de mon équipe voyaient les choses de la même façon. Ils ne me firent part qu'après la fin du match de leurs paris, mais GM Zurab Azmaiparashvili paria contre GM Josef Dorfman quant à la conclusion du match. Dorfman avait parié une somme phénoménale que l'issue du match ne serait pas deux nulles supplémentaires.

C'eût été une bonne chose pour moi que Dorfman ait perdu son pari, mais malheureusement, la série des nullités allait s'arrêter à six. Après une défense terrible et prolongée, j'eus à subir l'une des pires hallucinations de toute ma carrière et fis une faute qui me fit perdre la partie 23. Soudainement, Karpov était en tête avec un point d'avance et n'était plus qu'à un cheveu de reprendre la couronne qu'il avait perdue contre moi deux ans auparavant. Le jour qui suivit cette catastrophe, je me retrouvai avec les blancs dans la partie 24 qu'il me fallait gagner à tout prix. Caïssa, la déesse des échecs, m'avait châtié pour mon jeu défensif, pour avoir trahi ma nature. Je ne pouvais conserver mon titre sans gagner une partie dans la seconde moitié du match.

Le fait qu'un champion gardât son titre en gagnant la dernière partie ne s'était produit qu'une seule fois auparavant dans l'histoire des échecs. Emmanuel Lasker avait battu Carl Schlechter le dos au mur dans la dernière partie de leur match en 1910. Ce gain permit à Lasker d'égaliser au score et de rester en possession de son titre pendant les onze années qui suivirent. L'Autrichien Schlechter avait, comme Karpov, une réputation de champion de la défense. En fait, son jeu, inhabituellement agressif dans la dernière partie contre Lasker, avait induit quelques historiens à penser que les règles du match lui imposaient deux points d'écart pour la victoire.

En 1985, la situation avait été inversée. Je menais d'un point quand nous arrivâmes à la dernière partie que

Karpov devait gagner pour égaliser dans le match et sauver le titre qu'il détenait depuis 1975. Comme nous l'avons vu dans le chapitre 3, dans cette partie décisive, Karpov démarra avec une stratégie d'attaque du tout ou rien. À l'instant critique, il fut trahi par sa propre nature et échoua à trouver les meilleurs coups. Il avait démarré la partie en jouant dans mon style direct pour retomber, en milieu de partie, dans ses propres habitudes de prudence avec les pauvres résultats qu'on pouvait prévoir.

En me préparant à affronter la même situation dans le rôle inverse, je me remémorai cette rencontre critique. Quelle stratégie allais-je adopter dans cette dernière partie qu'il me fallait gagner à tout prix ? Bien sûr, il y avait davantage matière à réflexion que les parties 23 et 24. Car c'était aussi les parties 119 et 120 entre nous, une extraordinaire quantité de rencontres au plus haut niveau entre les deux mêmes joueurs, toutes disputées dans un intervalle de trente-neuf mois. J'avais la sensation qu'il s'agissait d'un seul match long, avec cette partie finale en décembre 1987 qui constituait l'apogée de ce que nous avions commencé en septembre 1984. Mon plan pour cette dernière partie devait prendre en compte non seulement mes propres préférences, mais également ce qui serait le plus difficile pour mon adversaire. Et qu'est-ce qui pouvait davantage désarçonner Karpov que de renverser les rôles et de me mettre à jouer comme Karpov ?

Complexité, embranchements, brouillage et enjeux

Dans pratiquement toutes les autres branches, les perspectives historiques sont affaire d'opinion. L'histoire récente est racontée et débattue par des partisans et l'histoire ancienne est un tissu de mythes avec seulement quelques bases intermittentes de faits démontrables. Ces légendes passent d'un manuel scolaire à un autre jusqu'à ce que nous soyons tous persuadés qu'elles sont vraies. Un mythe encore plus nocif consiste à croire qu'il existe une réponse unique et objective à des questions vastes et compliquées. Par exemple, parmi les explications conventionnelles, la Première Guerre mondiale est souvent attribuée à l'assassinat d'un archiduc, comme si l'histoire et la vie elle-même pouvaient se diviser à la manière d'un questionnaire à choix multiples.

Alfred de Vigny écrivit que l'histoire est un roman rédigé par les peuples, et comment pourrions-nous imaginer un roman sans crises ni conflits ? L'histoire est faite de crises, l'une succédant à l'autre. Ma définition sommaire préférée de la crise est « un moment où les questions restent sans réponse ». Les crises sont des périodes d'incertitude et de sacrifices inévitables. Au fil du temps, notre expérience nous fournit une grille d'interprétation nous permettant de mieux pressentir l'imminence de ces moments. Nous pouvons aussi établir des lignes analytiques susceptibles de nous guider tant dans le champ des échecs que dans le domaine du commerce ou dans celui de négociations en vue d'un traité.

Comme de nombreux thèmes abordés dans ce livre, le début d'une crise génère une sensation qui en appelle à notre instinct mais que, généralement, la rationalité n'arrive ni à anticiper ni à traiter. Si nous sommes en alerte, nous pouvons reconnaître les signes annonciateurs de la crise et prendre des mesures pour en minimiser les dommages et en optimiser les opportunités.

La complexité peut se mesurer au nombre d'éléments d'une situation et, plus encore, au nombre d'interactions possibles entre ces éléments. Au début d'une partie d'échecs, il y a trente-deux pièces sur l'échiquier mais personne ne dirait de l'ordre initial qu'il est complexe. Les pièces sont séparées et sans interaction. Quand les éléments se combinent comme une réaction chimique imprévisible, nous arrivons à une complexité. Quand la densité des complications et des connexions atteint son niveau maximum, nous sommes dans un moment de crise. Nous devons aussi rester conscients, à chaque situation particulière, de notre réelle marge de manœuvre et de la difficulté relative des décisions à prendre. Un autre signe auquel il faut être attentif concerne le moment où les chemins commencent à diverger. Tout le monde aime à garder des options ouvertes le plus longtemps possible et cette tendance naturelle n'est pas entièrement négative. Les problèmes surgissent quand, à trop vouloir conserver cette ouverture, on repousse une décision inévitable. Il faut savoir reconnaître le moment où il n'y a rien de plus à gagner en retardant un choix.

Sur la route, il est rare de tomber sur un virage sans visibilité dans un large embranchement ; généralement, les choix difficiles se rapprochent avec suffisamment de temps pour qu'on puisse les anticiper. Si nous cédons à la tentation de différer des choix irréversibles aussi longtemps que possible, nous gaspillons l'avantage de les voir arriver. Il faut saisir cet avantage de temps pour se préparer. En voyant une crise se profiler avec une longueur d'avance, nous pouvons placer nos forces au bon endroit.

Toute crise obéit à un facteur temps, par définition. Même le réchauffement planétaire, un problème d'une ampleur littéralement glaçante – si l'on peut dire ! – offre à l'humanité une série de délais. L'inverse n'est pas toujours vrai, cependant. On peut se trouver dans un moment crucial sans pour autant être en crise. Si l'enjeu est mince ou s'il n'y a pas de résultat négatif à craindre, il peut simplement s'agir d'anxiété.

En arrivant dans les dernières secondes, un joueur d'échecs va bouger les pièces et appuyer sur la pendule aussi vite que ses mains peuvent le faire. À ce stade, les échecs commencent à ressembler à Nintendo. Il est primordial de ne pas laisser le temps devenir un facteur dominant au point d'en écarter tous les autres.

Un pilote de voiture de course, à la différence des autres conducteurs, emprunte des circuits ne demandant que peu d'anticipation. Dans la vie réelle, nous fonçons sur une autoroute qui comporte d'innombrables bretelles de sortie, une à chaque seconde. Chaque bretelle – et rares sont celles qui comportent des panneaux de signalisation – implique une décision. Quand les signaux commencent à se brouiller ou disparaissent complètement, nous avons là un autre indicateur de crise.

En d'autres termes, plus il est difficile d'évaluer la différence qualitative entre des options, plus il est probable que la situation est en train de devenir incontrôlable. Nous pouvons distinguer une telle situation de la complexité car cela peut se produire même dans le cas où nous n'avons le choix qu'entre deux voies. Franklin Roosevelt a dit que la décision la plus difficile qu'il avait eue à prendre durant la Seconde Guerre mondiale avait été de choisir le commandant en chef du jour J de l'invasion en Europe. Pour beaucoup, cette position revenait à George Marshall, le commandant en qui Roosevelt avait le plus de confiance. Au lieu de cela, elle revint à Dwight Eisenhower pour la raison touchante que Roosevelt ne pouvait supporter l'idée de se séparer de son auxiliaire le plus proche (et le plus efficace pour planifier) pendant le moment critique de la guerre.

Outre sa complexité et sa nature définitive, le débarquement de Normandie fut aussi un moment de crise pour les raisons les plus évidentes, à savoir l'investissement de ressources. Si les enjeux sont importants et les conséquences d'un échec sévères, la situation est toujours critique, quelles que soient les chances de succès.

Les spécialistes de l'éthique, les psychologues et les logiciens aiment composer des problèmes qui nous contraignent à peser les facteurs de risques. Imaginez que vous soyez le chef d'un groupe de mille soldats pris dans une tempête de neige. Deux voies sont possibles, soit un long trajet dans une vallée enneigée, soit un chemin de montagne plus court mais instable, en bordure de ravin. Si vous passez par la vallée, vous perdrez 40 pour cent de vos hommes. Si vous tentez le sentier de montagne, il y a 50 pour cent de chances de tous les sauver et 50 pour cent de chances que presque tous y trouvent la mort. Lequel choisissez-vous ? À partir de quel pourcentage allez-vous changer votre choix ?

Un P-DG doit décider s'il se sépare de 40 pour cent de son personnel ou s'il évite les licenciements et prend le risque de la faillite. En toute chose, depuis l'investissement de nos économies jusqu'à la planification de nos vacances, nous devons décider quand il est bon de parier et quand il convient de rester prudent. Nos décisions, au bout du compte, vont dépendre de notre tempérament et du degré de risque que nous pouvons accepter sans nous sentir mal à l'aise. Le calcul devrait toujours entrer en ligne de compte car certaines voies sont incontestablement supérieures. Suivre immédiatement notre réaction instinctive plutôt que de faire les analyses nécessaires ne relève plus de la pensée intuitive mais de la paresse mentale.

Une scène classique des contes de fées en Russie représente le héros tombant sur une pierre qui porte des inscriptions. Elles lui indiquent trois options, chacune d'elles offrant de sérieux revers. Le danger menace et la question consiste seulement à décider quel risque on va prendre. Dans la vie, nos choix sont rarement aussi nets. Nos décisions sont toujours suspendues à un équilibre entre l'opportunité et le sacrifice. Il ne faut pas s'aveugler sur le gain au point de perdre de vue ce que nous allons perdre.

Quelle serait notre réaction dans de telles situations ? La tendance commune est de trancher le nœud plutôt que d'essayer de le dénouer. Selon la légende, cette méthode réussit à Alexandre à Gordium, mais nous ne pouvons prendre une épée pour l'échiquier, le tableur ou un business plan. Parfois, il n'existe pas de solution simple et hardie. D'autres fois, nous préférerions défaire le nœud pour pouvoir nous servir de la corde à un autre usage. Il est fort tentant d'éviter de multiples petites décisions subtiles et d'en prendre une grande mais cela implique souvent des dommages qui pourraient être évités en choisissant d'investir davantage de soin et d'énergie.

Erreurs dans chaque camp

Si je n'avais pas disputé 119 parties contre Karpov, j'aurais été incapable de survivre à la 120e, la plus importante entre toutes. La défaite de la partie 23 elle-même avait le potentiel pour m'abattre et j'avais moins de vingt-quatre heures pour préparer ce qui pouvait devenir ma dernière partie en tant que champion du monde. Le secret de ma préparation ? Avoir joué aux cartes avec mon équipe et avoir dormi au moins cinq ou six heures.

En totalisant le score de notre marathon de championnat du monde, nous avions seize gains chacun et quatre-vingt-sept parties nulles. La victoire dans cette 120e partie ne signifiait pas seulement remporter ce match mais prendre la tête de l'ensemble du score. Alors, pourquoi les cartes et du sommeil plutôt qu'une préparation des ouvertures ? Après 119 parties contre Karpov, il n'y avait rien que mon équipe et moi-même pussions découvrir en quelques heures d'analyse anxieuse. Nous avons décidé, en stratégie de base, de ne rien faire de plus. Le temps disponible ne pouvait être mieux employé qu'à régénérer mes forces physiques et nerveuses pour la prochaine bataille. Cela peut sembler étrange au regard de ma coutumière préparation obsessionnelle mais c'était une simple question de gestion des ressources. La stratégie que j'avais choisie ne demandait pas une énergie explosive mais une lente combustion.

Le magnifique théâtre Lope de Vega était prêt pour la partie 24, intégralement retransmise en direct à la télévision espagnole. Le murmure habituel du public précédant la partie avait été remplacé par un léger grondement. J'ai su plus tard que les commentateurs excités de la radio et de la télévision espagnoles donnaient l'impression de couvrir le dernier round d'un match de boxe poids lourd, ce qui était tout à fait le cas.

L'arbitre appuya sur ma pendule et je poussai le pion c de deux cases, ainsi que je l'avais fait huit fois précédemment dans le match. La différence allait arriver dans les quelques coups suivants quand je gardai mes pions centraux en arrière pour me développer sur les ailes. J'avais choisi d'éviter dès le départ la bataille du tout ou rien. Je commençais lentement, même un peu passivement, afin de conserver le plus de pièces possible sur l'échiquier. Cette technique devait mettre une pression psychologique sur Karpov bien qu'il fût rompu à de tels exercices. À défaut d'une continuation nette et pressante, il serait fortement tenté de provoquer des échanges de pièces afin de simplifier la situation, même au prix d'une légère infériorité de sa position. Évidemment, avec moins de pièces sur l'échiquier, le niveau de complexité baissait, réduisant globalement les chances d'un résultat décisif, mais tant que je pouvais attribuer un « prix qualitatif » à ces échanges, je sentais que cela en valait la peine pour moi.

En faisant mijoter à petit feu, il apparut que j'avais l'avantage supplémentaire de mettre Karpov en sérieux zeitnot. Les enjeux étaient si forts qu'il devenait excessivement circonspect, prenant de précieuses minutes pour des coups de double échec qu'il faisait d'habitude rapidement. Au fur et à mesure que la partie avançait, Karpov avait réussi à échanger la moitié des pièces mais sa position était toujours sous une pression inconfortable. Il était tout près d'égaliser sur chaque coup sans arriver pourtant à mettre la tête hors de l'eau ; pendant ce temps, sa pendule tournait.

Voyant une opportunité de lancer une attaque, je plaçai mon cavalier sur la case centrale e5 en offrant un pion. Karpov mordit à l'hameçon et se précipita sur le pion, une tentation qui aurait pu le conduire au désastre. Il lui fallait jouer vite maintenant, car il restait un long chemin à parcourir avant le quarantième coup où, selon les règles alors en vigueur, la partie serait ajournée et davantage de temps serait accordé avant la continuation le jour suivant. (Aujourd'hui, en grande partie à cause de l'usage des ordinateurs qui aident les joueurs dans l'analyse, de tels ajournements n'ont plus cours.)

J'échangeai les tours, gardant la dame, un cavalier et un fou contre sa dame et deux cavaliers. Il avait un pion supplémentaire mais j'avais vu une possibilité tactique de lancer une puissante attaque. Ses pièces étaient dangereusement non coordonnées et son roi était vulnérable. Si je pouvais pénétrer sa position avec ma dame, je pouvais exploiter ces deux faiblesses en même temps. La question était de savoir où placer ma dame sur le coup 33. Karpov ne pouvait rien faire d'autre que d'attendre, sachant qu'il lui faudrait riposter presque immédiatement faute d'avoir le temps suffisant pour faire les huit prochains coups.

Perdu dans mes réflexions, je sursautai en recevant une tape sur l'épaule. L'arbitre hollandais se penchait sur moi et disait « M. Kasparov, il faut que vous notiez vos coups ». J'avais été si absorbé par la partie que j'avais oublié de noter les deux derniers coups sur ma feuille de score ainsi que l'exigent les règles. Naturellement, l'arbitre avait raison de me rappeler le règlement, mais quel moment pour être strict ! Cette tape aurait pu devenir la main du destin si les choses avaient tourné différemment.

Je mis ma dame sur une mauvaise case. Je passai à côté d'une subtilité et ne vit pas qu'un autre coup pour la même idée aurait été plus fort. Ce coup offrit à Karpov l'opportunité d'une bonne défense et soudain, il était à un coup du titre. Mais sa riposte précipitée se révéla également un pis-aller, bien que notre mutuel échange d'erreurs ne fût découvert qu'un bon moment après la partie.

La meilleure chance de défense de Karpov était passée et mes forces encerclaient le roi noir. Je regagnai mon pion sacrifié avec intérêt et au moment où nous arrivâmes au quarantième coup marquant l'arrêt de la course au temps, ma position était clairement supérieure. La partie était ajournée jusqu'au lendemain et le titre était toujours en suspens. La nuit allait être longue.

Apprendre d'une crise

Les crises sont des mises à l'épreuve nous fournissant l'occasion de développer nos talents et nos sens. Ce n'est pas par pure bravade que certaines personnes poussent constamment eux-mêmes et leur entourage dans des conflits à la limite de la rupture. Chateaubriand écrivait que les « moments de crise produisent un redoublement de la vie ». Nous devrions prendre de tels moments comme un défi pour passer en revue nos capacités et revenir sur la dernière crise que nous avons vécue pour voir comment nous avons réagi. Si vous ne pouvez vous rappeler une crise récente dans votre vie, même une qui ait été dénouée avec succès, vous êtes soit très chanceux, soit très ennuyeux ou les deux.

Provoquer une crise demande un sens parfait du rythme si nous voulons survivre aux conséquences. Vous pouvez avoir tous les autres facteurs de votre côté – matériel, temps, qualité – et être cependant précipité vers la ruine si vous faites une mauvaise évaluation de l'environnement à l'instant de l'action.

Simon Bolivar était le grand libérateur de l'Amérique du Sud. Il réussit à évincer le régime colonial espagnol de son Venezuela natal, de Colombie, du Pérou et de la Bolivie, par conséquent éponyme. Ses succès, bientôt rejoints par ceux du général argentin San Martin au sud du continent, tirèrent directement avantage des événements du globe. En 1808, Napoléon avait envahi l'Espagne et emprisonné le roi Charles et son fils Ferdinand, perturbant le contrôle de l'Espagne sur ses vastes colonies. Saisissant cette opportunité, Bolivar et ses supporters se soulevèrent contre l'Espagne dans le Nouveau Monde, lançant une guerre d'indépendance qui allait bientôt s'étendre à l'ensemble du continent. Bien que l'Espagne ait déployé la plus grande expédition militaire qui ait jamais traversé l'Atlantique à ce jour, il ne fallut pas plus de quinze ans pour l'éjecter de l'Amérique du Sud.

Le grand spectacle de la chute des dominos ne s'est pas arrêté là si nous regardons les effets consécutifs de l'invasion française en Espagne. Celle-ci devint une aile très vulnérable pour Napoléon, en grande partie en raison de la guérilla espagnole soutenue par le duc de Wellington et l'armée anglaise. Napoléon n'avait pas fait une bonne évaluation des conséquences de l'invasion de l'Espagne qui devint un allié faible et instable de la France, sur un territoire ouvert à son opposant britannique. Les régiments anglais, ayant affronté victorieusement les armées françaises en Espagne, en vinrent à conduire l'armée de Wellington à Waterloo.

Il est facile de regarder en arrière et de parler de la marée de l'histoire et de la fin inévitable du colonialisme. Néanmoins, une marée historique n'est pas le produit du destin mais de gens réels prenant des décisions risquées et naviguant, crise après crise. Hormis les catastrophes naturelles, rien ne tombe du ciel. Dans une situation déséquilibrée, le premier côté qui aura l'action décisive sera aussi celui qui écrira l'histoire. Être perdant tout en étant du bon côté n'est une consolation que pour vos descendants, en supposant que vous en ayez. Le facteur rythme est doublement critique car vous pouvez être à la fois trop en avance ou trop en retard. Vous ne pouvez vous contenter de compléter votre préparation et d'attendre qu'une opportunité se présente à vous. Une opportunité peut se refermer aussi vite qu'elle s'est ouverte, nous devons donc être toujours prêts à forcer le résultat.

Ces situations sont riches d'enseignement car une crise exige des décisions inédites. Nos vieux modèles de conduite ne sont pas vraiment appropriés, et les réponses faciles ne marchent pas davantage. La situation peut devenir si compliquée et se transformer si rapidement que nous en sommes réduits à devoir deviner. Dans de telles circonstances, des facteurs d'évaluation plus abstraits et plus subjectifs doivent entrer en jeu. Nous manquons de temps pour une analyse plus concrète et les données fiables sont difficiles à obtenir. C'est là qu'un grand général se distingue d'un autre qui est simplement bon et qu'un leader politique peut devenir immortel.

Parmi les nombreuses causes de la Première Guerre mondiale, la plus significative a peut-être été la sous-estimation des coûts par les belligérants. Pour remonter plus loin dans le passé, la guerre russo-turque de 1877-1878 avait conduit au congrès de Berlin et à une tentative, de la part des grandes puissances, d'établir une paix durable. Le nombre colossal des pertes, autour de deux cent mille uniquement du côté russe d'après certaines estimations, incita une grande partie des chefs d'États de l'époque à penser que des guerres entre les grandes puissances ne seraient plus possibles dans le futur. Les armes modernes étaient trop puissantes, les pertes en vies humaines trop importantes.

Et pourtant, les dures leçons de 1878 avaient été oubliées, comme elles le seraient encore à la fin de la Première Guerre mondiale avec le ruineux traité de Versailles. Peu avaient imaginé que la guerre durerait si longtemps, en plus de conduire à l'effondrement de quatre grands empires. Si les Ottomans avaient déjà commencé à basculer, il n'y avait pas eu de signes évidents de la ruine imminente des empires de Russie, de Germanie et d'Autriche-Hongrie. Mais au lieu de la rapide résolution tant attendue, la guerre était devenue un catalyseur de presque toutes les crises ouvertes et imminentes du continent.

L'inaptitude des chefs d'États européens à voir le potentiel de dévastation s'était combinée avec plusieurs autres facteurs. Le réseau complexe des traités européens était devenu si alambiqué qu'un acte d'agression se produisant pratiquement n'importe où pouvait déclencher une chaîne de réactions allant jusqu'à la guerre généralisée. L'Angleterre, par exemple, entra en guerre à cause d'un traité l'obligeant à venir en aide non pas à son puissant allié, la France, mais à la minuscule Belgique.

Nous aimerions croire qu'une telle confusion et un tel manque de perspective sont des choses qui appartiennent au passé. Aujourd'hui, les communications internationales instantanées nous fournissent l'information en direct en provenance du monde entier. Et pourtant, ce progrès des médias ne peut, par lui-même, ni créer ni prévenir une crise. Comme nous le savons tous, une guerre encore plus meurtrière se produisit vingt ans après la guerre de 1914-1918 qui devait être « la der des der ». Les grandes puissances redéfinirent nombre de frontières dans l'espoir d'établir une paix durable, mais voyez les résultats. Virtuellement, chaque décision qui avait suivi la Première Guerre mondiale éclata finalement en conflit et en chaos. L'Allemagne et la Pologne, l'Irak et le Koweït, les Balkans, la plus grande partie de l'Afrique – le traité de Versailles sema les graines de crises qui allaient envahir le globe tout entier. Les Balkans éclataient encore soixante-quinze ans après. Plus récemment, l'occupation américaine succédant à l'invasion de l'Irak est un cas d'école démontrant le fait qu'en se focalisant sur la crise qui est sous nos yeux, nous risquons de ne pas voir la crise plus importante encore qui vient derrière.

Alors, qu'apprenons-nous finalement ? Chaque crise a autant de solutions que d'individus qui l'abordent. Nous inventons des solutions sur mesure accordées à nos talents. (Malheureusement, le nombre des mauvaises solutions dépasse toujours le nombre des bonnes.) Si une crise est un moment où il est difficile de répondre aux questions, nous ne pouvons espérer que des modèles génériques nous servent de guides.

L'écrivain polonais Stanislav Ezhi Letz observait que pour atteindre la source, il faut nager à contre-courant.

Avec le courage et l'expérience, nous pouvons en venir à accepter chaque crise et même à la rechercher afin de l'affronter sur notre propre terrain. Plutôt que de redouter ces moments de pression maximum et de risques, nous devrions les considérer comme inévitables et nous centrer sur l'amélioration de notre capacité à les prévoir et à tirer le meilleur parti de leurs conséquences.

Ne pas lâcher le titre

Avoir une bonne nuit de sommeil avant la partie avait été vital mais il s'agissait maintenant de se mettre au travail. Il y avait encore treize pièces sur l'échiquier y compris les dames, trop de matériel pour une analyse définitive de finale. J'avais un pion supplémentaire mais ce matériel était suffisamment faible pour laisser à Karpov des chances d'obtenir une nullité. Il restait encore pas mal de coups à jouer. Nous avions passé la nuit à chercher des défenses possibles et des parades à ces défenses. Avant la partie, j'estimais mes chances à 50-50 : 50 pour le gain, 50 pour la nullité.

La bonne nouvelle était que je pouvais jouer cette position perpétuellement, manœuvrant alentour pour provoquer la faute de mon adversaire. Les noirs seraient cantonnés en défense permanente et Karpov le savait. La perspective d'une torture aussi prolongée entamait sérieusement son moral ; je pouvais le voir dans ses yeux quand il arpenta l'estrade quelques minutes après que j'eus joué. Son expression fataliste me fit comprendre qu'il avait déjà perdu la partie psychologiquement, ce qui augmenta ma confiance en moi.

Les manœuvres commencèrent. Je me souviens de ma stupéfaction quand Karpov avança un pion, coup que mon équipe et moi avions jugé mauvais pour les chances défensives des noirs. À présent, sa structure était fixée et les cibles étaient plus claires. Apparemment, Karpov et son équipe n'étaient pas de notre avis, ou peut-être était-ce une erreur psychologique. Le coup de Karpov avait rendu la position plus concrète, réduisant le niveau d'incertitude. Parfois, la chose la plus difficile à faire dans une situation tendue est de laisser la tension persister. La tentation est de prendre une décision, n'importe quelle décision, même s'il s'agit d'un choix inférieur. Convaincu de la qualité de notre analyse, je pris l'option divergente de Karpov comme une erreur significative, et non pas comme une amélioration potentielle, ce qui accrut encore mon assurance.

Cela prit encore une dizaine de coups, tous continuant à lui mettre la pression, avant que je commence à sentir que la victoire était dans la poche. Les pièces de Karpov étaient le dos au mur et une pincée de manœuvres supplémentaires conduirait à un gain matériel décisif. Plus tard, j'entendis dire que le président de la FIDE, Florencio Campomanes, était occupé au même moment à rassembler une réunion spéciale pour décider de la meilleure manière de conduire la cérémonie de clôture qui avait été prévue pour le même jour. Mais on avait encore l'impression que cette partie ne s'arrêterait jamais ; que fallait-il faire ? Deux crises s'annonçaient ensemble quand quelqu'un se précipita dans la salle de réunion pour annoncer : « Karpov a renoncé ! »

C'était incontestablement l'ovation la plus bruyante et la plus longue que j'aie jamais reçue en dehors de mon pays natal. Le théâtre tonnait tandis que la télévision espagnole interrompit le football pour diffuser la conclusion du match. J'avais réussi ce que Karpov avait échoué à faire en 1985. J'avais gagné la dernière partie et conduit le match de façon à conserver mon titre. Cette fois, j'avais trois ans devant moi pour en profiter.

Je quittai l'estrade de Séville et me jetai dans les bras de l'un des membres de mon équipe en criant « Trois ans ! J'ai trois ans ! ». Malheureusement, le temps ne s'arrête pas dans ces moments-là, quel que soit le désir qu'on en ait. Ces trois années passèrent plus vite que ce que j'avais imaginé avant que nous nous retrouvions, Karpov et moi, face à face dans notre cinquième championnat du monde consécutif. Nos duels épiques, que la plupart des joueurs actuels de haut niveau ont étudiés, font maintenant partie de l'histoire des échecs. À partir de ce dernier match en 1990 – encore une victoire de justesse – nos scores de carrière se suivirent de très près. Et pourtant, dans chaque rencontre, dans chaque match – Moscou, Saint-Pétersbourg, Séville, Lyon – à chaque moment décisif, j'ai gagné. Cela signifie davantage à mes yeux que n'importe quelle statistique sur les gains et les défaites. Cela signifie que je donne le meilleur de moi-même dans les moments importants.

ÉPILOGUE

Votre vie est votre préparation

Notre futur n'est pas uniquement déterminé par notre passé mais aussi par la manière dont nous comprenons ce passé et par l'usage que nous en faisons. Je regarde la première moitié de ma vie comme le globe terrestre que mes parents m'avaient offert lorsque j'étais enfant. Pour tout ce qui nous importe, pour nos succès et nos échecs, notre passé représente une carte non seulement de nos origines mais aussi de notre destination. Mais la chose la plus merveilleuse au sujet de cette carte du futur est qu'elle n'est pas gravée dans le marbre. Avec de la perspicacité et quelques efforts, nous avons la possibilité d'influer sur notre avenir.

La seconde moitié de ma vie sera faite de multiples nouveaux défis. J'ai de nouveaux objectifs, de nouvelles personnes dans ma vie, et j'ai laissé derrière moi la seule vocation que j'aie jamais connue. Si éloignée qu'elle puisse paraître au premier abord, mon expérience dans les échecs a constitué une bonne préparation à cette nouvelle vie. Comment pourrais-je me laisser impressionner par un simple lieutenant-colonel du KGB après être parvenu à l'Olympe des champions d'échecs ? Pourquoi mes nerfs me lâcheraient-ils face aux dirigeants gouvernementaux ou aux P-DG de multinationales alors que j'ai passé ma vie entière sous les feux de la rampe ?

Après toute une vie de préparation et d'examen de moi-même, je crois avoir les outils dont j'ai besoin pour m'adapter à ce nouveau combat. Il y a de nouvelles stratégies, de nouvelles tactiques, et je ne m'attends pas à ce que la transition soit toujours facile. Ma carte personnelle est remplie de zones grises et elle est cernée de zones indéfinies. Mais le plus important est d'avoir appris à ne pas redouter ces territoires inconnus.

Mon fils de dix ans, Vadim, atteint l'âge où remontent les souvenirs les plus vifs de ma propre enfance. Sa vie sera bien sûr très différente de la mienne mais je souhaite ardemment lui prodiguer les conseils que je sais que mon père aurait continué à me donner s'il n'avait disparu prématurément. Après une vie mouvementée, j'eus la chance de rencontrer Dasha, devenue mon amie, ma supportrice et ma femme. Par-dessus tout, je suis infiniment reconnaissant que celle qui m'a guidé durant ma première carrière, ma mère Clara, soit toujours à mes côtés pour entamer la seconde. Chaque fois que je me trouve dans une passe difficile, ses mots m'inspirent : « Si tu ne le fais pas, qui le fera ? »

Secrets dévoilés

Ce livre a pour but d'inspirer un certain goût de l'aventure. Nous avons tous les moyens d'examiner notre carte personnelle, de nous libérer et d'explorer des domaines inconnus où nous devrons faire face à de nouveaux défis. Nous pouvons accepter les insuccès comme une part nécessaire des succès. La foi qui poussait Magellan à tenter de faire le tour de la terre en 1519 est ce qui fait qu'on se rappelle de lui. Mais peu se souviennent qu'il n'était pas parmi les dix-huit survivants ayant achevé le voyage.

Comme tout explorateur, nous devons d'abord planifier notre trajet et notre stratégie. Ensuite, nous devons rassembler nos ressources, les utiliser avec circonspection et éviter les excès tout en faisant l'acquisition de ce qui nous est nécessaire. Une fois en chemin, il faut garder un œil tactique, attentif à ne jamais s'éloigner de la bataille, sauf si nous sommes certains que cela est dans notre intérêt, demeurer en alerte sur les dangers et les opportunités sans nous laisser détourner de notre route. Il nous faut aussi rester conscients à tout moment des changements qui se produisent dans notre environnement et être à l'affût des occasions qui s'offrent à nous de faire des échanges positifs tirant avantage de ces nouvelles conditions.

Avant tout, il nous faut être lucide sur chacune de nos décisions. Pas seulement pour évaluer les développements futurs de nos actions, mais aussi pour regarder en arrière et analyser nos options passées ainsi que l'efficacité du processus suivant lequel nous les avons prises.

Ces explorations, loin de nous lasser, doivent nous dynamiser et nous insuffler de l'assurance et de l'inspiration. Nos sens vont s'aiguiser et la perspective de nouveaux défis sera bientôt mieux accueillie que la routine des habitudes. De nouvelles stimulations développent notre intuition. Nous apercevons les tendances qui se dessinent, la vision d'ensemble nous restitue aussi, dans le même temps, les détails, et les points culminants deviennent faciles à relier. Nous ressentons des signaux d'alarme quand une crise se prépare. Si nous sommes pris par surprise, nos réflexes nous donnent une chance de prendre l'offensive au lieu de jouer la défense.

Voici bientôt vingt ans, j'ai conclu une autobiographie précoce par ces mots : « Jour après jour, après avoir dépassé un nouveau problème ou battu un nouvel adversaire, j'ai compris que les batailles principales étaient encore à venir... Mon combat est sans fin. » Je sais maintenant que ce combat n'est pas seulement contre le Comité des sports soviétique ou la FIDE ou le Kremlin, mais aussi contre mes propres capacités et limitations. Notre énergie peut être canalisée vers une prise en main de notre destin, vers la création d'un changement et d'une nouvelle façon d'agir. La mesure du succès est différente pour chacun d'entre nous. Le premier pas, le plus important, est de comprendre que le secret du succès est en nous.

ÉPILOGUE SUPPLÉMENTAIRE

Une stratégie pour la démocratie

À la fin de l'année 2006, alors que ce livre était déjà parti à l'impression dans plusieurs pays, le chaos politique interne de la Russie faisait les titres des journaux du monde entier. Un transfuge du KGB de nationalité britannique, critique sévère du Kremlin, Alexandre Litvinenko, fut assassiné avec une substance rare, le polonium 210. Actuellement, l'enquête sur sa mort implique au moins trois pays.

L'assassinat de Litvinenko survint juste après celui, à Moscou, de la célèbre journaliste d'investigation Anna Politkovskaya – le jour même de l'anniversaire du président Vladimir Poutine. Ces crimes ont mis en lumière ce que l'Ouest avait présumé être le régime de Poutine, autocratique mais stable. Soudain, les médias étrangers commencent à comprendre ce que nous, les opposants de Russie, répétons depuis des années – le Kremlin est plus proche d'une dictature que d'une démocratie et, néanmoins, n'est pas stable du tout.

Cet intérêt a conduit à un accroissement de l'attention portée à mon propre rôle dans le mouvement d'opposition et à des questions sur la contribution que mon ancienne carrière de champion d'échecs pouvait apporter dans cette nouvelle mission. Ayant cela à l'esprit, mon éditeur s'est demandé s'il n'aurait pas été approprié d'inclure des commentaires de dernière minute sur la manière dont j'ai appliqué les leçons présentées dans ce livre à mon combat politique en Russie.

Mais cet épilogue est davantage qu'une commodité en rapport avec l'actualité. Tout en écrivant ce livre et en préparant mes conférences professionnelles, j'ai découvert bien des choses sur la façon de synthétiser ces leçons et de les utiliser dans la pratique. Il est tout à fait juste de dire que j'ai appris beaucoup de mon propre livre, confirmant le vieil adage selon lequel la meilleure manière d'apprendre sur un sujet est de l'enseigner.

L'élément le plus important et le plus difficile de mon nouvel agenda politique était de développer une stratégie qui insufflerait de l'énergie aux forces anti-Poutine. C'était un peu comme de s'asseoir devant une partie d'échecs déjà en cours et de découvrir que mon camp était à deux doigts de se faire mater dans chacune des variantes. Je pouvais immédiatement faire le parallèle avec mon premier match de championnat du monde, le marathon de 1984-1985 contre Anatoly Karpov. J'avais passé là plusieurs mois à quelques pas du désastre, une situation qui exigeait une stratégie entièrement nouvelle, une de celles davantage basées sur la survie que sur le triomphe. Je réussis ; je survécus pour combattre une deuxième fois, et notre rencontre suivante fut celle de ma victoire.

Les forces anti-Kremlin étaient dans un état semblablement désastreux en 2004. Malheureusement, dans ce jeu-ci, nos opposants changent régulièrement les règles, et toujours à leur avantage. Mais même dans ce combat imprévisible et inéquitable, une bonne stratégie nous donne une chance. Je débutai par les fondamentaux d'une planification : une évaluation approfondie de la position et la détermination de ses éléments les plus vitaux. Dessiner les grandes lignes de l'ensemble fut donc le premier travail. Il fallait distinguer les alliés des ennemis, une tâche plutôt facile dans le monde noir et blanc des échecs mais beaucoup plus complexe dans le domaine uniformément gris de la politique.

Deux choses m'apparurent évidentes finalement. Tout d'abord, que l'existence d'une opposition politique aux mesures répressives de Poutine n'était garantie en aucune façon. Il nous fallait nous retrancher pour survivre ou courir le risque d'être complètement mis à l'écart. Il n'y a pas d'espoir de grâce dans la défaite ni l'éventualité d'un accord de paix avec un tel opposant. En face d'un régime autoritaire, ployé sous un contrôle total, chaque jour de survie vous envoie un message d'espoir : « Nous sommes toujours là. » Sans accès à la télévision ni aux autres médias, tous au service de l'État, il était essentiel pour nous de trouver d'autres voies pour diffuser ces paroles vitales.

Ensuite, le besoin d'une coalition se faisait sentir. L'opposition était dans la confusion : des groupuscules politiques et des organisations non gouvernementales, chacun ayant ses propres problèmes avec le gouvernement. En dépit des nombreuses causes et idéologies représentées, j'acquis vite la conviction qu'il nous fallait trouver une unité et une cause commune contre la répression. La seule chose que nous avions en commun était la certitude que seule la démocratie pouvait nous sauver. Les communistes, les militants pour les droits de l'homme – nous étions tous persuadés, et continuons de l'être, que si l'on donnait une chance au peuple russe de s'exprimer dans des élections équitables, il rejetterait les tentatives de Poutine pour restaurer un État policier dans notre pays.

Ce changement ne se fit pas spontanément. Je fis mes premiers pas en tant que cofondateur et président du *Committee 2008 – Free Choice*[1] en janvier 2004. C'était une coalition de libéraux de même sensibilité et de membres des médias – c'est-à-dire pas seulement des politiciens – se consacrant à assurer des élections libres et équitables en 2008, quand le second et constitutionnellement dernier mandat de Poutine prendrait fin. Au cours de cette tâche, j'acquis la conviction que les problèmes de la Russie étaient trop vastes pour être résolus depuis une position interne ou idéologique.

Dans le livre, je parle de la tendance à découvrir des problèmes qui ne peuvent être résolus dans le cadre du travail qui nous est imparti, et je me trouvais là devant un problème de cette sorte. Les négociations servaient à gagner un capital politique cédé par le Kremlin sous forme de concessions superficielles, un processus qui ne faisait que perpétuer le système de corruption et qui nous contraignait à y participer. Il était indispensable, pour avoir un impact réel, de s'attaquer au cœur du problème : soit on travaillait avec le Kremlin, soit on se vouait à la destruction du régime.

---

1. Comité 2008 – Libre choix. *(N.d.T.)*

Des idées similaires sur l'unité étaient déjà dans l'air ; elles conduisirent à la formation d'un *All-Russia Civil Congress*[1] en décembre 2004 et je fus élu co-président. J'avais pu observer l'insatisfaction des militants de chaque bord. Ils en avaient assez de danser sur l'air de Poutine tout en observant leurs chefs de partis écourter des négociations en échange de subventions dérisoires. Le Congrès Civil était conçu comme une plateforme d'unification mais il tomba à l'eau quand les forces des deux bords du spectre politique se montrèrent incapables d'abandonner la mentalité de guerre civile datant de l'ère d'Eltsine et de coopérer avec leurs adversaires traditionnels. Il apparut que ma principale contribution serait d'aider à combler cette lacune.

En mars 2005, je me retirai des échecs professionnels et pus planifier ma prochaine manœuvre tactique sur le front politique. Un obstacle majeur était que personne n'avait accès aux médias télévisuels sans autorisation de l'administration officielle. Sans cet accès, la base politique disparaissait du pays tout entier. Il nous fallait trouver un moyen pour communiquer au-delà du « Kalsso des jardins », le centre riche de Moscou. Nous avions besoin d'une organisation unifiant les groupes d'opposition au-delà des divisions idéologiques autant que du développement d'un réseau national de militants sur le Net. Cette nouvelle organisation était le *United Civil Front*[2] et c'est sous cette bannière que je voyageai en Russie de Vladivostok à Kaliningrad pour diffuser notre message, pour discuter des causes d'une si grande pauvreté dans les campagnes alors que les élites possèdent une si grande

---

1. Congrès civil de toute la Russie. *(N.d.T.)*
2. Front civil uni. *(N.d.T.)*

richesse. Et, plus important encore, pour dire qu'il n'était pas trop tard pour se rassembler et pour se battre pour la défense des libertés civiles et de la démocratie, car elles seules pouvaient améliorer le niveau de vie.

Ce mélange des groupes d'opposition a eu aussi plusieurs effets positifs annexes. Les gauchistes et ceux qui regrettaient encore l'Union soviétique en sont venus à reconnaître l'importance de la démocratie libérale et des libertés politiques. Les libéraux ont appris à accepter la nécessité des programmes sociaux préconisés par la gauche. L'unité n'a pas seulement renforcé l'opposition au gouvernement Poutine, elle a aussi clarifié et mis en relief les objectifs spécifiques de nos groupes membres.

Chacune de ces entités a contribué à mon éducation. J'apprenais vite et nous faisions des progrès, mais il nous fallait encore atteindre une audience plus large tant à l'intérieur de la Russie qu'à l'extérieur. Il était temps de passer à l'offensive. Le G8 (sept d'après mon calcul !) tenait une réunion au sommet à Saint-Pétersbourg dans l'été 2006 et les dirigeants, ainsi que les médias du monde libre, se trouveraient en Russie. Cela nous donnait une opportunité en or pour réaliser notre unité et aussi pour diffuser notre message à l'étranger.

Nous organisâmes une convention à Moscou, une conférence internationale qui attira des militants de la Russie tout entière pour échanger des idées et trouver un soutien. Nous invitâmes également les médias et orateurs internationaux qui ne craignaient pas de défendre à voix haute la démocratie dans l'ombre du Kremlin. Mes partenaires du All-Russia Civil Congress et moi-même écrivîmes une quantité innombrable de lettres d'invitation, utilisant des faveurs ou en forçant la main lorsque c'était nécessaire. Finalement, beaucoup de personnalités éminentes contribuèrent à l'établissement d'un soutien, bien que peu d'administrations du G-8 aient eu le courage de nous appuyer ouvertement. Cet événement fut nommé *La conférence de la Russie alternative*, afin de dire au monde que l'image de la Russie démocratique et stable présentée par Poutine ne correspondait pas à la réalité.

Nous avons su que nous avions fait des progrès significatifs lorsque l'administration se mit à nous harceler à la moindre occasion. (Si cela constitue réellement un critère de succès, je peux m'enorgueillir d'avoir eu ce mois-ci une descente des forces de sécurité dans nos modestes bureaux de l'UCF, quelques jours avant notre marche du 16 décembre à Moscou.) Le mouvement de la Russie alternative a rassemblé l'opposition russe et bien que notre situation soit encore précaire, nous avons réussi à nous imposer énergiquement et à occuper une part non négligeable de l'échiquier politique.

Le développement de l'opposition russe s'est produit en parallèle avec ma propre évolution vers la pensée politique. Le United Civil Front a donné un poids politique au concept du All-Russia Civil Congress. Tout cela s'est finalement rassemblé, au propre et au figuré, dans la Russie alternative.

Si défavorable que puisse être encore notre position, mon évaluation des forces adverses met en évidence qu'ils ont, eux aussi, leurs propres faiblesses. À la différence de l'ancien régime soviétique, les relations extérieures sont un enjeu important pour cette élite dirigeante. Leurs fortunes sont principalement à l'étranger dans des banques, des actions boursières, de vrais États ou encore des équipes de football. Ce qui signifie qu'ils sont vulnérables à la pression extérieure. Ils ne pourraient littéralement pas supporter la rupture des relations qui s'ensuivrait en cas d'hostilité ouverte entre une Russie de plus en plus dictatoriale et l'Ouest.

Quoi qu'il en soit, il a été difficile jusqu'ici de convaincre les prétendus dirigeants et la presse du monde libre de faire peser une telle pression. Poutine se sert des ressources financières de la Russie comme d'une trique et les dirigeants européens se soumettent docilement. Ainsi, le troisième élément de ma stratégie a été de mettre en lumière cette hypocrisie aussi souvent que je le pouvais.

Ce plan ne fait pas l'impasse des conséquences potentielles. Il est essentiel de préserver notre coalition car si le régime de plus en plus branlant de Poutine finit par s'effondrer en raison du conflit interne, cela pourrait conduire à un chaos total. Il vaut la peine de rappeler qu'il y a à peine quinze ans, le puissant régime soviétique s'est désintégré, à la grande surprise des agences d'espionnage de l'Ouest. Il faut toujours prévoir suffisamment de coups d'avance pour être prêt, même pour la victoire !

Décembre 2006

Moscou, 5 septembre 2007

Dorénavant il ne m'est plus nécessaire de définir ma lutte politique et les raisons qui la motivent et c'est un changement majeur. Poutine et le KGB font régulièrement parler d'eux dans les médias à propos de leurs abus dans leur propre pays et par leurs provocations musclées à l'étranger. Pendant ce temps, les richesses de la Russie, décuplées grâce au prix record des matières premières, ont été pompées allègrement par Poutine et ses sbires du Kremlin vers des comptes privés où investies, par dizaines de milliards, dans des intérêts à l'étranger.

Plusieurs développements récents dans la lutte contre la répression en Russie méritent d'être mentionnés. Il y a de bonnes et de mauvaises nouvelles. Même les mois d'été où les choses ne bougent pas beaucoup ont exigé notre vigilance. Le KGB ne se repose jamais, et donc nous non plus !

L'incident le plus notable fut le kidnapping à Murmansk d'une de nos militantes, Larisa Arap. Le 5 juillet, Mme Arap s'est rendue dans une clinique régionale pour demander un papier administratif nécessaire afin de renouveler son permis de conduire. On lui a demandé si elle était bien l'auteur d'un article (dans le journal *Une Autre Russie*) qui critiquait les conditions du service psychiatrique de la clinique. Répondant par l'affirmatif, elle fut aussitôt, sur ordre du médecin en chef, retenue de force par les services de sécurité de la clinique. Elle fut détenue et droguée contre son gré pendant près de deux semaines avant que la police ou la justice ne soit mise au courant.

Quand enfin la loi a daigné intervenir, et après des efforts répétés du mari et de la fille de Mme Arap, quelque chose d'encore plus ignoble eut lieu. La justice locale a soutenu la décision de la clinique au lieu d'accuser la clinique de détention et d'administration de drogues illégales. Par la suite, Mme Arap fut transférée dans un hôpital à deux cents kilomètres de là, afin de rendre les visites de sa famille et de ceux qui la soutenaient encore plus difficiles. Un groupe d'experts psychiatriques indépendants est

arrivé de Moscou pour examiner Mme Arap. Ils ont unani-
mement déclaré que Mme Arap ne présentait aucun danger
et qu'elle devrait être immédiatement relâchée. Mais la
justice a de nouveau refusé.

Le 3-4 août, la célèbre militante des droits de
l'homme, Oksana Chelysheva s'est rendue à Mourmansk
avec une équipe de la télévision française pour enquêter
sur le cas de Larisa Arap. Ils n'ont pas eu le droit de lui
rendre visite à Apatiti. Cependant, ils ont pu s'entretenir
avec elle par téléphone. Larisa les a informé qu'on lui
administrait un « nouveau médicament » et qu'elle avait
des « maux de tête en permanence ». Les journalistes n'ont
pu obtenir aucun renseignement médical ou autre sur
Mme Arap. Les médecins ont refusé de répondre à la
plupart des questions, notamment pourquoi elle continuait
à être enfermée contre la volonté de sa famille et malgré
de nombreuses violations de la loi. En revanche, ils ont
profité de l'occasion pour dénoncer vivement les critiques
à l'encontre de leur clinique faites par Mme Arap peu
avant sa détention. L'un des médecins a même déclaré à
un journaliste français : « Peu importe qui gère le pays, on
aura toujours besoin de nous. » Pendant toute leur visite,
Chelysheva et les journalistes furent accompagnés d'un
agent du KGB. Cela démontre clairement la rapidité avec
laquelle cet incident est devenu politique alors que cela ne
l'était pas du tout au départ.

Mme Arap fut enfin relâchée, tout simplement mise
à la porte, sans autre formalité, au bout de quarante-six
jours. On ne s'étonne pas que des pratiques traditionnelles
de l'URSS – où la détention arbitraire de dissidents pour
raisons psychiatriques fut fréquemment utilisée – sont en
train de revoir le jour à l'ère Poutine. Ce cas est d'autant

plus choquant qu'aucun mandat de l'état n'a été émis à l'origine. Quelques médecins locaux désiraient tout simplement se venger des critiques contre leur clinique. Ils furent totalement soutenus par la hiérarchie légale, qui par nature se protège en priorité avant d'appliquer une vraie justice.

L'opposition s'est fait entendre en 2007. Des nouvelles encourageantes viennent de l'intérieur de la coalition l'*Autre Russie* dont je suis le leader. En août nous avons commencé à organiser des conférences régionales dans tout le pays. Ces conférences vont nommer les délégués qui formeront notre liste de candidats au prochain Congrès à Moscou. Ces délégués à leur tour choisiront un candidat unique pour les élections présidentielles en mars 2008. Bien que nous n'ayons pas les fonds nécessaires pour faire une campagne présidentielle sophistiquée et largement médiatisée, nous sommes tout de même heureux de montrer qu'une vraie démocratie peut exister en Russie. Les élections officielles ne seront peut-être qu'une mise en scène orchestrée par des gens corrompus mais notre mouvement reste décidé à donner une voix à chaque citoyen russe dans chaque coin du pays.

GLOSSAIRE

Ce glossaire se donne pour tâche de servir de guide concis à la terminologie des échecs utilisée dans le texte. De nombreux termes représentent des concepts expliqués en détail dans le livre.

Vous avez ci-dessous un diagramme d'échecs de la position de départ. L'échiquier a soixante-quatre cases. Chaque joueur commence avec huit pièces et huit pions.

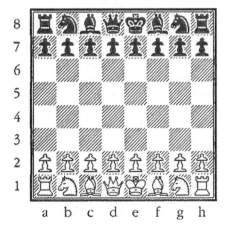

Les coordonnées sur les côtés de l'échiquier sont les bases de la notation algébrique des échecs, le langage symbolique de la transcription des coups d'une partie. Par exemple, « 1.e4 » représente un pion allant sur la case e4 au premier coup. Les coups d'ouverture « 1.e4e5 2.Fc4 » indiquent le déplacement d'un pion blanc en e4, puis d'un pion noir en e5, et enfin d'un fou blanc en c4. Sous une forme similaire, des parties se sont conservées durant des centaines d'années. Les bases de données des ordinateurs contiennent des millions de parties.

BLITZ : Parties où chaque joueur n'a que très peu de temps, en général cinq minutes.

CENTRE : Les quatre cases centrales de l'échiquier (d4, e4, d5, e5 en notation algébrique.) Contrôler le centre est l'un des premiers objectifs stratégiques. Le joueur qui contrôle le milieu de l'échiquier a l'avantage dans la mobilité des pièces et par conséquent dans le potentiel d'attaque. La valeur positionnelle des différentes cases est en corrélation avec leur proximité du centre.

CLASSEMENT (ou CLASSEMENT ELO) : Une représentation numérique du niveau d'un joueur basée sur le résultat de chaque partie. Le système de classement développé par le professeur de physique américain Arpad Elo fut adopté par la FIDE en 1970. Les grands maîtres sont habituellement classés de 2 500 à 2 800 et plus. Un joueur de tournoi amateur de bon niveau pourrait être classé à 1 800. On peut s'attendre à ce qu'un adulte débutant atteigne un classement à 1 200 en quelques mois de tournois. Un cumul de 200 points est considéré comme un classement.

COMBINAISON : Séquence de coups forcés, souvent avec sacrifice, conduisant à un objectif défini.

COULEUR : Les pièces sont dites blanches ou noires indépendamment de leur couleur réelle. Les blancs jouent toujours les premiers, ce qui leur confère un avantage substantiel au niveau professionnel.

ÉCHEC : Quand le roi d'un joueur est attaqué. Le joueur en échec doit faire l'une des trois choses suivantes : déplacer le roi, prendre la pièce qui attaque ou interposer une pièce pour bloquer la ligne d'attaque.

ÉCHEC ET MAT : Position dans laquelle le roi ne peut éviter la capture. (En fait, le roi n'est jamais capturé.) La fin décisive de la partie.

ÉCHECS CLASSIQUES : Parties qui comportent de larges plages de temps pour chaque joueur. Au moins quatre-vingt-dix minutes, souvent plus de deux heures.

ESPACE : Quantité maximum de cases contrôlées par une pièce. Un joueur qui a un avantage d'espace peut manœuvrer ses pièces plus librement.

FIDE : Fédération internationale des échecs

FINALE : Dernière phase de la partie, après le milieu de jeu. La plupart des pièces ont été échangées et le jeu devient technique plutôt que stratégique.

GAIN : Le gain vaut un point et se produit quand on fait échec et mat ou quand l'adversaire renonce. Très peu de parties professionnelles finissent par le mat car les joueurs renoncent dès que la défaite leur apparaît inévitable.

GAMBIT : Ouverture dans laquelle un camp échange du matériel contre un avantage positionnel.

GRAND MAITRE : Joueur possédant le titre international le plus élevé. À de rares exceptions près, le titre est décerné à un joueur qui a réussi à gagner dans trois tournois de qualification et a obtenu au moins 2 500 points au classement.

INITIATIVE : Capacité à générer des menaces sur la position de l'adversaire. Le joueur qui a l'initiative contrôle le cours de la partie à travers sa capacité à exercer davantage de menaces effectives.

MATCH : Série de parties entre deux protagonistes.

MATÉRIEL : Toutes les pièces et les pions se trouvant sur l'échiquier, sauf les rois qui ne quittent jamais l'échiquier. Un avantage matériel signifie avoir la plus grande valeur totale de pièces.

MILIEU DE PARTIE : Phase de la partie qui suit l'ouverture et précède la finale. Les frontières n'en sont pas exactes ni universellement admises. Au minimum, le développement des pièces est terminé et une stratégie complexe ainsi qu'une élaboration tactique sont encore possibles.

PARTIE NULLE : Fin de partie sans résultat décisif. Habituellement, elle se produit sous forme d'une offre et d'une acceptation entre les joueurs. Elle peut aussi se produire d'après la règle dans les cas de pat, défaut de progression (50 coups d'après la règle) ou triple répétition de la même position. Dans le système de score traditionnel, une nulle vaut un demi-point pour chacun des protagonistes.

OUVERTURE : Phase initiale de la partie. Les coups d'ouverture sont souvent composés de séquences mémorisées spécifiques appelées ouvertures. L'ouverture est généralement considérée comme terminée quand les pièces ne sont plus sur leurs cases d'origine et qu'un jeu inédit a commencé.

PARTIE : Simple rencontre entre deux joueurs.

PARTIES RAPIDES : Parties dont le temps de pendule alloué à chacun des joueurs est réduit, entre le blitz et les échecs classiques. En général autour de trente minutes.

PENDULE D'ÉCHECS : Chronomètre à double action qui comptabilise le temps restant de chaque joueur. Un joueur joue son coup et appuie sur la pendule. Ce qui arrête le mouvement de son cadran et met simultanément en marche celui de l'adversaire. Le temps de la pendule est global sur l'ensemble de la partie et non pas sur chaque coup. Un joueur perd quand il arrive à expiration de son temps.

PION : Unité qui a le moins de valeur en raison de sa moindre mobilité. Chaque camp démarre avec huit pions. Les pions ne sont pas habituellement considérés comme des pièces, un terme utilisé pour le reste de l'armée. Les pions ont la particularité de pouvoir être promus en pièce – presque toujours une dame – quand ils parviennent de l'autre côté de l'échiquier.

SACRIFICE : Offre de matériel en échange d'un avantage tactique ou positionnel. D'ordinaire, un sacrifice a un objectif tactique spécifique, tel que la création d'opportunités d'attaque contre le roi adverse.

TACTIQUES : Moyens de réaliser un plan stratégique. Chaque coup aux échecs a quelques composants tactiques. Les tactiques demandent du calcul et sont le fondement des combinaisons.

TEMPS DE CONTRÔLE : Quantité de temps allouée à chaque joueur. Décidé par le règlement du tournoi, il varie considérablement, des parties de blitz qui durent dix minutes aux parties classiques qui peuvent durer sept heures.

VALEUR DES PIÈCES : Il est d'usage de mesurer le pouvoir relatif des pièces d'échecs en comparant leur valeur à un nombre de pions. Les cavaliers et les fous valent trois pions (ou les fous un peu plus), les tours valent cinq pions, la dame neuf pions.

ZEITNOT : Manque de temps de réflexion pour un joueur pratiquant une partie à la pendule.

TABLE

III

Photocomposition Facompo à Lisieux (Calvados)

Impression réalisée sur CAMERON par
BRODARD ET TAUPIN
La Flèche
en septembre 2007

Imprimé en France
Dépôt légal : octobre 2007
N° d'édition : 01739/01 – N° d'impression : 43738